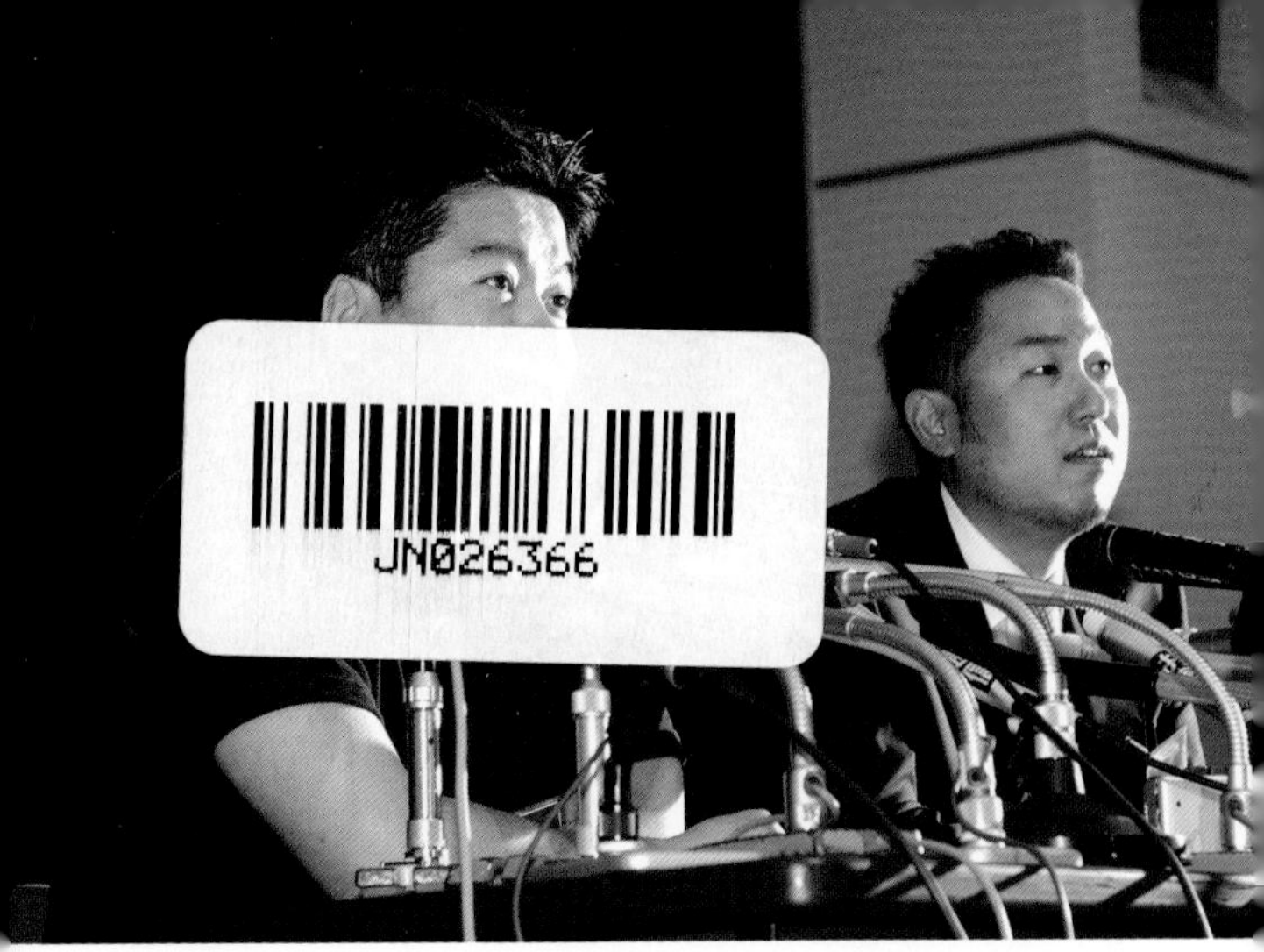

1

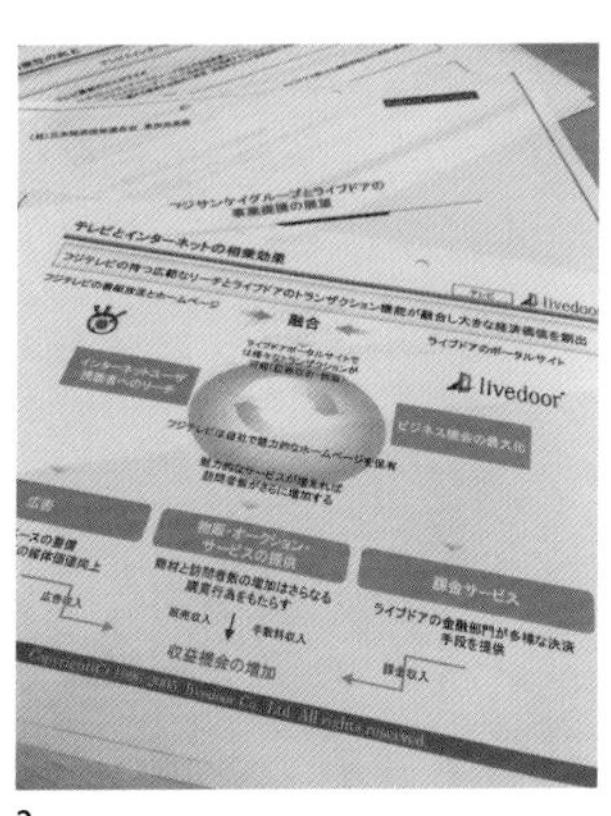

2

1. 堀江貴文氏と宮内亮治氏（右）は絶妙な二人三脚を組んだのだが……（2004年6月、近鉄球団の買収を表明した際の記者会見。7・8章）
2. 堀江氏はフジテレビ買収の理解を求めるためトヨタ自動車本社に奥田碩・経団連会長（当時）を訪れた。当時のプレゼン資料では単なる「ネットと放送の融合」だけでなく課金サービスなどが提案されている（7・8章）

3

堀江氏は2005年の衆議院選に出馬した。これがライブドア社長として過ごす最後の夏となった（7・8章）

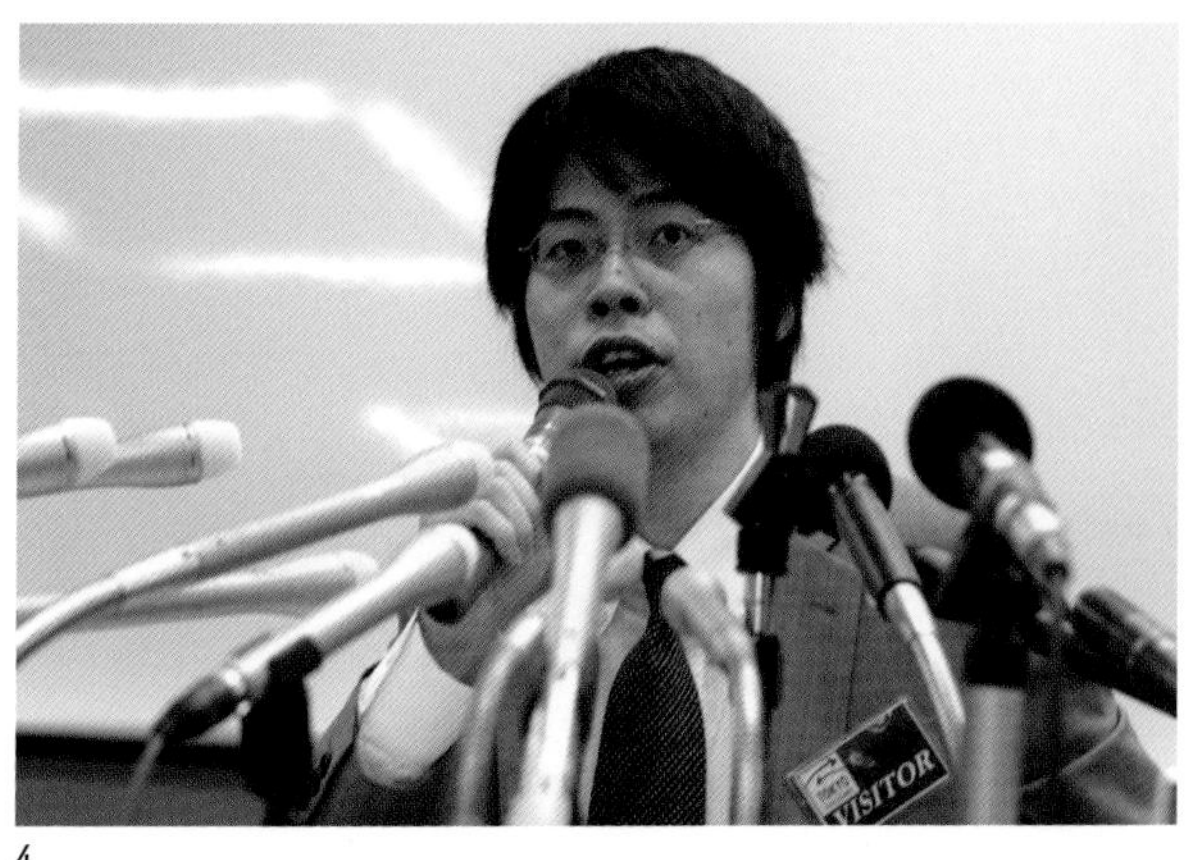

4

5

6

4. 笠原健治氏は和製SNSの「mixi」で一世を風靡した（2006年、9章）　**5.** フェイスブック・ジャパンの立ち上げに関わった仲暁子氏は漫画家デビューを目指していた（9章）　**6.** LINEスタンプのデザイナー、カン・ビョンモク氏の自画像（10章）

7

8

7. 2011年6月、LINEの開発が大詰めを迎えていた
8. LINE開発の初期メンバーである稲垣あゆみ氏はリリース直後の七夕の日に願いを記した。100万人はあっさり突破して半年で1000万人に到達した(10章)

9

10

9. メルカリ創業者の山田進太郎氏は大学のサークル「早稲田リンクス」で人をまとめる才能に気づいた（右端が山田氏）（11章）**10.** 世界一周旅行はメルカリ誕生のヒントになった（11章）

11

宇野康秀氏はリクルートの仲間たちとインテリジェンスを創業した（写真左から前田徹也氏、鎌田和彦氏、宇野康秀氏、島田亨氏、12章）

12

GMOインターネット創業者の熊谷正寿氏は21歳の頃から夢や事業のヒントを手帳に書き込んできた

ネット興亡記

②敗れざる者たち

杉本貴司

日経ビジネス人文庫

ネット興亡記　②敗れざる者たち　**目次**

ネット興亡記　①開拓者たち　目次

写真について
以下の口絵を除き、写真はすべて日本経済新聞社、著者撮影、各企業の提供によるものです。
共同通信（口絵3）、The Asahi Shimbun／Getty Images（口絵4）、東洋経済／アフロ（口絵11）

第8章

ライブドア、迫る破滅の足音

ライブドアのM&Aは複雑なスキームだった

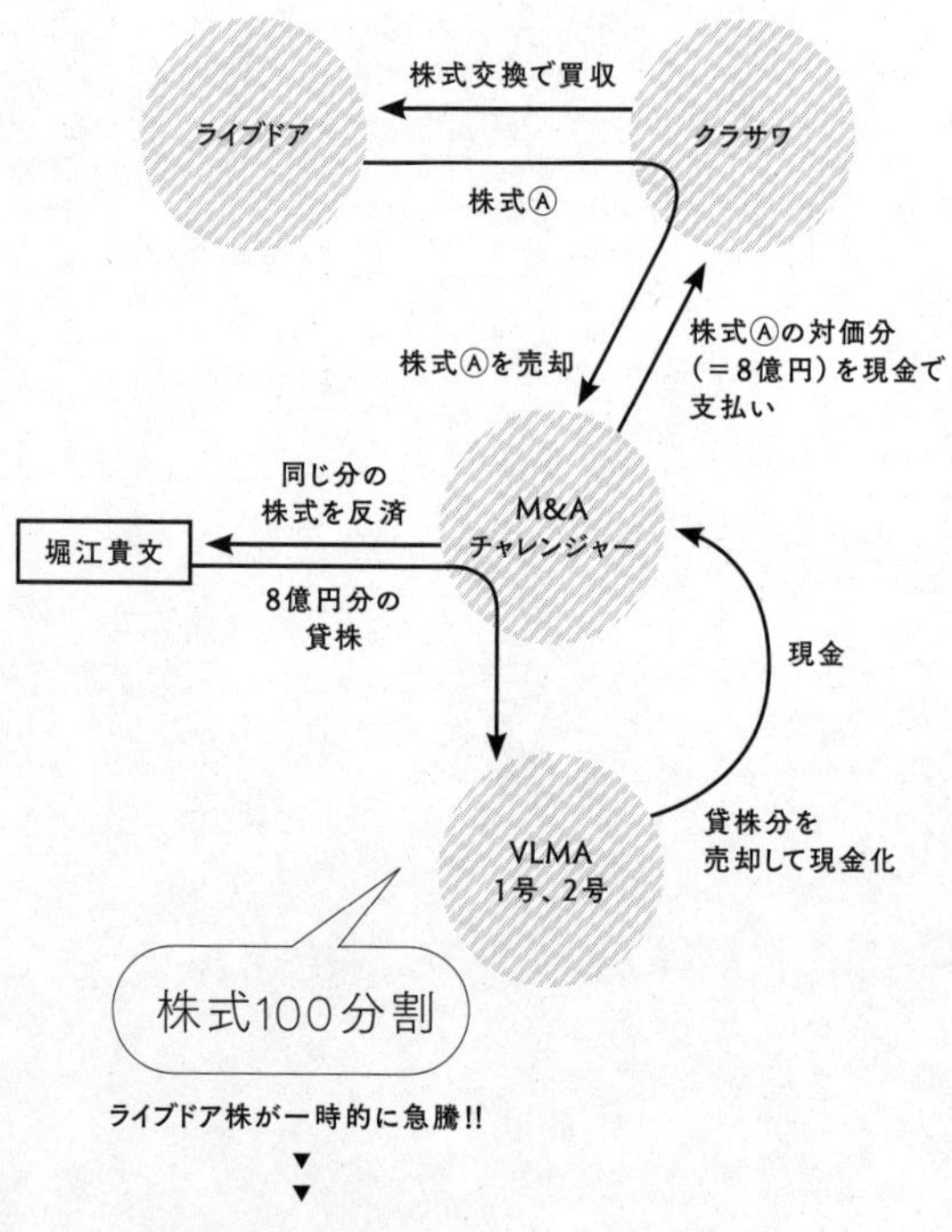

ライブドア株が一時的に急騰!!

▼

▼

巨額の「売却益」…… 利益として計上すべきか?

粉飾への誘惑

オン・ザ・エッヂはごく短期間だけ「エッジ」に社名を変え、さらに2004年2月にライブドアへと社名を変更した。ここからは社名をライブドアと表記する。複雑なスキームを伴うライブドア事件については、その過程で社名が変わっているのだが、これ以降は読みやすさを優先して社名は原則、時系列にかかわらずライブドアで統一したい。

なにがライブドアを狂わせたのか――。当然ながら粉飾決算の責任は当事者たちが負うことになるのだが、ここから描く不正に至る過程では、勃興するインターネット産業の中で常に成長企業であることが求められるプレッシャーにさらされ、その結果として不正に手を染めてしまった姿が浮き彫りになってくる。

目先の利益を取るか、それとも、まずは赤字に目をつぶってトップラインを伸ばしてプラットフォーム化を目指すか――。ビジネスモデルにもよるが、インターネットの世界では往々にして経営者たちはこんな選択を迫られる。上場企業として後者を選択するなら、市場からは常に大きなプレッシャーを受けることになる。ここまでに描いたようにサイバーエージェントが経験したことであり、アマゾンもそうだった。後の章で取り上げるメルカリも同じ命題と向き合ってきた。

もっとも、それが不正の言い訳にはならないことは言うまでもないのだが。

ライブドア事件は複数のM&Aのプロセスを巡って、違法性が認定されたものだ。結果から言えば事件を巡って、堀江貴文と宮内亮治の実刑が確定し、二人は別々の刑務所に送り込まれることになった。宮内は大枠で容疑を認め、堀江は無罪を主張し続けた。その結果、二人の間には修復不能な溝ができてしまった。

他にも宮内が指揮を執ったファイナンス部門から3人が、不正を見逃したとして監査法人から2人の公認会計士が、それぞれ有罪判決を受けたがいずれも執行猶予が付いた。

合計7人が裁かれたライブドア事件の中身は証券取引法違反で、問われた罪の内容は偽計取引と風説の流布、そして有価証券報告書の虚偽記載ということになる。

違法とされた取引手法は、極めて複雑なものだった。すでに多くの書籍やインターネット上で様々な解説がなされているが、よほど会計に詳しい人でない限り、一読して全容を理解できることはないように思われる。率直に言って、よくここまで手の込んだスキームを考えたものだと驚かされる。

本章でもそのスキームについて触れていくことになるが、違法スキームそのものを解剖することもさることながら、ライブドアがなぜそのような複雑怪奇なM&Aを繰り出すことになり、その結果として破滅への道を歩むことになったのか、その誘因と過程についてより焦点を当てていきたい。

そこにあったのは、市場関係者から急成長を義務付けられ、また、急成長企業であることが成果から手段に変わってしまった会社が迎えた悲劇である。

世間を欺き少なからぬ人々に被害を及ぼした会社の末路に対し、「悲劇」という言葉はふさわしくないのではないか、との指摘を受けるかもしれない。ただ、ここでそう表現するのは、この事件が一握りの首謀者によるものであり、インターネットの明日を信じてライブドアという会社に集ったほとんどの若者たちに罪はなく、彼ら彼女らもまた被害者であったことを理解していただきたいからだ。

彼ら彼女らを一緒くたに「ならず者」と呼ぶのはたやすい。だが、本当にそれが正しいのだろうか。本章では、ライブドアが破滅に至る過程をたどることになる。その物語の背後には、インターネットで「何か新しいものを、何か面白いものを」と模索し続けていた無名の若者たちの存在があったことを念頭に置いていただきたい。

そして、彼ら彼女らの物語は今も続いている。ある者はこの会社を去ってそれぞれに新たな道を歩み、またある者は修羅場と化したライブドアにとどまり、有為転変の末にLINE誕生という予期せぬ新たな物語に関わることになっていくのだった。

前年割れの予算案

少し前置きが長くなってしまった。

堀江とその仲間たちが破綻企業だったライブドアを手に入れ、ポータルサイトへと変身させてヤフーの背中を追い始めたのが、2002年11月であることはすでに触れた通りだ。9月末が年度の締めとなるライブドアは2003年9月期の本決算を終え、ヤフー超えという新たな目標のもとで動き出した。

その第一歩となる2004年9月期の予算を決める戦略会議でのことだ。戦略会議は毎月2回開かれるが、これは前年度の決算が確定した直後に開かれた2003年10月のことだった。

管理部門が策定した予算案では、2004年9月期の営業利益が10億円に満たない想定だったという。それでは14億6100万円だった前期の実績を下回ることになってしまう。2000年に上場して以来初の減益となることを意味していた。

これに、堀江が激怒した。いつもの「なんで、なんで」の連続攻撃が始まったのだ。とはいえ、実は前年度の2003年9月期は、証券会社向けのディーリングシステム会社を売却してなんとか増益を確保した、というのが実態だった。ちょうどこの会議と前後する時期にライブドアの赤字を補填するため、ファンド部門から月7000万円の「上納金」を納め始めたことはすでに前章で触れた通りだ。

何か利益を捻出する材料はないか——。

ファイナンス部門を率いる宮内が目を付けたのが、ちょうどこの時、買収交渉が山場を迎えていたクラサワコミュニケーションズというケータイ販売会社だった。

朝日生命から社外留学生として派遣されていた出澤剛が、元の会社には帰らずそのままライブドアに移籍した際、堀江から「せっかくなら何か新しいことを自分で始めてみたら?」と言われて立ち上げたのが、モバイル部門だ。そのモバイル部門の事業拡大のために買収に乗り出したのがクラサワだった。

ただし、クラサワ買収は出澤が仕掛けたものではない。ここで再び登場するのがオン・ザ・エッヂ時代に、上場のためのスペシャリストとして宮内が国際証券からスカウトしてきた野口英昭だ。

野口は投資ファンド設立を入社の条件に挙げていたため、堀江が宮内のゴリ押しを渋々認めて投資ファンドのキャピタリスタができた。ただ、野口はすぐに退職してエイチ・エス証券副社長に転じていた。そのエイチ・エス証券の系列ファンドから持ち込まれたのがクラサワ買収だった。宮内は、ライブドアを去った野口と、その後も付き合いが続き、この系列ファンドの会議にも出席していたという。

クラサワの大株主の提示額は8億円。それも株式交換ではなく現金を要求してきた。ただ、そもそも事業計画が前年度を下回りそうなライブドアに、その金額を現金で差し出す余裕はない。

2003年の夏ごろから始まった交渉はここで頓挫するかに見えた。ウルトラCとも言える複雑怪奇なスキームを編み出したのが、すでにライブドアを去ってエイチ・エス証券としてディールに関わるようになった野口だった。ちょうどライブドア社内で前年割れの予算案を巡って紛糾していた2003年10月のことだ。

複雑怪奇な買収スキーム

最初に言っておきたいのが、これから説明するスキームの中身は詳細というより概要でしかない。それでもかなり複雑になってしまう。会計やファンドの実務になじみがなければ読み解くのが難しいかもしれないが、少々お付き合いいただきたい。

まず、ライブドアは直接的にはクラサワとの株式交換によって、クラサワを傘下に収める。これをステップ1としよう。一方で利用したのが、ライブドアの大株主である堀江の持ち株だった。買収額相当の8億円分を堀江本人からM&Aチャレンジャーというファンドが借り受けて、これを傘下のVLMA1号、2号という2つのファンドを経由して売却。それで得た現金をVLMA1号、2号がM&Aチャレンジャーに還流させ、クラサワの株主には8億円分を支払う代わりにステップ1で定めた8億円分のライブドア株を買い取り、それを堀江に戻す。これをステップ1に定めた期日内（2004年3月15日まで）に行えば、クラサワ側は8億円の現金を手にできるため、実質的に現金による売却が完成するというわけだ。

ここまでの手順をざっとまとめただけでも、すでに何がなんだか分かりにくいと思う。ここで問題になってくるのが、ライブドアが会社として堀江から借りた株の存在である。結果から言えばこの期間中にライブドアの株価は極端に上昇し、一連の売却・買い戻しという取引の間にM&Aチャレンジャーが巨額の利益を得ることになる。そしてM&Aチャレンジャーがそのカネをキャピタリスタ（当時はライブドアファイナンス）に還流させた。ライブドアはこうやって得られたカネを売上高として計上したのだ。

ここで一つ、説明を飛ばしたことがある。なぜこの期間中にライブドア株が「極端に上昇した」のか。それは2003年の11月19日に株式の100分割を発表していたからだ。実行されるのは12月末。ライブドア株は100分割が始まってしばらく、年末年始をまたいで15営業日連続でストップ高となる異様な急騰ぶりを示した。この間に先ほどの「M&Aチャレンジャー→VLMA1号、2号」を通じて株を売却したから8億円分の貸株が巨額の利益に化けたのだ。

株式100分割とは、文字通り1株を100に分割するという意味だ。株式分割は1株あたりの単価が下がるので、より多くの投資家に株を買ってもらうための手段とされる。例えば、1株100万円で売買されている株式が100分割されると、単純計算では1株

1万円となり、個人投資家でも買いやすくなる。正規の手続きを踏んでいれば特に問題はない。ライブドアも株式分割はこれが初めてではない。

ただ、この時の「100分割」は、後に疑問が持たれた。クラサワ買収の前日に発表されたものだったのだ。つまり、株価の高騰を見越してスキームに紛れ込ませた貸株分の売却益を得るために株式100分割を行ったのではないか——。ちなみにライブドアの株価はストップ高になった後に急落している。つまり、結果的に100分割は一時的な株価急騰を演出する作用があり、そもそもそれを意図して行われたものだったのではないかと疑われたのだ。

事件発覚後に検察が解明しようとしたのはこんな構図だった。考案者の野口は10月末に古巣のライブドアを訪れ、宮内を交えて直接堀江にこのスキームを説明している。堀江による貸株を元手に想定できる利益は18億円。8億円分はクラサワの買収に必要なので残りの10億円が利益となる。

これを利益に計上できるなら、課題だった「前年度超え」も可能になるはずだ。では、なぜこれが粉飾決算となるのか——。問題は一連の取引の間に入ったM&Aチャレンジャーと VLMA1号、2号というファンドの存在だった。このファンドがどういう存在かが、ライブドア株を売却して得たカネが会計上、どう取り扱われるべきかという問題に関わってくる。

もしこのファンドがライブドアの意思にかかわらず、投資を遂行する純粋に第三者的なファンドであれば問題はない。会計上のルールに従えば、この場合なら第三者に自分の株を売った結果で得た利益となる。この点が重要なのだが、会計上、損益取引と言って損益計算書（PL）に利益として載せることになるのだ。

だが、もしM&AチャレンジャーとVLMA1号、2号がライブドアの意のままに動く組織であるなら話は違ってくる。その場合はこの3つのファンドは、端的に言えばライブドアそのものということになり、この一連の取引（ライブドア株の自社株売却）は単なる自己株取引と見なされる。これは資本取引と呼ばれ、損益取引とは根本的に異なる。株を発行して現金を得る行為は増資であり、損益には計上されない。この場合なら利益がPLに計上されるのはおかしい、ということになる。

要するにM&AチャレンジャーとVLMAの「素性」次第で損益取引か資本取引かの判断が分かれるわけだ。ライブドアはこれらのファンドを通じて得たカネを「利益」として計上しているから、損益取引と見なしていたことになる。

　ところで、一般にファンドの出資者は「ゼネラル・パートナー（GP）」と「リミテッド・パートナー（LP）」に分類できる。GPは業務執行者と言って文字通り投資を行う者だ。一方のLPは通常はファンドに資金を拠出してあらかじめ定められたルールに従って運用成績次第で儲けを手にしたり、損をしたり、ということになる。

　クラサワ買収が粉飾になるか否かの判断を分けるM&AチャレンジャーとVLMAの素性を決めるのが、このGPの存在だ。M&AチャレンジャーはHSインベストメント、そしてVLMAはバリュー・リンクという会社が業務執行組合員、つまりGPと位置付けられていた。

　HSインベストメントは、一連のスキームの考案者である野口英昭が代表を務めるファンドだった。もう一方のバリュー・リンクに関してはライブドアからの出資などの関係性はない。後にライブドア事件での裁判に出廷したバリュー・リンク社長の大西洋はVLMAの設立は野口からの依頼であり「投資もせず、（ライブドアの）株を売るだけのファンドを2つ作るのはいかがなものか」と抵抗したと証言している。さらに「株売却益をライブドア側に還流し、粉飾したかったのかと思った」とも言明した。

　つまり、取引に介在したファンドはライブドアの意のままに動いたということになり、一連のスキームは資本取引ということになる。繰り返しになるが、このカネの流れが資本取引ならクラサワ買収で得た10億円を利益として計上すれば、それは粉飾となる。

ちなみにこのようなスキームはクラサワにとどまらなかった。クラサワ買収の大枠が固まり、株式１００分割の適用が始まった3日後の２００3年12月18日、今度は金融仲介サービスのウェッブキャッシング・ドットコムを同様のスキームで買収。さらに子会社のライブドアマーケティングによる金融雑誌出版社、マネーライフ買収でも似たようなスキームが採られた。クラサワとの違いは堀江からの貸株がないことだった。

さらに言えば、ここではこれでも簡略化したのだが、実際のスキームはさらに複雑だ。ＶＬＭＡがライブドア株を売るために、いわゆるタックス・ヘイブンである英領ヴァージン諸島にファンドを作ったり、香港に取引のための口座を作ったり……。ちなみに複雑な資金のやりとりを一度海外に移すアイデアは、野口の提案だったという。宮内は運営を野口やクレディ・スイスに任せていたため、売却のタイミングなど実際の取引の詳細は堀江も含めて把握していなかったと証言している。

やはり説明が複雑になってしまった。まとめて言えば、単なる増資を、自作自演のファンドを使って不正に利益として計上した。これがこのスキームで問われた点である。

いずれにせよ、これらの「自社株の売却益」は30億円を超えた。本来なら資本剰余金として処分すべきなのであるが……。

「退路を断とうよ」

こうして「偽りの増益」のもと、2004年5月に発表した中間決算は乗り切った。2004年9月期本決算は、経常利益で30億5000万円を確保できる見通しとしていたのだ。前年度超えのハードルはクリアできたのだ。

だが、嘘に嘘を重ねるように、ライブドアの迷走は深みにはまっていった。

宮内は後にクラサワやウェッブの買収に絡めた自社株の「売却益」で増益、つまり成長を演出していることに、この時点で不安を覚えていたと認めている。管理部門を預かるスーツ組若手のホープ、熊谷史人も同じ意見だったという。

だが、堀江の野望はとどまることはなかった。宮内の著書『虚構　堀江と私とライブドア』によると、堀江は「経常利益30億円」の利益予想に対して不満をぶちまけたという。

「ちょっと待って。ちょっと。これケイツネ（経常利益）30億のままになっているじゃん。

なんでそのまま？　もっといけるでしょう。なんで50にしないの？」

宮内は堀江をいさめた。この時点で一連の取引が違法であるという認識はなかったというが、少なくともファンドを多重活用したウルトラC級のスキームで利益を捻出しているのである。このままいけば来期もまた成長を演出するために、どんな無理を強いられるか分かったものではない。

だが、堀江は聞く耳を持たない。最後はこう言って押し切ったという。

「いいんだよ。全部乗せちゃって。強気、強気。それにケイツネが50がかっこいいじゃない。50が大台に乗ったって感じでいいじゃん。退路断とうよ」

こうしてライブドアは「2004年9月期の経常利益は50億円」という「大台超え」の予想を市場に対して公表することになってしまった。

強気の業績予想は、やはりと言うべきか、自らの首を絞めることになった。なんと言っても本業と定めたポータルサイト事業は利益を生み出さない。

それでも「ライブドア＝成長企業」というイメージを演出しないといけないのには理由があった。ポータルサイトで巨人のヤフーを追走するためには2つの要素が必要だった。

まずはポータルに集まるユーザーの数だ。これはライブドアの知名度がカギを握る。もう1つは実際のサービス。ライブドアはこれをM＆Aで補おうと考えた。そのためには株価を高めて株式交換による買収を仕掛けやすくする必要があったのだ。

堀江にとって1つ目の課題である知名度を高める上で、またとないチャンスが巡ってきたのが、「経常利益50億円」をぶち上げた直後のことだった。この年の6月13日、日本経済新聞の「スクープ」によって、プロ野球の一部オーナーが秘密裏に画策していた大再編構想が発覚したのだった。第1弾となったのが近鉄とオリックスの合併である。

近鉄バファローズ買収宣言

近鉄とオリックスが合併してしまうとパ・リーグは6球団から5球団に減る。事態は2球団の合併にとどまらず、球界の長老たちが描いていたのが12球団あるプロ野球全体の球団数削減構想だったことが、この合併劇から徐々に明らかになっていった。

ここに手を挙げたのが堀江だった。合併構想発覚から2週間後の6月30日、堀江と宮内は記者会見を開き、突然、近鉄球団の買収に名乗りを上げたのだった。ここから堀江は

「ホリエモン」として日本中の誰もが知る有名人になっていった。同時に堀江が書くブログは人気を集め、飛躍的に知名度が上がったことでライブドアのポータルサイトを訪れる人は急増していったのだ。

この球界参入構想の始まりは、まるで冗談のような会話だった。

2003年末、堀江は福岡での講演会に出席した。講演後の懇親パーティーで聴衆と立ち話していると、福岡ダイエーホークスの社員が堀江にこんなことを語りかけた。

「いっそのこと堀江さんの会社で買ってくれませんか」

当時のダイエーはパ・リーグにあっては人気球団だが、それでも「人気のセ」との格差は埋めがたいものだった。

そもそも野球に興味がなかった堀江は受け流したが、後になってよく考えるとプロ野球が持つ宣伝効果は絶大だと思えた。そこへ、年が明けた2004年2月に証券会社から思いもよらない連絡が入った。

「近鉄バファローズを買いませんか?」

近鉄球団が身売りを検討しているというのだ。M&A案件を預かるのは宮内が率いるファイナンス部門だ。宮内が野球の強豪、通称「Y校」こと横浜商業高校野球部の出身であることは触れた通りだ。宮内は思わず前のめりになったが、提示された金額は40億円。ただでさえ後に粉飾と認定される「ウルトラC」まで駆使して利益を作り上げていた時期である。現場を預かる身として、宮内はいったん断念した。

「残念だけど、当時の我々にとっては高過ぎました」

そこに飛び込んできたのが近鉄とオリックスの合併話だった。しかも球界縮小を前提とした動きだという。

プロ野球に激震が走るさなかに堀江に連絡してきたのは、意外な人物だった。楽天役員だった小澤隆生だ。小澤はもともと起業家だ。自ら起こしたビズシークという会社を楽天に売却したため、楽天の役員に収まっていた。堀江とは旧知の仲である。

「堀江さん、まだ近鉄を買う方法がありますよ」

聞けば、ヤクルトスワローズの主力選手でプロ野球選手会の会長を兼ねる古田敦也らとも連携して近鉄の買い手を探しているという。近鉄に新しいスポンサーが見つかり、オリックスとの合併を阻止できれば球界縮小という最悪のシナリオを回避できるからだ。

プロ野球は人気商売である。すでにファンからは近鉄存続、12球団存続を願う悲痛な声が寄せられていた。少々無理をしてでもここで救世主として近鉄を買収すれば、ライブドアにとって広告効果は計り知れない。

「いいけど、三木谷さんはどうなの?」

堀江は小澤に念を押したが、小澤によると三木谷は前年にサッカーJ1のヴィッセル神戸を買収したばかりで野球には関心がないという。

堀江がプロ野球の力を実感するのに、そう長い時間は必要なかった。6月30日に近鉄球団買収を表明すると、そこから堰を切ったようにテレビで「ホリエモンとライブドア」が紹介されていった。7月4日に大阪ドームで行われた近鉄戦を視察すると、堀江の姿に気づいたファンから堀江コールが巻き起こった。それを聞いて気をよくした堀江に、同行した宮内がそっとささやいた。「ほら、野球って面白いでしょう」

実は、この時点でも宮内は「ちょっと触って終わりと思っていた」と言う。いかに野球好きとはいえ、火の車であるライブドアの台所事情を考えれば、年間30億円もの赤字を垂れ流す近鉄球団の買収はあまりに危険な選択に思えたのだ。

それでも引くに引けない。なにより、旧態依然とした仕組みに固執する球団オーナーたちを「老害」と痛罵する堀江のことは、礼儀をわきまえぬ乱暴者と見なす大人たちがいる一方で、バブル崩壊のダメージから抜け出せず「失われた10年」などという言葉が語られ始めた当時の日本社会に突如として飛び出したニューヒーローとして捉える論調も、この時点では目立っていた。

プロ野球再編を巡り世間が堀江の一挙手一投足に注目する。そのさなかの8月23日のことだ。月曜日のこの日、2週間の欧米出張から帰国して久々に出社した宮内に、経理担当役員になっていた丹澤みゆきが1週間後に控えた戦略会議に諮るための資料を手渡した。数字に目を落とすと、「経常利益50億円」の目標には15億円ほど足りない。

「これ、やばいよ……」

丹澤に聞いても、それが現実的な数字なのだと言うばかりだ。ライブドアはすでに触れたクラサワとウェッブの買収を巡る自己株売却の「利益」計上の勢いをかって、堀江の指示のもと2004年9月期の利益予想を「経常利益50億円」に上方修正したばかりだ。それがあっという間に未達という、なんともお粗末な事態に直面していた。もし、そのまま公表してしまえば、ライブドアに寄せられた成長企業というイメージと期待感はふっとびかねない。

この時点で、ライブドアはすでに装いの上に装いを重ねて、実態以上に自らを大きく見せることで膨張を可能にする経営構造に陥っていたと言えるだろう。

背伸びしてまで時価総額を高めることでM&Aを有利に進め、さらに背伸びしていく――。実態が伴わないことが白日の下にさらされれば、ライブドアが作り上げた勝利の方程式は、一気に逆回転を起こしかねない。

そんな危うい状態に、この時点でライブドアはすでに陥っていた。役員となっていた丹澤も成り行きは承知しているが、経理担当としては「未達」もやむなしと言わざるを得ない。

「なんとかなんないの？」

そう言われてもどうにもならない。すでに火の車であるライブドアの財務を切り盛りしてきた宮内も承知の上だ。2004年9月決算期が終わる9月末まで、残された時間はあと1カ月余りしかない。

頭に浮かんだのが、2つの会社だった。

そのアイデアを堀江にストレートにぶつけた。

「このままじゃ、（50億円は）絶対に無理っすよ」

「まずいね」と言う堀江に、宮内はこう言った。

「キューズとロイヤルからライブドアに売り上げを付ければ、なんとかなると思うんですけど」

結婚仲介のキューズ・ネットと消費者金融のロイヤル信販は、それぞれ2004年8月末と9月初めに株式交換による買収を公表していた。つまり、2004年9月期の決算が締まる直前なのだが、実際の買収完了はいずれも決算期をまたぐ10月に予定されていた。

両社とも十分な現金を抱えている。それを一時的にでもライブドア側に回そうというのだ。まさに、宮内自身が「粉飾の第一歩」と悔いるライブドアへの「上納金」と同じ発想と言えるだろう。

宮内は前掲書でこの時の堀江の様子を、次のように回想している。

現状では経常利益が10億円以上、見通しを下回る。堀江がそれを避けたいと思っているのは理解できた。近鉄バファローズの買収に名乗りを挙げて、世間の注目を集めていた時でもあった。

この時、堀江はいつものような軽い言い方ではなく、思い詰めたような表情でこう言った。

「やるしか、ないだろう。やりきるしか、ないですね」

訴訟を恐れた監査法人

こうしてライブドアはキューズ・ネットとロイヤル信販へのコンサルティング業務や広告費として、15億8000万円の売り上げを計上した。架空計上である。こうして「経常利益50億円」の目標は達成されたのだ。

それにしても、一連の怪しい取引に、企業会計の番人であるべき監査法人は何をしていたのか。

ライブドアの監査を務める港陽監査法人の公認会計士だった田中慎一が最初に「異変」を察知したのは、問題の決算が終わった直後の2004年11月2日のことだったという。気づいたのは比較的構造がシンプルなキューズとロイヤル信販による15億円の売り上げ計上だった。そもそも期末のタイミングになって帳尻を合わせるために大きな取引をねじ込んでくることは、ライブドアならずともよくあることだ。

ただ、その金額の大きさが目に付く。するとやはりあるスタッフから疑わしい取引が存在すると聞かされたという。田中はこの時点でライブドアの監査は担当していないが、後にライブドアを担当することになる。田中が担当する以前の2004年9月期決算での粉飾決算が裁かれたライブドア事件に、間接的ながら携わることになった田中は、事件発覚の直後というタイミングで『ライブドア監査人の告白』という本を出している。

当時はまだ裁判が始まる前だが、田中自身も東京地検特捜部から計12回にわたる事情聴取を受ける過程で、徐々に事件の全容がつかめてきたという。

その中で「本当に後悔している」と振り返っているのが、2004年11月に港陽監査法人の内部で開いたライブドアの監査に関する審査会だった。「キューズとロイヤル信販による売り上げ計上がおかしい。取引の実態はないのに売り上げを計上しているのではないか」という疑念を持った田中は2日間にわたって、ライブドア幹部へのインタビューを行った。その結果は「結論から言えば、取引の実在性を完全なかたちで確認することができなかった半面、明確に粉飾だと断定できる証拠を押さえることもできなかった。（中略）『この人たち、本当に仕事をしたのかもしれない』と、少し気持ちがグラついたのも事実だった」という。

つまり、限りなくクロに見えるグレーといったところだ。そうなると監査法人としては危ない橋を渡る必要はない。ライブドアの決算を認める「適正意見」を下さず、監査から降りるという最終手段も考えられる。

だが、この審査会で議論になったのが、監査から降りてしまうとライブドアから訴えられるリスクがあるのではないか、ということだった。話題となったのは、ライブドアがM&Aを巡って訴訟合戦を繰り広げていたイーバンク銀行という会社の件だった。

実はこのイーバンクの買収がこじれたことが、あの超複雑なスキームを駆使したクラサワ買収に向かう原因となっていたことを後に宮内は明かしているのだが、この審査会の時点では、そんな情報はつかめていない。

田中は前掲書で、「あのとき、体を張ってでも訴訟リスクを警戒したパートナーたちを説き伏せて、監査人の辞任という主張を押し通すべきだった」と記している。だが、その言葉を飲み込んでしまった。田中が港陽監査法人に入社したのは問題の決算期が終わる直前の2004年7月であり、いずれ起業しようという思いがあった。腰掛けの自分が主要顧客であるライブドアを「切れ」とはついに言い出せなかったのだという。田中は「この遠慮がいけなかった」と振り返っているが、後の祭りだった。

ニッポン放送を狙え

一連の会計操作の結果、ライブドアは2004年9月期の経常利益を、前年度と比べ3・8倍となる50億3400万円とし、目論見通りに「急成長ぶり」を見せつけた。これが粉飾決算として証券取引法違反の疑いで東京地検特捜部の強制捜査を受けるのは、この決算から1年3カ月ほど後のことになる。

粉飾決算の実態は、この段階で誰にも気づかれずにいた。堀江とライブドアは近鉄球団の買収とプロ野球参入には失敗したものの、年が明けて2005年になると、ますますスポットライトを浴びることになる。

2月8日、ライブドアは時間外取引を利用してニッポン放送というラジオ局の株式の35%を握ったと発表したのだ。狙いがニッポン放送の先にあるフジテレビであることは、誰の目にも明らかだった。

売上高も時価総額もフジテレビと比べてはるかに小さいラジオ局のニッポン放送が出資関係だけを見れば、フジテレビを中核とするフジサンケイグループを牛耳っているという、おかしな「資本のねじれ」に注目したものだ。

なぜニッポン放送が資本構成上、フジサンケイグループの扇の要となっていたのかについては、フジサンケイのお家事情によるものだが、ここでは説明は割愛する。フジテレビにとっても資本のねじれの解消は長年の課題だった。

このねじれ問題について、以前からフジサンケイグループ各社の首脳に「おかしい」と説いて回っていたのが村上ファンドを率いる村上世彰だった。村上は2001年ごろからニッポン放送の株を段階的に買い増していき、20％近い株式を握る筆頭株主となっていた。

フジテレビ側もようやく動き、2005年1月17日にニッポン放送にTOB（株式公開買い付け）を行い、これが成立すれば50％以上を出資して子会社化すると表明していた。誰もがこれでようやくフジテレビとニッポン放送の資本のねじれが解消されると思っていた矢先に、ライブドアが時間外取引を利用して電撃的に両社の間に割って入ってきたわけだ。

フジテレビ側は堀江が提案した提携の申し入れを拒否し、ここから劇場型と呼ばれたニッポン放送を巡るM&A攻防が始まった。

「もう詰んでますから」

「想定の範囲内」

フジテレビが反撃の手を繰り出しても平然と言ってのける堀江のセリフは、さかんにテレビで取り上げられ、流行語となっていった。

フジテレビ買収の本当の狙い

そこまでしてテレビに固執した理由は単純だ。前年のプロ野球再編騒動で、テレビが持つ広告効果を身をもって実感していたからだ。粉飾決算の疑いが発覚して以降、ライブドアには「虚業」のレッテルが貼られたが、実際にはポータルサイト事業が徐々に立ち上がり、ヤフーの背中を追い始めていた。

当時のライブドアは前述したように、社内からの「上納金」に頼り実質的には赤字体質だが、ある時点まではユーザー数の獲得を優先させるために赤字には目をつぶる根気強さが、ポータルサイトのようなプラットフォーマーの戦い方の定石である。ライブドアもユーザー獲得とそのための新サービスの開拓を優先させていたのだが、この当時はその意図が一般に理解されることはほとんどなかった。

堀江はプロ野球再編でのメディア露出について、100億円もの広告効果があったと語る。実際、この1年間のライブドアのユーザー数の伸びは、他のネットサービスを圧倒していた。堀江も筆者の取材にこう答えている。

「(近鉄球団買収に) 手を挙げたら、もうフィーバーですよ。球団買収ってある程度はすごい騒ぎになると思っていたけど、『ここまですごいのか』と思いましたね。それこそ想定以上。手を挙げるだけで、もう十分に効果があった」

ネットレイティングス (当時) という調査会社の調べでは、球界参入騒動が一段落した2004年11月時点でのライブドアのアクセス数は382万人で、1年前と比べて5・5倍に急増していた。これは家庭のパソコンからの来訪者数なので、法人回線経由を含めればアクセス数はさらに膨らむことになる。

そこで目を付けたのがフジテレビだった。目的はライブドアの知名度を高めることだ。球界再編騒動のさなか、堀江はこう考えたと著書『我が闘争』で書き記している。

「ライブドアの知名度をさらに上げるために、テレビメディアと直接的に関わる方法がないものか。はっきり言えば、テレビ画面にライブドアのURLをできるだけ長い時間表示するために、できることはないだろうかと考え続けていた」

後年、その真意を筆者がさらに問うと、こんな答えが返ってきた。

「ひと言で言えば、メディアのリーチが欲しかっただけ。ただ、その狙いはサブスクリプションなんですよ。今では説明しやすいんだけど、例えて言えば、フジテレビからアマゾンをつくるイメージです」

「アマゾンって本質的に言えばサブスクリプション。彼らはインターネットの黎明期に『買ってもらいやすいものは?』と考えて本から始めた。それでユーザーの決済アカウントを作って、他が付いてこれないくらい投資して（サービスを作って）いく。それをメディアという強力な装置を使ってやろうと思っていたんですよ」

ポータルサイトの最大の収入源は広告である。ただ、広告収入に依存した収益モデルからの脱却は、堀江がライバル視したヤフーも早くから手を付けていた。例えば、ヤフー・ショッピングやヤフー・オークションがそうだ。これらのサービスを使ってもらうためにはユーザーにIDを作ってもらい、クレジットカードのような決済と紐付けることになる。一度、このようなIDをユーザーに作ってもらえれば、有料課金型サービスに横展開していく、つまりユーザーを誘導していくことが簡単になるのだ。

堀江が例に挙げたアマゾンも本のネット通販から始めた。当初は一度きりの利用客が多いが何度も使ううちにユーザーは毎回クレジットカード番号や配送先を打ち込むのが面倒になり、IDを作る。そこからアマゾンは、動画配信などの本格的なサブスクリプションへと移行していったのだ。

ポータルサイトに集まったユーザーを徐々に課金型のサービスへと誘導していく構想の突破口として、堀江はフジテレビが持つ絶大な影響力を使おうと考えたというのだ。

当時は「ネットと放送の融合」という言葉がさかんに使われていたが、堀江の本当の狙いはフジテレビのコンテンツをライブドアのポータルサイトで二次利用したり、ライブ配信したりするだけではなかったということだ。

「テレビといえばみんな（狙いは）動画ビジネスと言うけど、ネットで動画を見るなんて、当時の3G（第3世代のケータイ）ではダメですよ」

真の狙いは、ポータルサイトの先にある課金型サービスへと素早く移行するためにフジテレビが持つ「リーチ」を最大限に活用することにあったのだという。

村上ファンドの誘い

実は堀江も早くからニッポン放送とフジテレビのねじれ関係には気づいていた。オン・ザ・エッヂ時代に経験した上場を機に、それまでは「ギーク」側の人間だった堀江が、株式会社の仕組みや株式市場について関心を持ち始めた2000年のある時、なにげなく手に取った『会社四季報』で「フジテレビジョン」のページに目をとめた。「なんだこれ」と思ったのが、その資本構成のいびつさだった。

ニッポン放送を買えば、なぜかより高価なフジテレビがついてくるじゃないか――。驚きの発見だった。ニッポン放送は上場している。つまり市場からその株を買うのは自由で、常時「売り」に出ている状態だ。だが、当時のオン・ザ・エッヂでは手が届くわけがなく、「単なる夢物語」と諦めざるを得なかったという。

この時の「夢物語」が正夢になるかもしれないと堀江にささやいたのが、村上ファンドを率いる村上世彰だった。

堀江は村上が「フジテレビに興味ない？」と聞いた口調を「まるで今日これからうちに

来ないかという調子」だったと振り返っている。

村上がライブドアに正式にニッポン放送株の取得を持ちかけたのは、2004年9月15日のことだ。村上はライブドア幹部に「N社について」という資料を手渡した。N社とはニッポン放送のことだ。そこには村上ファンドが18%近い株式を保有していることが書かれていたほか、ある外資系投資ファンドも村上側につく考えがあるという。

村上の狙いはニッポン放送とフジテレビに対して資本のゆがみを是正するための圧力をかけることにある。この来訪の半年前にあたる2004年3月末時点で、そのためなら「プロキシーファイトを真剣に検討する段階に来ていた」と回想している。

そのために、村上はライブドアにもニッポン放送株を買わないかと持ちかけたのだ。この時点ではライブドアに保有株を売る約束などはしていない。

続く11月8日、ライブドアは堀江と宮内が同席した会議で、村上に対してニッポン放送株を買う意向を伝えた。結果から言えば、村上はこの「インサイダー情報」を聞いたにもかかわらず、その後もニッポン放送株を買い続けて売り抜けたとして、証券取引法違反に問われた。

村上の見解では、ライブドアの資金力から考えてこの時点で本当にニッポン放送株の買い占めに踏み切ることは不可能との判断だったという。村上ファンドが会議の後もニッポン放送株を取得し続けたのは、以前からの買いの延長だったというわけだ。前述の通り、村上ファンドの保有株は、2005年に入ると約18%から20%近くに上昇している。

村上に改めて当時の経緯を聞いたところ、翌年2月初めに米リーマン・ブラザーズ日本法人社長の桂木明夫が村上のもとを訪れてライブドアの資金調達に協力している旨を伝えたという。これはもう、明らかにライブドアがニッポン放送を買収しようと動いているという証拠となる。

村上は桂木との面会直後に、ファンドの部下に売買停止を命じたという。この時点でインサイダー情報を得たと認識したとの主張だ。

「宮内さんが『そら行け、やれ行け、ニッポン放送だ』と言うのは『聞いちゃったでしょ』と。聞いちゃったと言われれば、聞いちゃってるんですよね」

2006年6月5日、村上が逮捕される直前に東京証券取引所で開いた記者会見で、村上自身が苦笑いを浮かべながらこう述べる姿が何度もテレビで報じられた。この発言はインサイダー取引が疑われることになる11月8日の会談での一幕のことを指している。新聞やテレビでは「容疑を大筋で認めた」と一斉に報じられた。先述した通り、村上は「聞いたことは聞いた」が、この時点ではライブドアがニッポン放送の買収に踏み込むことはない、との判断だったという。

繰り返し流された「聞いちゃった」という映像から、村上本人が公の場でインサイダー取引を「自白した」かのような印象を与えるが、実際は判断が分かれるところだろう。「インサイダー」の材料となるライブドア側の最高財務責任者である宮内自身が、後にこう明言している。

「外形的な事実からはインサイダー取引の疑いが濃くなるのだろうが、私の個人的な感覚では、11月8日の時点で、(ライブドアによる)ニッポン放送株買収の環境が整ったという気はまったくしていなかった。それを実現するための準備は整っていなかった。したがって、この時点でいくら外形上の条件が整っていても、インサイダーにはあたらないと思っている」

ちなみに、村上がライブドアにニッポン放送株の取得を持ちかけながら、後に売り抜けて利益を得たことを、宮内は「ハシゴを外された」、あるいは「裏切られた」と述べている。ライブドアは村上ファンドの出口戦略に使われたとも言う。これらの言葉からは村上の行動に対する嫌悪感さえうかがえる。

その宮内が「焦点となる11月8日時点でインサイダーは成立しない」と考えていることは非常に興味深い。「インサイダー取引を意図したわけではない」という村上の主張を裏付けることになるからだ。

実際、判断の難しい裁判だったようだ。「村上裁判」では一審から最高裁まで一連の事態のどこまでをインサイダーと見るべきか、裁判所の判断が揺れ続けた。最終的には懲役2年（執行猶予3年）の判決が下された。

村上は「今でも判決に違和感はある」としつつも、「法治国家でフェアな手続きで争って負けたんです。それがすべてですよ」と淡々と振り返る。

日本に突然現れた「物言う株主」の村上は裁判で敗れた後、シンガポールに移住した。ゴルフをしてもジョギングをしても気持ちが晴れることはなかったと言う。

孤独な「生涯投資家」

村上の話を続けたい。

そんな憂鬱な日々を変えたのが、遠く離れた日本を襲った東日本大震災だった。激しい揺れが発生した時、村上はシンガポールから東京にいる娘の村上絢と電話している最中だった。

以前から親交があるボランティア団体が、大津波に襲われた宮城県南三陸町に入ったのを聞いて、村上も現地に向かった。町の惨状を見ながら、村上は炊き出しのハンバーグを焼くことしかできない。

「あれは一生で一番、自分って何だろうって考えた日でした」

自分ができるのはゴルフやジョギングだけなのか――。投資家として自分が成そうとしたことは、何だったのか。忙しくハンバーグを焼きながら何度も問い返したのだという。

2017年、村上は『生涯投資家』と題する自身の半生を振り返る本を刊行した。そのタイトルの通り、再び「物言う株主」として投資の最前線に戻っている。ターゲットにするのは以前と同じ、資本構成やコーポレートガバナンスに不備が見える上場会社だ。

資本の論理でねじ伏せるような村上のやり口には、今も昔も批判が多い。ただ、かつてターゲットにされたサイバーエージェントの藤田晋も「村上さんの言うことはいちいち筋が通っていた」と認める。買収騒動から長い時間がたち、今では「どちらが正しかったかは歴史が証明した」と自負するが、村上が言う資本の論理を認めているのも、また事実だ。村上の隣室に引っ越したことを機に互いの部屋を行き来する仲になったことは第1章で述べたが、村上がシンガポールに移住した今も交流は続いている。

「強欲な物言う株主」の本当の姿はなんだったのか——。筆者も一度、本人から直接聞かされたことがある。あれはハシゴ酒をした帰り道のことだった。さっきまでスナックで上機嫌で歌っていた村上が夜道を歩きながら突然、こんなふうに聞いてきた。

「君も、俺のことを金の亡者だと思っていたんだろ」

まるで敏腕記者のような不意を突くストレートな問いかけに、一瞬たじろいだ。こういう時はついつい反射神経的に本音が出てしまうものだ。

「あの、まあ、そうですね」

質問が過去形だったからか、村上は何も返さず不敵に笑っていた。正直に言えば、稼ぎにはとことんこだわる人だと思うが、金の亡者だとは思っていない。すでに個人としては使い切れないほどの財産は得ているわけであり、一度はもうコリゴリだと思ったという投資の世界に、自分は何をなすべきかを考え抜いた上で「生涯投資家」として舞い戻ってきての行動だということも、理解できる。

とかく、好き嫌いの分かれる人物だと思う。筆者も「好き嫌い」などという観点ではなく、これまでの村上の主張には大いに賛成できるものもあれば、できないものもある。ただ、世間からなんと言われようとも投資家としての信念を曲げない姿には、一度どん底に落とされた者がにじませる執念を感じることもまた、事実である。

話をフジテレビを巡る攻防戦に戻そう。

やや時系列が前後してしまったが、2004年11月8日の村上ファンドとの会談の後、ライブドア社内ではニッポン放送の買収、ひいてはフジテレビの買収に向けた検討作業が本格化していった。宮内はこう振り返っている。

「ライブドアには、『前向きに検討します』といった類いの『役所言葉』はない。『検討』は『行動』を意味する」

宮内は後に「村上ファンドの出口戦略に使われた」ことを悟るが、この時点では、村上ファンドと連携できると考えている。それでもライブドアとしてニッポン放送株の3分の1を押さえる必要があった。最低でも500億円は必要な計算だ。宮内はフジサンケイグループへの情報漏洩を警戒して邦銀ではなく外資に資金調達を打診し始め、スイスのクレディ・スイスとの交渉が本格化していった。

事態が急変したのが、年が明けた2005年の1月17日だった。フジテレビが重い腰を上げる形で、ついにニッポン放送へのTOB（株式公開買い付け）を発表したのだ。

この日の出来事に対する記憶は、村上と堀江でやや食い違う。

村上はその日、堀江から電話を受けて「もうニッポン放送に対して、何もできないのだろうか。何かライブドアとして、できることはないだろうか」との相談を受けたと回想している。村上は堀江にできることはなく「株を売って終わりにする」と告げたと述べている。

これに対し、堀江は『我が闘争』で、この日の夜は村上の自宅でワインを飲みながら話し合ったと記している。それによると、ライブドアは資金的にフジテレビのTOBに対抗することは難しく、試合終了といった感だったという。

ただ、翌朝早くに村上が堀江に電話して「いい方法があるぞ」と言い、時間外取引での対抗策を持ちかけたという。ライブドアの実行部隊である宮内も、堀江の記憶に近い。堀江が村上に「フジテレビのTOB価格より高い値段だったら、ウチに売ってくれますか」と聞くと、村上が「僕はファンドマネージャーだ。高い方に売るよ」と答えた、と回想している。

本人たちの主張が食い違うため、真相は断定できないが、フジテレビによるニッポン放送へのTOB発表を目の当たりにしてもなお、堀江と宮内はニッポン放送を通じたフジテレビの買収を諦めることはなかった。これが翌月の2月8日の時間外取引によるニッポン放送株取得につながるのである。

その後は劇場型と言われたM&Aが連日報じられた。六本木ヒルズレジデンスの前には、堀江を待つ報道陣が24時間態勢で張り付く。堀江が「もう詰んでますから」と挑発的な言動を繰り返せば、杉並区にあるフジテレビ会長の自宅には毎朝、報道陣が詰めかけた。「朝駆け」と呼ばれる自宅直撃の取材は非公式のためオフレコが原則なのだが、半ば公然とテレビカメラが回るためあたかも定例会見のような様相となっていた。

互いに次々と打つ手を変えながらの攻防。ニッポン放送がフジテレビを引き受け手とする第三者割当増資を発表すれば、ライブドアが裁判所に差し止めを請求した。これはさすがに買収防衛を目的としており、一般株主の価値を毀損するとしてライブドア側の勝利に終わる。

難しいと思われた買収資金についても、ライブドアは奇策を打ち出した。それが株価によって条件が変わる「MSCB」と呼ぶ転換社債だった。CBは転換社債のことだが、MSは「Moving Strike」の略である。社債から株式に転換する際の行使条件が株価によって日々変わるため、「ストライクゾーンが動く」という意味だ。発案者は、宮内が率いる「スーツ」の若きエースである熊谷史人だった。これによって800億円の資金をかき集めることに成功した。

大物仲介者

ライブドアによるフジテレビ買収計画は時間外取引やMSCBといった「奇策」によって現実味を帯びつつあった。ただ、権力者たちをあざ笑うかのようなやり口には、次第に批判の声も強まっていく。

その中の一人が、堀江と同学年にあたる証券マンの園田崇だった。

それは2月半ばの金曜日のことだった。ライブドアが時間外取引を利用してニッポン放送株を買い付けたばかりで、フジテレビとの攻防戦はまだ序盤だった。その日の夜、日興シティグループ証券の園田は、以前勤めていた電通時代の友人と六本木の焼鳥屋で飲んでいた。

友人とは久々の再会だったが、話題はもっぱらライブドアだ。園田は数カ月前までニューヨークに駐在し、日本企業と米国の投資家の橋渡しをする仕事をしていた。ライブドアはクライアントの一社だった。投資家向け説明会のため渡米していた堀江と、ボストンで初めて会った時のことは、はっきりと覚えている。

「他の会社だと、日本から役員や社長が来て、投資家に対してパワーポイントとかで直近の業績を説明すると、すぐにQ&Aに入ります。堀江さんはいきなり『ライブドアでヤフーを超える』とか言うんですよね。業績よりどうやってヤフーを超えるのかをしゃべり続けるんです」

帰国して学生時代からの目標だった起業の準備に取りかかろうとしていたところで起きたのが、ライブドアによるフジテレビ買収騒動だった。

「あんなやり方だと誤解されちゃうよね。俺、直接言っちゃおうかな」

友人にそう言うと、酒が入っていた勢いもあり、ライブドアの財務部門に電話した。すでに夜の10時を過ぎていたが、たまたま電話に出たのが旧知の熊谷史人だった。

「あれ、クマちゃん、まだ会社にいるの？」

手短に要件を伝えると、園田は「じゃ、今からそっちに行くから」と言う。酒の臭いも気にせず六本木ヒルズ38階のライブドア本社に押し入ると、熊谷に「もっとちゃんと丁寧に説明しないと誤解されますよ」と力説した。

実は、園田自身、ニューヨーク時代に堀江がクライアントである投資家に対してヤフー超えの戦略として「マスメディアとの連携」を何度も口にしているのを目の当たりにしていた。フジテレビ買収計画がライブドアの戦略としては理にかなうものであることは理解している。ただ、テレビは言うまでもなく公共の電波を使う。資本の論理だけを押し通すやり方では、周囲の反発を招くだけだ。

「今のもの言いだと変な会社だと思われるだけですよ」

園田が言うと、熊谷はこう返した。

「分かりました。じゃ、明日、堀江さんと直接会って話してくださいよ」

翌日、堀江に会うと、このままではフジテレビとの提携交渉は立ちゆかなくなると訴えた。

「じゃ、園田さんがうちに入ってよ」

これで園田はライブドアに転じることになった。「起業のための最後の修業と思って決めました」。園田は後にIoT関連のウフルを起業することになるのだが、この時点ではいずれメディア関係の会社を起こそうと考えていた。だから、堀江が描く「メディアを利用するヤフー超え戦略」には大いに関心があったのだ。それに、電通時代にはフジテレビを担当していた経験もある。起業の準備のためにスタートアップを経験するなら、ライブドアは悪くない選択だと思えた。

園田は3月1日付でメディア事業戦略室長兼副社長として入社した。任せられたのはフジテレビとの提携交渉だが、実質的には和解交渉と言う方が正確だった。

「もう詰んでいますから」

「新聞やテレビなんていずれネットに飲み込まれる」

堀江がメディアに登場して挑戦的な発言を繰り返す一方で、ますます財界からの反感が膨れ上がるのを、当事者としてライブドアに入社すると嫌でも思い知らされる。

この頃には様々な財界人がライブドアとフジテレビの間を取り持つ仲介役として名乗りを上げていた。例えば、アラビア石油創設者で「アラビア太郎」こと山下太郎の息子もその一人だが、フジテレビにニッポン放送株を売り戻すよう求める仲介者たちの言葉に、堀江がうなずくことはなかった。

フジテレビとの「提携交渉」に忙殺される一方で、園田は個人的な人脈をたどって一計を案じた。頼ったのが初代経団連事務総長の和田龍幸だった。年齢は30歳以上離れているが、鹿児島県鹿屋市出身の同郷で、和田の親族は園田の実家が経営する病院に通院していた。地元の名門ラ・サール高校の先輩にもあたる。

園田は和田に、ある大物との面談を申し入れた。

3月18日、堀江と園田を乗せた車が六本木ヒルズを出ると、後ろからはいつものようにテレビ局の車が追いすがってきた。堀江の一挙手一投足はテレビだけでなく新聞や雑誌も含めて、あらゆるメディアから追いかけられていたのだ。

二人を乗せる車が向かったのが、東京・新木場のヘリポートだった。ヘリに乗り換えられると、メディアはもう手が出せない。ヘリは新木場を飛び立つと一路、西へと向かって飛び去った。

向かったのは、直線距離にしておよそ250キロ離れた愛知県豊田市トヨタ町1番地。トヨタ自動車の本社だった。堀江らを待ち受けていたのはトヨタ会長であり、「財界総理」と呼ばれる経団連会長も兼務する奥田碩だった。巨大メディアを相手に繰り広げる劇場型のM&Aに、財界総理の理解を得ようという狙いだった。

ヘリに揺られる堀江は、いつも通りのTシャツ姿。実は園田は自分のジャケットの中にもうひとつ、堀江用のネクタイを忍ばせていたのだが、堀江は襟付きのYシャツすら着ていないのでどうしようもない。

「僕も気分が高揚していたので、『こうなったらもう、普段の堀江さんのままでいいや』と開き直りました」

相手は戦後に日本が築き上げてきた重厚長大産業主導の経済界のトップに立つ人物である。園田は「一喝されて終わりかなとも考えました」と言うが、奥田の表情は拍子抜けするほど明るかった。

「待っていたよ。元気な人たちが出てきてくれて俺もうれしいよ」

堀江は持参した資料をもとに、テレビとインターネットの相乗効果などを語った。その時の資料が今、筆者の手元にある。フジテレビが持つ視聴者へのリーチを武器に、ライブドアの課金、物販などを融合させた新たなサービス像が示されている。

まさに堀江が説くサブスクリプション型への移行であり、それはとりもなおさず、後発組のポータルサイトとしての「ヤフー超え」の秘策でもある。そのためには起爆剤としてフジテレビの力が欠かせない。今こそインターネットとテレビで力を合わせて新しい市場を切り開きたいのだと、力説した。

聞き終えた奥田は上機嫌で答えた。

「そうだよな！　これからはメディアもどんどん変わらないとなぁ」

そして奥田はこうも付け加えた。

「俺から日枝さんにも言っておくよ」

冷たい握手

財界総理からの好感触を得た堀江だったが、日枝久との間の溝が埋まることはなかった。これには堀江側にも責任があった。それは奥田との会談が実現するより少し前の3月初旬のことだった。

急遽決まった日枝と堀江との初めてのトップ会談。その日、堀江は部下の結婚式に出席していた。タキシード姿のままで現れた堀江は一目で分かるほどアルコールが入っていた。堀江も後日、この時は「かなり酔っ払った状態だった」と認めている。「急に決まったアポだったので、やむなくそうなってしまっただけの話」とも言うが、これでは日枝ならずとも話にならない。

日枝が怒りを押し殺していたことは想像に難くない。「フジテレビのTOBに応じる形でライブドアが保有するニッポン放送株を売ってほしい」と伝えても、堀江は「なんで売らないといけないんですか」と言い、取り付く島はない。トップ会談はそのまま平行線に終わった。財界に絶大な影響力を持つ奥田が仲介してくれたところで、もはや両者が歩み寄る余地は残されていなかったのだ。

事態の趨勢が決したのは、3月24日のことだった。SBIホールディングスを率いる北尾吉孝がホワイトナイトとして登場し、ニッポン放送が保有するフジテレビの株式を5年間、SBIに貸すことになった。

「資本市場には清冽な地下水が流れている。これを汚すことは許せない」

メディア各社のインタビューに応じた北尾が毎回のように口にしたのが、自身の出身母体である野村証券を日本の証券市場の中心的存在へとのし上げた北裏喜一郎の言葉だった。北尾の「正義」はともかく、フジテレビがこれで難を逃れたことは間違いない。

結局、ライブドアとフジテレビは互いに相いれることのないまま、曖昧な決着を選ぶことになった。ライブドアが持つニッポン放送株をフジテレビが買い受けるのに加え、フジテレビはライブドアが実施する第三者割当増資を引き受けて12・75%を出資することになった。ライブドアには1500億円近いカネが流れ込むことになる。

「世間では、土足で踏み込んできたライブドアに追い銭をくれてやったとの見方もありますが」

4月18日に開いた両社共同の記者会見では、こんな質問も飛び出した。これには日枝が「色々なことがあったなかで、そういう感情がなかったかと言えば嘘になる」と、偽らざる本音をにじませる一幕もあった。

当時ライブドアに密着取材していた朝日新聞記者の大鹿靖明は著書『ヒルズ黙示録』で、この日の夜に宮内がライブドア幹部にこんなセリフを吐いたと書き記している。

「やった。やった。フジをカツアゲしてやったよ」

宮内はこう続けたという。

「こんなにいっぱい金をだすのかねえ。彼らはメンツさえ立てばいいんだね。やっぱ、お公家さん集団だよ」

宮内自身も後年、この発言については認めている。ただ、意図するところは違ったという。「満足して言ったのではない。騒動の果てに『悪名』が轟くようになったのだからニッポン放送買収は失敗であり〝自虐〟のセリフである」

いずれにせよ、日本の産業界を騒然とさせたフジテレビ乗っ取り計画は失敗に終わった。近鉄バファローズの買収計画から2連敗。堀江とライブドアには3つのものが残った。一つはフジテレビからせしめた1500億円近い現金。それに劇場型M&Aが連日報道されたことによる知名度。そして最後に、日本の経済界からの不信感である。

後日談になるが、テレビへの執念はフジテレビ買収で消えたわけではなかった。この後、ライブドアが目を付けたのが民放キー局の一角であるテレビ東京だった。テレ東は日本経済新聞社が筆頭株主である。フジテレビの買収に失敗した後、宮内亮治はテレ東買収の可能性を探ろうと、都内のホテルで日経とテレ東の幹部と会談したことがある。

仲介したのは「サトカン」こと佐藤完だった。佐藤は高校を卒業すると簿記の専門学校に通いながら日経グループの日経リサーチでアルバイトをしていたことがあった。1980年前後のことだ。その縁でヤフーに転じてからも日経との交流は続いていたという。

当時、テレ東とライブドアは事業面で提携を結んでいた。テレ東が旅番組で紹介した地方の名産品などをライブドアのネット商店街で売るというものだったが、この提携は堀江の逮捕まで続けられた。さらに堀江が個人で運営する基金を通じてテレ東株の5％を取得していたことが、この後に明らかになる。

ただ、会談前からテレ東側の印象が良くないことは予想された。当時、テレ東社長だった菅谷定彦は定例会見でライブドアによるフジテレビへの奇襲作戦を問われ、「金に飽かせていきなり、というのは独断的。人心や企業理念、企業文化は金で買ってはいけないものだ」と、苦言を呈していた。

やはりと言うべきか、会談はいきなり決裂した。宮内がテレ東の買収が可能かストレートに聞くと、日経幹部が激高したという。

「なんでおたくに売らなきゃいけないんだ」

そう言われた瞬間に、宮内は「やはりテレビを手に入れることは無理なんだと痛感させられました」と振り返る。この件は日経社内でも知る者はほとんどいないはずだ。筆者も宮内から聞いて初めて知った。

「選挙に出たい」

この間、知名度を増したライブドアのポータルサイトは着実にユーザー数を伸ばしつつも、堀江のヤフー超え計画はいったん仕切り直しを迫られた。

まとまった資金を得た堀江とライブドアは、次にいったいどんな奇襲をしかけてくるのだろうか――。その出方に注目が集まるなか、堀江が選んだのは、誰もが思いも寄らない選択肢だった。フジテレビとの攻防戦から4カ月ほどが過ぎた8月19日、堀江は唐突に衆院選に出馬すると表明したのだ。

時代の寵児と呼ばれ、メディアの支配まで目論んだIT起業家の意外過ぎる転身である。

メディア事業戦略室長兼副社長ながらフジテレビとの攻防戦を経て、すっかり堀江の秘書役のようなポジションとなっていた園田には、予感があったと言う。

それは衆院選への出馬表明から遡ること1カ月近く前の7月25日のことだった。この日、堀江と園田の姿は、東京・味の素スタジアムのスタンドにあった。「銀河系軍団」と称されたスター集団、レアル・マドリードのプレーをひと目見ようと集まった約3万人の観衆の中にいたのだ。堀江のお目当てはレアルのスーパースター、ジネディーヌ・ジダンだった。

サッカーに関心がない堀江がなぜジダンなのか――。実はこの時、ライブドアはJリーグのベガルタ仙台を買収しようと、水面下で動いていたのだ。

大株主である宮城県や仙台市とも交渉を進めていた最中だった。前年にはプロ野球への参入が頓挫したばかりだったが、スポーツビジネスが持つ広告の力を目撃して、メジャースポーツへの参入に並々ならぬ執念を見せていたのだ。どうせJリーグに参入するなら、世間にインパクトを残したい。そのためには誰もがあっと驚くようなスター選手を獲得するのが手っ取り早い。堀江がリストアップしたのが、レアルのスーパースターであるジダンだった。

この試合、明らかにワールドツアーの疲れが見えるレアルは精彩を欠き、東京ヴェルディに3対0で敗れた。ジダンやロナウド、ベッカム、ラウールといったスター選手たちも後半になると次々とベンチに引っ込んでしまった。

消化不良気味の試合を見届けた帰路の車中でのことだ。ラジオから当時の首相、小泉純一郎が推し進める郵政民営化に関するニュースが流れてきた。沈黙に耐えきれずにいた園田は、なんの気なしに堀江に聞いた。

「民営化をどう思いますか」

どうせ堀江は政治には無関心だろうと思っていた。そもそも堀江はこの年の3月に出したばかりの『僕は死なない』という本の中で「ちょっと頭のいい人は、やっぱり政治家なんか、やりたくないでしょう。損だから。面倒くさいし。少なくとも僕は絶対やらない」とまで書いている。

ところが、堀江は意外にも熱っぽい口調でこう返してきた。

「そもそもお金は天下の回りものだろ。こんなの絶対に民営化すべきだよ。小泉さんにはぜひ勝ってほしいよね」

堀江は多くは語らなかったが、「痛みを伴う構造改革」を掲げ、「自民党をぶっ壊す」と言って空前の人気を誇った小泉に肩入れしていることは、すぐに理解できた。

それから少したった8月初め。堀江とともにCM撮影の現場に向かう車中でラジオのアナウンサーが、小泉がいわゆる「郵政解散」を強行する考えであることを報じていた。すると、堀江は突然、同乗する園田につぶやいた。

「俺、選挙に出たい」

何となく予感していたという園田は、あっさりと返した。

「出ればいいじゃないですか。だったら僕もお手伝いしますよ」

なにごともないような口調だったが、園田はこの時の約束を守った。堀江が出馬を表明するとライブドアを休職して、選対本部長として堀江を支援することにしたからだ。

堀江の政界進出はすぐに実現に向けて動き始めた。

8月15日夜10時ごろ、2人の大物議員が人目を忍んで六本木ヒルズにやってきた。自民党幹事長の武部勤と、総務局長の二階俊博だ。二階は変装のつもりか阪神タイガースの野球帽をかぶっている。

「君は政治家になりたいのか」と、武部がストレートに聞いた。武部の息子は堀江の友人で、出馬の意向は伝わっていた。

「良い機会があればと考えていました」

堀江が前向きな思いを伝えると、武部は自民党公認による出馬を打診した。

「まあ、でも政治家は大変だよ」

会談は1時間半にも及び、武部と二階がヒルズを後にした頃には、日付が変わる直前になっていた。この堀江の出馬情報はすぐに報道陣の知るところとなった。翌日午前中、記者に囲まれた堀江は自民党から出馬を打診されたことをあっさりと認めたが、今度は民主党代表の岡田克也にも会いに行った。

結局、岡田とは全く意見がかみ合わず、堀江は自民党から出馬する意向を固めた。だが、ここで一悶着があった。

小泉の秘書官だった飯島勲が公認の条件としてライブドア社長を降りて会長となるよう求めたが、堀江は「それは受け入れられない」と反論した。この応酬は怒鳴り合いになったというが、やりとりを隣で聞いていた園田は「堀江さんは『株主は自分を信じて株を買ってくれている。だからここで辞めるなんていう無責任なことはできない』と、かなり熱い口調で突っぱねていました」と言う。結局、自民党による公認は諦めて無所属での出馬を決めた。

尾道での敗北

堀江が相手に選んだのが、自民党を離党して国民新党を結成した亀井静香だった。自民党の公認は得られなかったが、小泉が掲げる郵政民営化に賛成する立場は変わらない。そもそもこの選挙は小泉のキャンペーンによって、すっかり郵政民営化に焦点が絞られていた。

それなら小泉が郵政民営化への「抵抗勢力」とのレッテルを貼った反対派のボスと目された亀井を破ることができれば、ポスト小泉への最短ルートに乗ることになるのではないか――。

そう考えた堀江が立候補したのが、縁もゆかりもないように思われた広島6区だった。尾道から北側の山あいにかけて広がる選挙区だ。亀井の地盤である。尾道を中心とする瀬戸内海に面する静かな町並みが、堀江貴文という異端児の出現に沸くことになった。

8月19日、堀江は昼ごろに永田町の自民党本部を訪れて小泉との面談を済ませると、その足で尾道へと向かった。新幹線と在来線を乗り継いでJR尾道駅に着いた頃には午後8

時を回り、すでに日は暮れていた。目の前に尾道水道の海を望み普段は落ち着いた雰囲気の駅前に、1000人ほどの人だかりができていた。堀江が改札を抜けて姿を見せるとやじ馬がわっと周囲を取り囲む。

こんなこともあろうかと手配されていた車に乗り込むと、運転手が群衆を見ながらあきれたように言った。

「こりゃあ、尾道じゃあ、たのきんトリオが来て以来のフィーバーじゃねぇ」

その様子を堀江の隣で眺めていた選対本部長の園田は「インターネットでは感じない熱気でした。亀井さんに勝つのは難しいと思っていたけど、負ける気もしなくなりました」と振り返る。

この日は尾道駅の近くにあるホテルで記者会見を開いたが、堀江ら一行が選挙期間中に陣取ったのが、瀬戸内海を望む高台にあるリゾートホテルの「ベラビスタ境ガ浜（現ベラビスタスパ&マリーナ尾道）」だった。実は堀江がここに来るのは初めてではない。

堀江は福岡県八女市の出身で、東大に進んで以来、東京で暮らしている。先ほど尾道には「縁もゆかりもないように思われた」と書いたが、実は全く無縁だったわけではない。

現地で堀江を迎えたのが神原眞人だった。明治時代に神原勝太郎が創業した汽船会社を前身とする老舗造船会社、常石造船（現ツネイシホールディングス）の3代目社長である。当時は息子の勝成が社長となってすでに8年がたっていたが、この地で絶大な影響力を誇っていた。

常石造船の登記上の所在地は福山市だが、地理的にはちょうど福山と尾道の間くらいに本拠がある。ベラビスタも常石が運営するホテルだ。

神原は元首相の宮澤喜一を支援し続けてきたことで知られている。ベラビスタにも足を運び、堀江には「宮澤さんのように天下国家を語れる政治家になってくれ」と激励した。

これには個人的な縁があった。神原眞人の娘である末松（旧姓・神原）弥奈子は、堀江とは古くからの起業家仲間で、共著で本も出したことがあった。

ただ、常石造船の地盤は広島県の東側に広がる福山市を中心とする広島7区だ。一方、堀江が出馬した広島6区は、ちょうどベラビスタがあるあたりから西側に位置する尾道を中心に、北側に広がる中国山地の山あいへと延びる広大なエリアとなる。選対本部長を務めた園田によると、実際の選挙戦では神原家や常石造船による組織票の提供など表だった支援はなかったという。集会や演説には常石造船や取引先の社員が駆けつけることもあったというが、それでも支援の範囲は限られたものだったようだ。

堀江自身がすっかりのめり込んだ夏の選挙戦——。結果は11万票を獲得した亀井に対して、堀江は8万4000強で敗退した。おおかたの予想を覆す大接戦と言ってよかった。投開票が行われた9月11日。ライバルである亀井の当選確実の速報を、NHKをはじめテレビ各社が続々と流し始めると、すし詰め状態の選挙事務所には落胆のため息が流れた。

堀江が支援者を前に敗者の弁を述べた。

「もうひと踏ん張りが足りなかった。結果がすべて。勝たなきゃダメです」

堀江の出馬はおおかたライブドアのアピールのためだろうという見方が強かった。ただ、後々になっても堀江は本気で議席を取りに行ったことを何度も強調している。これは園田をはじめ、堀江の選挙を間近で支えてきた者たちに共通する見解だ。

敗戦の夜、いつもは勝ち気の堀江が珍しく大勢の前で涙を流したことが、なによりも堀江の本気度を表していた。

徒手空拳で政界の大物、亀井静香に挑んだ堀江は善戦の末、敗れた。それは堀江がライブドア社長として過ごした最後の夏だった。

幻のソニー買収計画

1カ月ぶりに六本木ヒルズ38階に帰ってきた堀江。この間、ライブドアの経営は実質的にナンバー2でCFOの宮内亮治が取り仕切っていたが、堀江の胸中には次なる大勝負の青写真があった。

ソニーの買収である。

2005年の当時、ソニーは10年間にわたって社長、会長として君臨してきた出井伸之が退任し、ハワード・ストリンガーにCEOの座を譲っていた。14人抜きで社長に就任し、「デジタル・ドリーム・キッズ」を掲げた出井体制の前半は期待が高かったが、後半5年で失速し、業績も株価も低迷していた。

堀江の手元にあったのは1000億円あまりのキャッシュだ。これはフジテレビとの和解で手に入れたものだった。それだけで当時、時価総額が3兆円を超えるソニーを買収するというのは荒唐無稽な計画に思えるが、堀江の狙いは明確だった。

「ソニーを手に入れてスマートフォンを作る」

狙いはこの一点。従ってソニーが抱える事業の多くは不要と考えていた。後年、堀江にソニー買収計画を聞くと、こんな答えが返ってきた。

「テレビやパソコン、なんならプレステもウォークマンのブランドも要らないと思っていました。それらを売れば入ってくるカネでLBOのローンも返せるでしょ。その当時なら中国のメーカーがいくらでも高く買ってくれる。大事なのはソニーのブランド。それにスマホを作る技術力ですよ」

「僕は(2001年に)iPodが出てきた時に『これだ!』と思った。ただ、音楽だけじゃないです。いずれiPodとパソコン、それに電話がくっつくなと。モバイル・インターネットの端末。今で言うスマホです。それをソニーが持つ力を総動員して作ろうと思ったんですよ」

ソニーの本業とされていたエレクトロニクス事業のほとんどを売り飛ばし、借入金によるLBO(レバレッジ・バイアウト)で買収する。ほとんどソニー解体と言っていい破天荒な買収計画だが、ソニーはこの後、ストリンガー体制で一段と深まった不振の末に、実際にパソコンやテレビを本体から切り離している。

堀江はファイナンス部門の若きエースである熊谷史人らとソニー買収計画を構想し始め

ていたが、そのファイナンス部門のトップである宮内亮治には別の考えがあった。やはり不振にあえいでいた英ボーダフォンの日本法人を買収して携帯電話に進出しようという構想だ。

こちらは青写真より一歩進んだ状態だった。堀江が選挙戦にのめり込んでいるさなかの2005年夏、銀行経由で英国のボーダフォン本社に日本法人の買収を打診していたという。

この時点で二人三脚だったはずの堀江と宮内の間で全く意思疎通が成立していなかったことが分かる。宮内は堀江がフジテレビ買収で村上ファンドの手玉に取られたと見て「その時から堀江への信頼の糸が切れてしまった」と振り返る。

破滅の足音

世間の誰もが思いもつかないような動きで話題をさらってきたライブドアと堀江は、もはや日本全国の誰もが知る存在となっていた。連日のテレビ報道の追い風でライブドアのユーザー数は伸び続け、株価も順調に推移していた。

堀江自身も選挙戦に敗れた直後のこの頃について、「会社の経営者としては、すべてにおいて順調と言ってもよかったかもしれない」と振り返っている。

そんな絶頂期に、堀江たちの知らぬところで破滅への足音がひたひたと近づいていた。東京地検特捜部が2004年9月期のM&Aに関する粉飾を調査し始めていたのだ。

思えば2005年は激動の一年だった。2月にニッポン放送株を電撃的に買い占めてフジテレビ買収に名乗りを上げた。連日テレビを賑わせた劇場型のM&Aが幕を閉じると、今度は衆院選に出馬し、これも敗戦。そこで立ち止まることなく、今度はソニーの買収計画を検討し始めていた。

異変の予兆があったのは、そんなめまぐるしい一年が終わろうとしていた2005年の年末のことだった。

堀江のもとに元ライブドア幹部が電話をかけてきた。聞けば、検察庁に呼ばれたのだという。

「赤字の会社の買収について聞かれました」

ただ、それ以上のことを聞いても要領を得ない。検察が何を調べようとしているのか、いまいち見当がつかなかった。

不気味な動きを見せ始めた東京地検特捜部。かつて合同庁舎6号館A棟に入り、「8階が動くと永田町に戦慄が走る」と恐れられた「最強の捜査機関」がなぜ、ライブドアの周辺を嗅ぎ回っているのか——。不穏な空気が漂うなか、激動の一年は幕を閉じた。

年が明けた2006年。堀江は盟友の藤田晋を誘ってラスベガスに旅行に向かった。ともにインターネット産業の黎明期からここまで駆け抜けてきた二人だが、プライベートで一緒に旅行するのは、これが初めてだったという。

ラスベガスと言えばカジノの街である。カジノの街というより、街のような巨大なカジノが、いくつも連なっていると言った方が正確かもしれない。もともとは砂漠の中にある小さなオアシスだったが19世紀中ごろにゴールドラッシュに沸く西海岸に向かう中継地点として人が増え始めた。1929年にニューヨークでの株価暴落に端を発する世界恐慌が起きると、手っ取り早く金を稼ぎたい者が増えて賭博が合法化されたという。

堀江と藤田も当然のようにカジノに向かった。どのカジノにもあるのがブラックジャックのテーブルだ。マジシャンのような慣れた手つきでディーラーがカードを配り、プラスチック製のコインを奪い合う。

テーブルに並んだ堀江と藤田。しばらくすると藤田は堀江の異変に気づいた。このシーンは著書『起業家』で次のように描いている。一部を省略して引用する。


熱くならないよう堅実に賭けている私の隣で、堀江さんは時間を惜しむかのように私の何倍かの額を一気に賭けていました。

驚いて振り向いた私の顔を見て、

「リスクを取らないとリターンはないんだよ」

そう堀江さんが言っていたのが印象的でした。

(堀江さん、賭け方が変わったな)

以前の堀江さんは臆病なタイプでした。その性格は企業経営や買収にも表れていたのですが、賭け方がすっかり荒っぽくなっているのに驚きました。


改めてこのシーンのことを藤田に聞いてみると、実は違和感は、もう少し前から感じていたという。特に気になったのがフジテレビ買収のためにMSCBで調達した800億円だったと言う。

「堀江さんはもともと、すごく臆病で手堅く慎重な人だった。年間の売上高を大きく超えるような調達をやるような人ではなかった」

ちなみにフジテレビの買収に乗り出す直前の2004年9月期の売上高は308億円である。「ホリエモン」となった堀江の異変は、メディアへの露出とともに一気に加速していったように見えた。

「常に軸足を経営に置きながら（テレビ出演で）宣伝をやっていたのに、政治にいったあたりからなんだかよく分からないようになっていましたね。まるで糸が切れた凧みたいに」

藤田はこの頃の堀江に対して「堀江さんは同世代で初めて焦りと嫉妬を感じた相手でした」と認めている。従来の企業経営者の枠に収まりきらない破天荒な言動で常に世間の耳目を集める堀江流の経営スタイルを目の当たりにして「引き離されてしまった」という感覚を覚えたというのだ。

そこに垣間見えた、言い様のない違和感――。導火線にともされた火はジリジリと燃えながら堀江に近づいていた。誰にも気づかれることなく、静かに、だが着実に。

ラスベガスへは堀江のプライベートジェットに同乗したが、帰路は別々だった。日本に着いた頃には、すでに正月気分も抜けつつある。

その頃――。霞が関の東京地検特捜部では、「獲物」を追い込むための作業が大詰めを迎えていた。

その時は突然やって来た。1月16日午後。誤報かと思われたNHKによる「東京地検特捜部がライブドアを家宅捜索した」という一報が、現実のものとなった時には、すでに日が暮れていた。

六本木ヒルズ38階のオフィス。机の上の資料やパソコンが次々と段ボール箱に詰められて持ち去られていく。当初はわけが分からず係官にかみついていた堀江も、なすすべがなくその光景を目の前で見ているしかない。

中国・大連に出張中だった宮内のもとに断続的に届く情報も、いまいち要領を得ない。部下の携帯電話も押収されたのか、次第に東京とは連絡がつかなくなってしまった。ただ、「過去の赤字会社に関するM&Aで疑いが持たれている」「風説の流布や偽計取引の疑いがかけられている」といったことが断続的に伝わってきた。

当初は堀江がまた何かやらかしたのかと思っていたが、どうやら疑惑の視線は宮内自身が管轄するファイナンス部門に向けられているらしい。そこで宮内には気がかりな人物がいた。

野口英昭だ。

野口はオン・ザ・エッヂ時代に上場作業を進めるため、宮内が証券会社から引き抜いた人物だ。オン・ザ・エッヂに入る条件として野口が投資ファンドの設立を提示し、宮内のゴリ押しで堀江が渋々ながら追認したことはすでに何度か触れた。

野口は投資ファンド「キャピタリスタ」の社長となったが、堀江とソリが合わず、すぐに退職してしまった。ただ、その後にエイチ・エス証券に転じてからも自らが代表を務める「HSインベストメント」を通じてライブドアの複雑なM&Aに深く関わっていた。

やはり、というべきか野口の会社にも捜査の手は伸びており、携帯電話はつながらない。ようやく連絡が取れたのは強制捜査が入った翌日の17日になってからのことだ。

ファンドによる取引に何か問題があったのか。

そう問う宮内に、野口は「ファンドの件は全然問題ないよ」と答えたという。宮内は少しほっとすると、そのまま帰国の途に就いた。

その日の夕方、帰国した宮内は再度、野口に電話を入れている。すると、野口の口調が一変していた。

「迷惑なんだよね。あなた方が……」

普段は丁寧な話し方の野口のあまりの豹変(ひょうへん)ぶりに驚いた宮内は、このひと言がずっと頭に残っていたという。

容疑者ルーム

強制捜査が入ってからというもの、堀江と宮内は24時間態勢でマスコミに追われることになった。二人は職場のすぐ隣に立つ高層マンションの六本木ヒルズレジデンスに住んでいたが、歩けば5分ほどのオフィス棟まで、二つのビルの地下駐車場から車で行き来することになった。もちろん、マスコミの目を逃れるためだ。

取引先などからはひっきりなしに説明を求める連絡が入る。ただ、この時点では東京地検特捜部の狙いがどこにあるのか、いまいち判然としない。当然、仕事にならないが、事後対応に忙殺されるうちに一日が終わる。テレビをつければ延々とライブドアに関する情報が飛び交っている。

強制捜査から2日後の2005年1月18日。今度は株式市場が大揺れに揺れていた。この日は朝から株式市場で全面的に売りが殺到し、午後になると東京証券取引所はシステム処理の能力が限界を迎えつつあった。

東証は全銘柄の売買停止という異例の処置に出た。日本の株式市場の中枢が突如としてストップした、いわゆる「ライブドア・ショック」だ。

東証が異例の決断を迫られていた、ちょうどその頃――。

場所は変わって六本木ヒルズ38階。平松庚三はライブドア本社が入るフロアの一室に呼び出されていた。平松は2004年にライブドアが買収した会計ソフトの「弥生」の社長で、買収後はライブドアの上級副社長も兼ねていたが、その部屋へのアクセス権がなかったため、足を踏み入れたのはこの日が初めてだった。

通称「容疑者ルーム」。平松を呼んだ堀江自らが招き入れたその部屋は、社内でこんな名で呼ばれていた。堀江や宮内が捜査を進める検察への対応を練るために使っていたからだ。

部屋の真ん中に置かれたテーブルの上にはバケツが置かれている。中には山盛りのタバコ。堀江はタバコを吸わないが、宮内が愛煙家だったのだ。部屋の「主人」である堀江が、いつになく改まった口調で平松に告げた。

「万が一の時はライブドアをお願いします」

平松にとっては、青天の霹靂だった。

早朝に宮内の自宅のチャイムが鳴ったのは、その翌朝のことだった。宮内が玄関のドアを開けると、そこに立っていたのは堀江だった。前述の通り、宮内と堀江はともに六本木ヒルズレジデンスに住んでいたが、堀江が宮内の自宅に来ることなど皆無だった。しかも早朝のことである。

「落ち着いて聞いてください。野口さんが亡くなりました」

「え、どういうこと?」

堀江の口から聞かされたのは、宮内にとっても驚きの事実だった。野口が沖縄で遺体で見つかったのだという。遺体の手首には複数の切り傷があったという。

「ということは……、自殺ですか」

「そうみたいですね」

どうやら堀江は、宮内も自殺していまいかと思って自宅にやって来たようだった。宮内の頭をよぎったのが、あの電話の声だった。

「迷惑なんだよね。あなた方が……」

今でもはっきりと覚えている。ただ、野口が何を言いたかったのか……。その後は少しだけ話したが、これといった会話もなく、すぐに電話を切ってしまったという。

野口の死には謎が多い。宮内と電話で話した日は自宅に帰らず、翌18日早朝に飛行機で沖縄へと向かっていた。沖縄に着くと、昼前に那覇市内のカプセルホテルにチェックインしていた。

ここまでの足取りがすでに不可解である。なぜ沖縄なのか。そしてエイチ・エス証券副社長でもある野口が宿に選んだのが、なぜ24時間営業のカプセルホテルなのか。しかも偽名でチェックインされていた。

さらに謎は深まる。

午後2時35分頃に非常ベルの音に気づいた従業員が3階にある野口の個室を開けようとしたが、内側からカギがかかっていて開けられない。合鍵で開けたところ、サウナ着に血まみれの野口が発見されたという。ベッドには血の付いた包丁が落ちていた。病院に運び込まれたが、発見から1時間後に出血多量で死亡が確認された。

沖縄県警は早々に自殺と判断したが、左右の手首を切った痕があるほか、首を切った痕も残されていた。死を決意していたとしても、果たしてそこまで自分で自分の身を傷つけられるものなのか。そして、それならなぜ非常ベルを鳴らしたのか——。

野口の死には他殺を疑う声も根強く残ったため、翌2月には国会でも国家公安委員長が他殺説を問われる一幕があった。

いずれにせよ、野口の死の真相は今も謎が多く残るままである。

話を六本木ヒルズの「容疑者ルーム」に戻そう。

堀江から見れば強制捜査の理由と目された証券取引法違反の疑いが、どこまで連鎖するか分からない。つまり、誰まで捜査の手が及ぶのか、見当が付かない。仮に捜査令状に名前が明記されている自分や宮内らが逮捕された場合、誰にライブドアを託せばよいのか——。そして担当の弁護士によると、堀江と宮内が逮捕されることはほぼ間違いなさそうだった。

翻って平松は過去の買収案件に全く関わっておらず、何があってもシロと言える。それが平松に後任を託した理由だった。ただ、堀江は自分で後継を願い出ておきながら後に刊行した著書『徹底抗戦』の中で、「あくまでリリーフだと考えていた」と述べ、平松が意中の人物ではないものの、他に選択肢がなかったと回想している。さらに「彼はネットのこともファイナンスのこともほとんど分かっていない人だった。周りが推したのかもしれないが、辞退すべきだったのではないかと思う」とまで述べている。

まことに虫の良いお願いとしか言えないが、平松はこの申し出を受けることにした。この日から5日後の23日、堀江と宮内が逮捕されてライブドアを去らざるを得なくなったからだ。

ソニー創業者の教え

後継を託された平松のもとに懐かしい人物から電話が入ったのは、二人が逮捕された翌日夜に開いた新任社長としての記者会見の直前だった。ソニーで長く広報を担当した大木充。平松のかつての上司だった。

「これから記者会見だろ。いいか、ネクタイはしていけよ」

難色を示す平松に、大木は2度も電話して同じことを繰り返した。その日の会見、平松は大木の助言を聞き入れて会場に向かった。多くの質問には同席した熊谷史人が答えたが、大木の狙いはライブドアの経営陣が刷新されたことを印象づけることにあった。

ベテラン広報マンらしい配慮だと言っていいだろう。実際、この時60歳だった平松は翌日、メディアから「ライブドア唯一の大人」という愛称を授けられたのだった。あるいは「火中の栗を拾った男」。そのどちらも的を射た表現だったと言えるだろう。

平松は「堀江のライブドア」が築いたやんちゃなイメージとは異なる「普通のおじさん」だったし、事件に直面したライブドアの内情はまさに火事場と言えた。収入源であるポータルサイトの広告収入が一気に9割も減ったからだ。

社員用の借り上げ社宅は契約の更新が軒並み拒否され、クシの歯が欠けるように社員が去っていく。フジテレビから得た1000億円超のキャッシュを抱えているとはいえ、将来の保証などない危機的な状況だ。

難局を託された平松は、この直後から極度のストレスに悩まされるようになった。朝8時から夜10時ごろまで働きづめの日々が始まった。ヒルズに入るなじみの美容院で受けるヘッド・マッサージだけが、ほっと一息つける時間だった。

体の異変を感じたのは、その年6月の株主総会だった。上場廃止となり株主の怒りを真正面から受けることになった平松は、7時間にわたって立ちっぱなしで株主の質問に答えた。罵声と怒号を浴びるなかで突然、妙な感覚に襲われたのだった。後頭部に鈍い痛みが走り、なぜか左手がしびれてどうしようもない。

その日以来、どうも体調がすぐれない。後で調べて分かった。国の指定難病である多発性硬化症に冒されていたのだった。発症の理由さえ分からない難病だが、ストレスと無縁ではなさそうだった。

平松は、この難病の存在を隠し通した。沈滞するライブドア社内でトップが暗い顔をすることは許されないと考えたからだ。

平松がそう考えたのは、ある人物の教えを思い出していたからだ。ソニー共同創業者の盛田昭夫の言葉である。

「経営者はネアカであれ。たとえ、どんなにつらく苦しい時でも」

これは平松が盛田本人から直接聞かされた教訓だった。

先ほど平松を「普通のおじさん」と書いた。確かに見た目はそれまでのやんちゃな印象のライブドアとは全く違う初老の紳士といった風貌だ。堀江が指摘した通り、ギークたちが集まるライブドアにあってはITに強いとは言えない。実際、この後、平松が取った管理重視の経営は、大半のライブドアの若者たちにとっては息苦しいものだったようで、陰に陽に反発が絶えなかった。

ただ、平松のたどってきた半生は「普通のおじさん」どころか数奇な運命そのものと言えるものだった。

「ナベツネ」の激怒

大学生時代にベトナム戦争の従軍記を読んで国際派ジャーナリストを目指した平松は、先輩の紹介で読売新聞外報部でアルバイトをしていた。深夜に仕事が終わると海外駐在から帰ってきたばかりの記者たちが話す漫遊記に聞き入っていたという。

「いつか俺も世界の動きを追う記者になりたい」

そう思っていたある時、読売のワシントン支局の助手のポストに空きが出ると耳にした。平松はこれに飛びつき、早稲田大学を中退して渡米した。現地に行けば給料は出るが渡航費は出ない。たまたまある生け花の先生がロスに招かれたと聞きつけ、通訳兼運転手としてついて行った。ロスからは2週間をかけてバスを乗り継いで東海岸のワシントンDCにたどり着いた。

平松がやって来た読売新聞ワシントン支局の支局長が、ナベツネこと渡邉恒雄だった。

「ナベさんはとにかく自分にも他人にも厳しい人でした」

いつもパイプをふかしながら膨大な資料に目を通す渡邉は、平松にとって憧れの記者像だったという。

事件が起きたのは1970年5月初めの土曜日だった。その日、米国防長官がベトナムでの北爆に関する緊急発表を行った。泥沼化していたベトナム戦争の戦況を大きく変え得るものだ。

その日、ワシントン支局にいたのは、助手の平松ただ一人。何か緊急事態があればすぐに連絡するよう言われていたのだが、平松はその発表を見逃してしまった。サマータイムに切り替わっていたことを忘れて、1時間早くオフィスを出てしまっていたのだ。読売はそのニュースを1面トップ扱いで掲載したが、自社の記事ではなく、通信社電を掲載せざるを得なかった。

これは大失態と言える。

渡邉は平松のチョンボに激怒した。

「貴様なんか日本に帰れ！」

支局の片隅で涙を流しながら正座してわびる平松。気づけば6時間がたっていた。頭を下げ続ける平松を、渡邉は許した。

「あの事件で私の人生が変わりました。仕事に対する考え方が変わったのです」

それからというもの、平松は正規の特派員以上に仕事に没頭し、渡邉は記者修業をほどこした。

「うちのカカァがこれを持って行けってよ」

そう言って照れくさそうに夫人が作った弁当を手渡すことも度々だったという。渡邉は平松が結婚する時には仲人にもなった。

この時から30年あまり。平松がライブドア社長となった際にも読売新聞グループ本社会長として応援する声明を出している。早朝に自宅にやって来た朝日新聞の記者からその声明のことを聞かされた平松は感無量だったという。

渡邉は記者志望の平松を読売の人事部に推薦した。だが、当時の平松は26歳。新卒採用の年齢制限を超えてしまっていた。そんな時、渡邉は日本から届く紙面の広告に目を落とした。

「出るクイを求む！」

ソニーが出した求人広告だった。渡邉は唐突に平松に話しかけた。

「お前、盛田さんに連絡しておいたから。これからニューヨークに行け」

なんのことだか意味が分からなかったが、よく聞くと渡邉が旧知の盛田昭夫に電話をかけて平松を採用するように伝えたのだという。平松は動揺したが、言われるままにニューヨークへと向かい、読売の代わりにソニーに採用されることになった。

こうしてソニーの広報部門に配属された平松には、忘れられない思い出がある。当時はウォークマンがソニーの看板商品になっていた時期だ。

英語圏ではこの和製英語がどうもしっくりこないと考えた関係者たちが、米国では「サウンドアバウト」、英国では密航者を意味する「ストウアウェイ」、オーストラリアで「フリースタイル」と名付けた。これに激怒したのが盛田だった。広報マンとして平松が接した時の怒りっぷりが忘れられない。

「これはソニー初のグローバル・プロダクトなんだ！」

そこで目の当たりにしたのは、世界展開に懸ける創業者の妥協なき姿だった。盛田が「英語じゃなくソニー語だ」と言ったウォークマンは、1986年、『オックスフォード英語大辞典』にも収録されることになった。

「ライブドアはお断り」

経済史を彩る名物経営者たちとの出会いを経てライブドアへとやって来た平松。かつて薫陶を受けた盛田昭夫の教えを忠実に実践し、堀江逮捕で動揺が走る社内の空気を変えようと、普段より2割、大きな声で話すことから始めたという。

もちろん、それだけで瀬戸際の会社を救えるほど、たやすい事態ではなかった。ライブドアを陰で支えるデータセンターの「ギーク」の一人である嶋田健作は、この時の逆風を強烈に記憶している。データセンターを出て、着慣れないスーツを身にまとい営業に回るようになった嶋田は、どこに行っても門前払いを食らう日々に直面した。

「マルチ商法と宗教団体とライブドアはお断りだ」

クライアントだったある不動産会社の担当者からはこんな言葉を浴びせかけられた。ある時は仕事が深夜に及び、終電を逃してしまった。六本木ヒルズのタクシー乗り場に行き、乗車すると運転手が話しかけてきた。

「だいたいホリエモンみたいな奴がいるからダメなんですよねぇ」

六本木ヒルズにはIT企業や外資系証券会社など多くの会社が入居している。この運転手もその中にライブドアが入っていることは承知のはずだろう。嶋田が「いや、俺もライブドアなんですけど」と返すと、運転手が突然、車を止めて「降りてください」と言い放った。押し問答をするのも面倒だなと思い、言われるままにタクシーから降りたが、釈然としない思いがこみ上げる。

嶋田には事件直後から複数の会社の誘いがあったが、「あれだけのエンジニアがいる会社。どうしても再建したいと思った」と、会社にとどまることを選んだ。激動のなかを走り抜き、ひっそりと会社を去ったのは事件の記憶もすっかり薄れた2015年のことだった。社員証を返却し、なじみの居酒屋でグラスを傾けた時には、しみじみと感じたという。

「長い呪いから解かれた。そんな気分でした」

経理担当の役員だった丹澤みゆきも世間からのバッシングを肌で感じざるを得なかっ

た。「あの頃は営業の人たちが毎日のようにクライアントから罵倒されて落ち込んでいる姿を見るのがつらかったですね」。丹澤自身は何度か検察の取り調べを受けることになったが逮捕されることはなかった。

この事件を遠く離れた英国の地で知ることになったのが、丹澤と同じ日にオン・ザ・エッヂにやってきた山田司朗だった。ライブドアの買収交渉をまとめ、「ホリエモンのライブドア」の知られざる生みの親でもあった山田だが、2003年には取締役を辞任して欧州へと渡っていた。かねてからの夢だったMBAを取るためで、事件のことは留学中のケンブリッジ大学で知ったという。

「もし、あのままライブドアにいたら、俺は無傷でいられただろうか……」

山田はケンブリッジ大のMBAを修了し、日本に戻ってクラフトビールの会社を起業した。インターネットとは違った世界で戦う今でも、「もし、あの時、ライブドアに残っていたら」と考えることがあるという。

ライブドアという会社で勃興するインターネットの世界を走り抜いた若者たち――。

彼らのかじ取り役を任されたのが60歳の平松庚三だった。決定的な打開策があるわけではなかった。「平松のライブドア」は再建を果たしたとは言えない。結局、ライブドアの株主となった外資系ファンドの連合と折り合いがつかず、2007年末に就任から1年余りで社長を退いている。

それでもバトンはつないだ。平松自らが2004年にライブドアに売り込んだ会計ソフトの「弥生」を、今度は710億円で売却した。平松が退任する間際のことだった。ライブドア再生のバトンを託したのが、朝日生命からオン・ザ・エッヂへと社外留学制度を使ってやって来た出澤剛だった。

ハゲタカの手先

「君は明日から六本木ヒルズに行ってくれ」

「え、それってまさか……。ライブドアですか」

「そうだ」

2006年10月、米経営コンサルティング会社、アリックスパートナーズの高岳史典は、上司の指示にあぜんとした。その当時、高岳はすでに経営不振が鮮明になっていた日本航空（JAL）の再建策を担当していたが、突然、ライブドアを担当するように命じられたのだ。

アリックスはもともと事業再生を専門に手掛けるコンサルタント会社として名が通っている。米国では後に経営破綻したゼネラル・モーターズ（GM）の再建に関わったことでも有名だ。

ただし、高岳のミッションは再建ではなかった。

ライブドアは平松体制のもとで再建を目指して走り始めていたが、すでに上場は廃止されて複数の外資系ファンドが株を握って支配する状態だった。アリックスを雇ったのはそのファンドの中の一つ。

瀕死のライブドアから少しでも価値がありそうな事業をあぶり出し、切り売りする――。そのための「内偵調査」が、高岳に与えられた役割だった。

「どうせ、中は荒れているんだろうな……」

気が進まないままに六本木ヒルズにやって来た高岳を出迎えたのは、管理部門の2人の幹部だった。幹部といってもまだ20代後半である。

「アリックスさんに来ていただけるのはうれしいです。ライブドアを、どうかよろしくお願いします」

そう言って頭を下げる2人は、高岳の「正体」が、実はハゲタカの手先だとは思いも寄らない様子だった。

「ライブドアの事業のイメージと言われても当初は何も思い浮かばなかった。『ライブドア＝ホリエモン』でした」

その中から解体して切り売りできる事業は何か――。高岳は助けを求めるライブドア幹部の言葉に耳を傾けるふりをしながら、腹の中では全く違う出口を探していたのだった。

しばらくたったある日のこと。この日、高岳は定例の役員インタビューのためライブドアを訪れた。相手はモバイル事業部を束ねる出澤剛だった。あの朝日生命から社外留学制度でやって来て、堀江に勧められるまま転籍して居ついてしまった男だ。

「せっかくなら何か新しいことを自分で始めてみたら？」と堀江に言われて立ち上げたのが、モバイル部門だった。

モバイル事業部はライブドアの看板事業であるポータルサイトを扱うメディア事業部と比べれば地味な存在ながらも、出澤の指揮のもとで手堅く利益を出していることが、すぐに数字から見て取れた。繰り返しになるが、高岳の本当の目的は切り売りできる事業を物色することだ。すでに黒字のモバイル事業はまさに格好の「売り物」と言えた。

高岳からの一通りの質疑応答が終わると、出澤が突然、「僕の方からもいいですか」と言って持参してきた資料を目の前に広げた。

そこから出澤がよどみなく話し始めた。

モバイル事業にとどまらず、ライブドア全体の強みは何か。逆に弱みや悩みどころは何か。弱みさえも客観的な数字を交えながら赤裸々に語る。どちらが経営コンサルタントかと思わされるような見事なプレゼンに舌を巻いたというが、高岳の胸を強く打ったのは巧みな話術ではなかった。出澤の口調から伝わる、強い決意だったという。

「どの言葉が響いたと言うより、出澤さんの話の全般から『再生してやる』という強いメッセージを感じました。逃げ遅れた、みたいな感じは一切なかった。ライブドアの再生に真正面から取り組もうという決意でした」

元来、「曲がったことが大嫌い」が信条だという高岳は、考え方を変え始めていた。CTOの池邉智洋らエンジニア連中と会えば、出澤の決意がただのカラ元気ではないことが徐々に分かってきた。

「なんとかライブドアを再生したいというよりは、単純にこのメンバーなら再建を選んだ方がバリューを高められると思った」

本来ならライブドアをバラバラに解体して切り売りすることが求められるはずのレポートを、高岳は出澤とともに書き換え始めたのだった。

そうして2カ月ほどが過ぎた2006年末。高岳はアリックスの上司に断りを入れた上で、ライブドアの株主である外資系投資会社連合へのプレゼンに臨んだ。

「我々アリックスは再生で行きたいと思います」

プレゼンの冒頭でそう言い切ると、クライアントであるファンドの米国人幹部の顔がどんどん紅潮していく。

「もういい。ここから出て行け!」

プレゼンを聞き終わることなく、途中退席を命じられた。アリックスとの契約は解除。予想された結末だった。ただ、不思議と悔いはない。人情論ではなくコンサルタントとしてより良いと思える選択肢を示したまでだ。

「出澤さんたちとも短い付き合いだったな……」

後ろ髪を引かれる思いで六本木ヒルズを後にしたが、思わぬ展開が待っていた。その場に居合わせた、アリックスを雇ったのとは別のファンドが、アリックスに契約を申し入れてきたのだった。こうして高岳は再びヒルズへと戻ってきた。今度はライブドアへの出向という形だ。新たな使命はライブドアの切り売りではなく、再建だ。

高岳がヒルズに戻った2007年4月、ライブドアは「ライブドアホールディングス（後のLDH）」と「ライブドア」に分けられた。会社として抱える訴訟問題などの後始末を請け負うのが「ホールディングス」で、こちらは平松が社長を続投した。そして、実質的な存続会社と言える「ライブドア」の社長には出澤が就いた。

「この会社を救えるのはイデっちしかいないよ」

出澤に社長就任を強く推したのが、丹澤みゆきら古参幹部だった。出澤は渋ったが、高岳にとってはまたとない人事に思えた。

「出澤さんは三国志で言えば劉備玄徳のような人。まわりに優秀でやる気のある人を集める不思議な力があるんですよ」

本当はライブドアを解体するつもりだった――。高岳はいつか自分の「正体」を暴露しないといけないと思っていたが、出澤体制の発足とともに、そんなことを告白する余裕もないような激動の日々が始まった。

奇襲トップ・ジャック

ライブドアの頼みの綱であるポータルサイト向けの広告収入は、事件前と比べ実に9割減。つまり1割ほどに落ち込んでいた。実は事件発生からというもの、ポータルサイトを訪れる人の数はむしろ増えていた。だが、いくらトラフィックが伸びても、肝心の広告主がそっぽを向いてしまっては収入に結びつかない。堀江がフジテレビ買収で描いた課金型のサブスクリプションモデルへの転換は早々に夢と消えていた。

手元にはそのフジテレビから得た1000億円超のキャッシュがあるには、ある。だが、そんなものも、この状況が続けばいずれ消えてしまう。ライブドアを再建するためには、まずは広告を取り戻すことが急務だったのだ。

営業マーケティングを担当することとなった高岳のもと、営業部長となった古賀美奈子は当時をこう回想する。

「世間から虚業だとかボロクソに言われてあまりに腹が立ったので、私はライブドアに残りました。私たちが何か悪いことをやったわけではないのに、と。ただ、やっぱり（会社として）信頼を失うと、もうそれ以上に失うものはないというほどになってしまう」

電通や博報堂など大手広告代理店からは実質的に出入り禁止状態を言い渡された。「それならば」と、広告代理店を通さずに直接広告主に営業を仕掛けたが、社名を名乗った途端に電話を切られることが一度や二度ではなかった。「ホリエモン」という広告塔を失い、社会的な信頼が地に落ちたライブドアは孤立無援となっていた。そうしている間にも、豊富だったキャッシュはジリジリと減り始めている。

「今までのやり方じゃダメだ」

二人三脚を組んだ高岳と古賀は一発逆転作戦に出ようと考えた。ターゲットに定めたのは、ライブドアへのアレルギーが少なそうな外資系企業だった。まずはそこに他の広告主があっと驚くような広告を打ってもらう。そうすれば日本企業も追随するのではないか――。

こんな青写真を描いた高岳と古賀。そのためには、まずはインパクトの強い広告を考案し、それを受け入れてくれるような広告主を、電通のような代理店に頼らず自力で見つけ出す必要があった。

すべての条件が合致するクライアントはどこか。高岳には意中の人物がいた。それが、江端浩人だった。当時は日本コカ・コーラでマーケティングを担当していたのだが、きっかけは偶然だった。

ちょうど高岳がコンサルタントとしてライブドアに出入りするようになっていた2006年11月。その日は行きつけのワインバーでボージョレ・ヌーボーの解禁日を祝うパーティーが開かれていた。そこで再会したのが、以前に共通の知人の紹介で知り合っていた江端だった。

ライブドアの営業マーケティング責任者として再び訪ねてきた高岳に、江端は「面白いのだったらテストで出してもいいよ」と告げた。ここぞとばかりに高岳が江端にぶつけたのが、当時としては奇抜なアイデアだった。

ライブドアのサイトを開くと瞬時に画面全体が広告に切り替わる。大写しとなったサムライが刀で画面を斬りつけると、そこから次々と商品が飛び出してくる――。名付けて「トップ・ジャック」。トップ画面を奪取（ジャック）するからだ。

全面広告は今ではよく使われる手法だが、当時は奇抜過ぎた。ポータルサイトを見ようと訪問するユーザーにとっては、少しの時間であっても広告を見ることを強制される。不評を買うだろうという恐れは、ライブドア社内でも指摘されていた。だが、高岳は「自分たちにしかやれないことをやろう」と決めていた。

結果は大ヒットだった。目新しさが受けたのか、トップ・ジャックを実行したコカ・コーラの広告のクリック率は過去最高を更新した。その結果、米映画大手の21世紀フォックスをはじめ、パナソニックや三菱自動車など日本企業も広告主として戻ってきたのだった。

そこで慌てたのが電通だった。ライブドアが自分たち広告代理店を素通りして直接、広告主を確保し始めている事態に、眉をひそめたのだ。

ある日、社長となっていた出澤が電通に呼び出された。

だだっ広い会議室にズラリと並ぶ重役たちから、こんこんと説教を受けた。

(そもそも出入り禁止にしたのはそっちじゃないか!)

恨み節が喉元まで出そうになったが、ぐっとこらえてかみ殺した。高岳はこの場には同席しなかったが、出澤が電通から呼び出しを食らったことは知っている。そろそろ解放されているだろうという頃合いを見計らって出澤に電話した。

「こんなことになってすいません。もう控えた方がいいですかね」

電通に忖度してトップ・ジャックはこの先、控えた方がいいかと聞いたのだ。すると出澤はいつも通りの明るい声でこう返してきた。

「全然大丈夫です。そもそも俺らには失うもんなんてないでしょ」

このあたりは高岳が「劉備玄徳」と見込んだ男だ。生保から社外留学生として派遣された出澤には、堀江のような起業家が醸し出すようなオーラはなかったかもしれない。そもそも最初は周囲が認めるリーダーでもなかっただろう。だが、修羅場を駆け抜けることで、ごく短期間で誰もが認めるリーダーに成長していた。少なくとも、高岳の目にはそう映った。

この時だけではない。

出澤体制が始まって間もない2007年半ばのことだった。アリックスからの出向の身だった高岳は、出澤からライブドアへの移籍を打診されたことがあった。ゴルフ場へと向かう車中で、ハンドルを握る出澤から突然、「高岳さん、うちに来ませんか？」と言われたのだ。高岳は明確な返事を避けた。この頃はまだ「自分は外様」という意識が先に立ってしまったからだという。

その1年後――。トップ・ジャックの奇襲作戦を手掛かりにライブドア再生への手応えをつかんでいた高岳は、今度は自分から出澤に聞いた。

「あの……、俺、まだ社員にしてもらえますか」

出澤はにやっと笑って、こう答えた。

「もちろん。喜んで」

こうして軌道に乗った出澤体制。2008年9月期に、ライブドアは黒字に再浮上するV字回復を成し遂げた。

涙の再会

あの事件で、堀江と宮内というツートップがそろって懲役刑を受けて刑務所で服役することになった。他にもファイナンス部門の若きエースだった熊谷史人と、岡本文人、中村長也の3人に対して執行猶予付きの有罪判決が下された。

ただ、ライブドアに集まったほとんどの若者たちにとって、複雑怪奇に仕組まれた粉飾決算の実態は、全く与り知らない密室で行われたことだ。実際、渋谷のモリモビル時代も六本木ヒルズに移ってからも、ファイナンス部門への行き来は物理的に制限されていた。

そして事件は起きた。

その混乱の中を走り抜けた若者たちに、世間は冷たくレッテルを貼った。

「虚構」

あの事件の後、手のひらを返したように繰り返されたこの言葉が、ライブドアの「残党」たちを苦しめ続けた。

そういえば、その後の残党たちには忘れられないシーンがあった。2013年11月15日のことだ。

事件の後に散り散りになってしまった面々が一堂に会することがあった。それはライブドアに集ったかつての若者たちが主催した、堀江の出所祝いだった。久々に顔を合わせた元社員たちが、胸に「おかえり♡Takapon」と書かれたそろいの黒いTシャツを着ている。世間ではホリエモンと呼ばれていた堀江だが、近しい人たちは彼のことを「たかぽん」と呼んでいた。

旧交を温める場で仲間たちの涙を誘うシーンがあった。懲役こそ免れたものの、事件で連座したかつての「スーツの若きエース」、熊谷史人がこの日のためにしたためてきた堀江への思いを綴った手紙を、一同の前で朗読した場面だった。

その手紙の文面が今、筆者の手元にある。こんなことが綴られている。堀江は時折目をそらしながらじっと聞き入っていたという。少々長くなるが紹介したい。

堀江さん逮捕以来、私も、おそらくここにいる全ての人たちが、世間から冷たい視線を浴び、深く傷つき、人によっては人間不信になったりしました。

事件当初は、将来に対し大きな不安を持ちました。

どうにかこうにか、ライブドアという殻を破り、ひとりひとり前へ進み始めています。

不思議なことに、あんな大きな事件が起こってしまったのに、会う社員会う社員、ライブドアって良い会社だったと言ってくれます。

本当にうれしいですよね。

私も逮捕されましたが、不思議なことにあの時代、堀江さんが率いるライブドアにいたことを、誇りに思っています。ライブドアに入社したことに、ひとつの後悔もありません。

――。熊谷の言葉に聞き入ったのは堀江だけではない。その場にいた大勢の者たちが思わず目頭を押さえたのが、この先の言葉だった。

ただあの頃、世間からライブドアのこと……。虚業と揶揄されたことだけが許せません。

正直、今でも悔しいです。

毎日を一生懸命に働いてきた私たちにとって虚業という言葉ほど屈辱的なものはありませんでした。

堀江さんは世間からカネの亡者と言われましたが、決してそんなことはありませんでしたね。自分の個人的な利得なんかまったく興味を示さず、本の売り上げだって株の貸株料ですら、自分のお金にしてよいものすら会社の売り上げにして、すべて会社のために時間をそそぎましたね。

だからこそ、あの事件の時に矢面に立ち、世間から心ない言葉でバッシングを受けている堀江さんを見て、悔しく思ったし、ライブドアがバカにされて本当につらかったです。

おのおのが一歩ずつですが前を向き進みだした今、こうしてライブドアというくくりで一堂に会してパーティーを企画することに、実は私自身、少々悩みました。

過去を振り返るのは、正直煩わしいとも思いました。何か意味があるのかなとも思いました。

だけど、今日が最初で最後になろうかと思いますが、堀江さんと一緒に働けたことに心から感謝を伝えたくて、感謝の気持ちを持っている元ライブドア社員だけを集めて、今日このパーティーを開きました。堀江さん、最高の会社を作ってくれて、本当にありがとうございました。

ライブドア事件に対する評価は、法廷で有罪判決という形で下された。堀江や宮内、熊谷といった実刑・有罪判決を受けたものたちはそれぞれにその罪をつぐなうことになった。その他の多くの若者たちも、それからというもの元ライブドアという十字架を背負いながら、インターネットの世界を歩み続け、しぶとく生き抜いている。

ある者は去り、ある者はその場に踏みとどまった。

そんな「残党」たちの執念を結集したようなインターネットサービスが、この国で産声を上げることになる。今や国民的アプリと言っても過言ではない、ＬＩＮＥである。

第 9 章

元祖ＳＮＳ・ミクシィに立ちはだかった黒船

ミクシィは会社の形を変え続けた

1997年11月　笠原健治が東大在学中に求人サイトの「Find Job!」を開始

笠原はゼミ合宿のために貯めたカネで
パソコンを買って起業につなげた

1999年11月　堀江貴文と組みオークションの「eハンマー」を展開するも失敗

2004年2月　和製SNSの元祖といえる「mixi」を開始

2013年10月　「モンスターストライク」をリリース。大ヒットを記録する

木村弘毅は「これがラストチャンス」
と思ってモンスターストライクを開発した

笠原はSNS「三分の計」を描いたが……

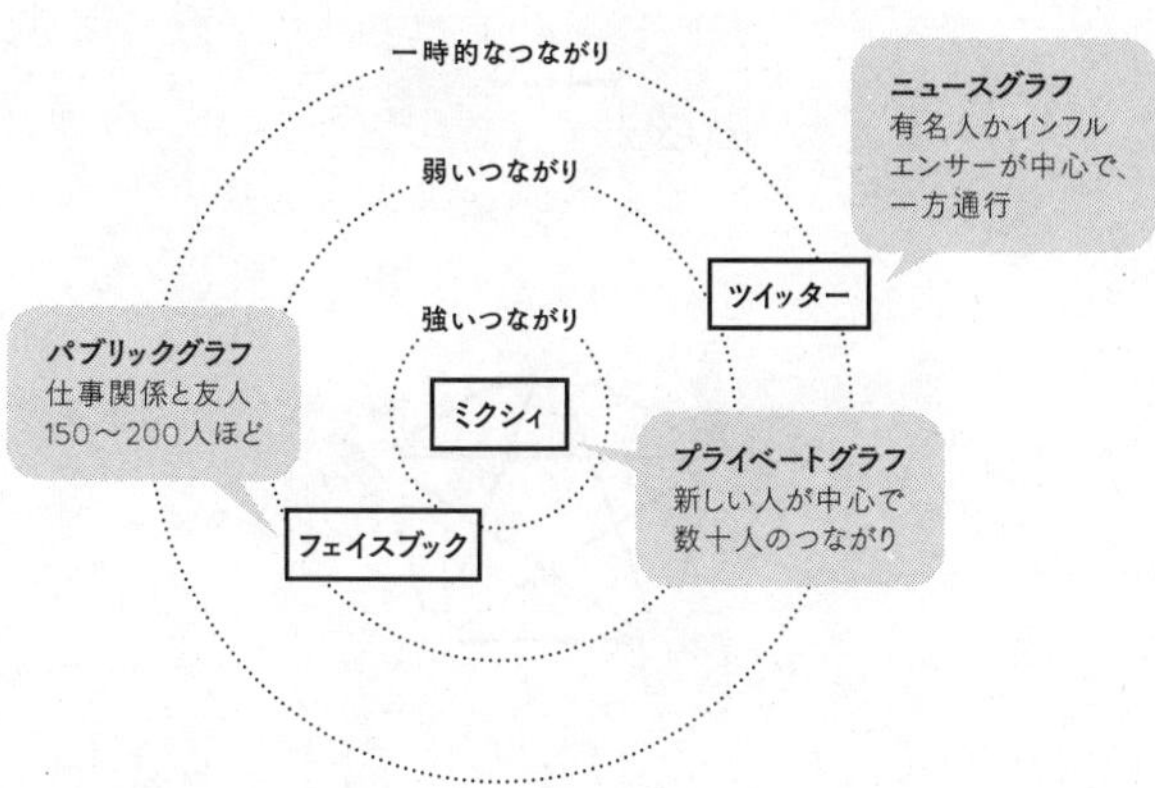

フェイスブックの日本進出は異色の「4人組」が担った

児玉太郎
ガテン系からヤフーに転じた男。帰国子女だが、家業が傾いて帰国。ザッカーバーグからスカウトされる

森岡康一
元ラガーマンの熱血漢。主に対外交渉を担当。フェイスブックでの仕事が縁でKDDIに引き抜かれる

仲暁子
マンガ家修業をしていたが、フェイスブックに潜り込む。後に人材サービスのウォンテッドリーを創業

黒飛功二朗
DJから電通に転身。「鬼十則」を肌身離さず持ち歩くゴリゴリの営業マンに。のちに「スポーツブル」を創業

mixiが確立した「ネットワーク外部性」とは……

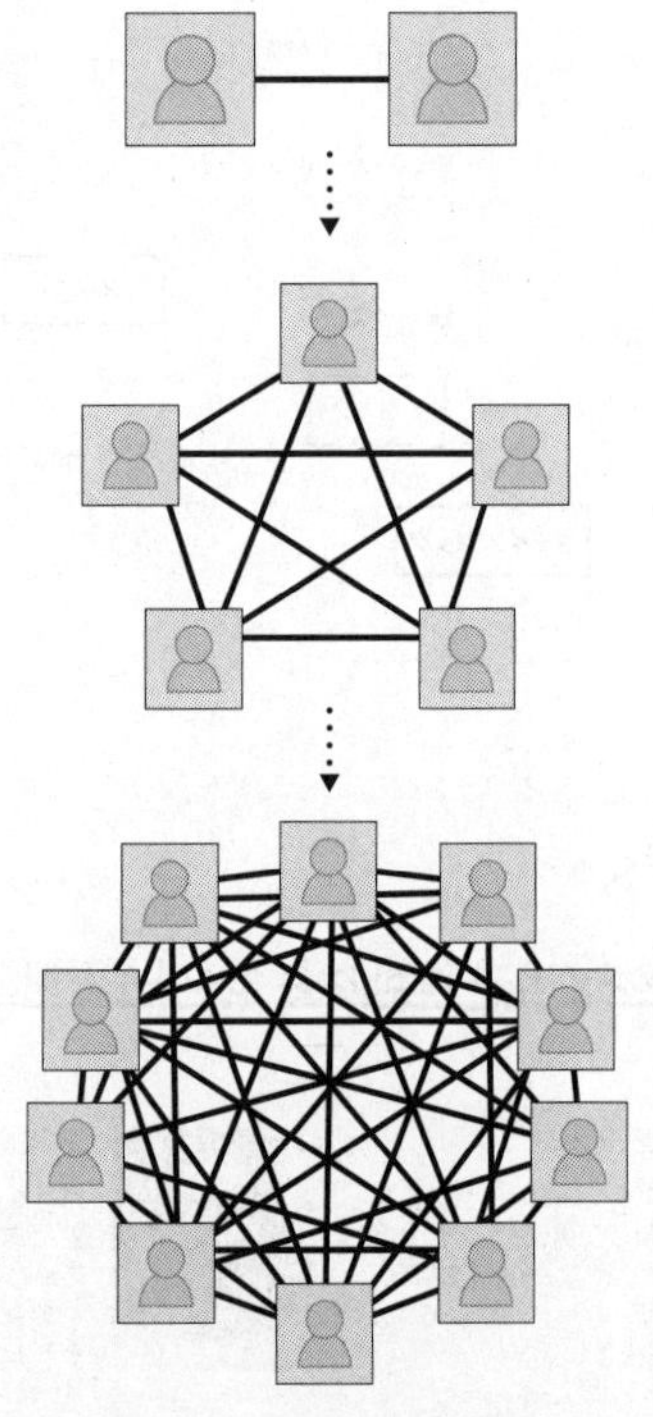

参加者が増えると「つながり」の数が急激に増えて
強固なネットワーク網ができる

インターネットは私たちのコミュニケーションの形を変えた。

人と人とのつながりの記録は、かつては電話帳の中にとじ込められていた。それがインターネットと結びついた時、無限に広がる接点を持ち始め、やがて膨大なデータに変わった。「SNS」と呼ばれるソーシャルネットワークが起こした革命は巨大なデータ経済圏を生み出したのだ。

そこで築かれた新たな力を巡り、巨大プラットフォーマーと国家が時に対立し、時に手を握り合うという時代に突入した。ソーシャルネットワークで巨大な権力へと変換されるのは、我々一人ひとりのプライバシーであり個人データの集合体である。

声なき声が積み重なることで社会を突き動かす原動力になることもあれば、匿名の仮面をかぶった言葉が容赦なく生身の人間の心を切り裂くような醜く残酷な力となることも、我々は知っている。

新しいテクノロジーが光と影の二つの側面を我々に突きつけるのは、今に始まったことではない。

人類史をたどれば、狩猟から農耕への食糧確保の転換は人類を飢餓の恐怖から遠ざける一方で、支配する者とされる者という社会構造を作り出した。そして歴史を通じて圧倒的に多くの人々が支配される側となってきた。鉄は鍬や鋤となって田畑からの恵みを増大させてくれた一方で、鋭利な武器となって数え切れないほどの人々の命を奪ってきた。自動車の発明は移動の自由をもたらす一方で、我々は悲惨な交通事故や環境問題と隣り合わせの社会を築くことになった。

少なくとも私たちは今もこれからも、インターネットの中でどこまでもつながっていく世界と無縁ではいられないだろう。それが現代史の中でもほんの少し前の、つい最近に作られたものであることを忘れてしまうほど、ソーシャルネットワークはすでに我々の生活に深く入り込んでいる。

そんなソーシャルネットワーク時代の幕開けを告げるサービスを、寡黙な日本人起業家が作り上げることになるとは、誰も思わなかっただろう。本章ではSNS誕生と普及の歩みを、日本からの視点で描きたい。

ソーシャルネットワークの草分け的存在と言えるミクシィはどうやって生まれ、力を失っていったのか。どんなライバルが目の前に立ちはだかったのか。そして、どん底からどう這い上がったのか――。

ミクシィ創業者の再出発

　2015年4月初め、東京・世田谷の駒沢公園。花見客たちに一枚のビラを手渡しで配る男がいた。ミクシィの創業者で会長の笠原健治だ。

「家族で写真を共有するアプリです。お子さんの成長の記録に、ぜひどうぞ」

会長といっても、オフィスに戻れば上質なソファやおしゃれな調度品で彩られた会長室があるわけではない。笠原の机は一般社員と横一列に並んでいる。それは笠原自身が望んだものだった。

　ソーシャルネットワークの「m・i・x・i」を世に送り出してからこの時点ですでに10年余り。笠原は会長という肩書を残しつつも経営者から一人のクリエイターに戻り、自ら開発チームを率いていた。この日は自ら率いるチームがリリースしたばかりの写真共有アプリ「みてね」の手応えを知りたいと思い立ち、一人で公園に集まる家族連れに声をかけて回っていた。

　笠原は上背はあるものの、いかにも血気盛んな起業家といったオーラのようなものは、普段から全く感じさせない。決して口が上手とは言えないことは自分でも理解しているという。当然、この男がかつて一世を風靡した和製SNSの生みの親であることに気づく人はいない。

「けげんな顔をされて、ちょっとへこみました」

笠原はこう振り返るが、その表情はどこかすがすがしい。

SNS「mixi」の不振にあえいでいた2013年。笠原は「私がフル回転できるのはアイデアを軌道に乗せるまで」と言い残して経営の一線を退いた。世間は一つの時代の終わりと見たが、社長の椅子から降りた笠原は、一人の作り手として再出発を期していたのだった。

それから2年がたち、再起をかけてリリースしたのが「みてね」だった。2020年4月にはユーザー数が700万人を突破した。「家族アルバム」とうたい、主要ユーザーをあえて子供のいる家庭に限定していることを考えれば、悪くない数字だ。だがそれでも、かつての栄光には遠く及ばない。mixiをひっさげてインターネット産業のトップランナーに躍り出ながら、10年もたたずにその力を失った。

笠原は「あの悔しさはまだ解消されないですね」と言う。起業家として頂点とどん底を味わってきた男の原点にあったのは、小さな挫折だった。

「俺には何ができるのか」

笠原が生まれ育ったのは大阪北部の丘陵地帯にある高級住宅地として知られる箕面市の一角だった。暗号理論学者の父とピアニストの母という家庭に生まれ、子供の頃は父の執務机と正対して机を並べ、父子がそろって勉強していたという。夕食の際には父が笠原少年に数学の問題を出す習慣があった。父が出題するのは単純なドリル式の問題ではなく、とことん考え抜かせる難問だった。

「ほとんど解けなかったけど毎回、面白い問題でした」

そんなアカデミックな家庭に育った笠原がのめり込んだのが水泳だった。中学3年の頃には大阪府大会で4位となり、地元の進学校である北野高校でも東京大学でも、水泳部に入部した。「大学1年の時は自由形では僕が一番速かった」と言う。

だが、大学に入った頃から度重なる腰痛に悩まされ始めた。ついに子供の頃から打ち込んだ水泳を諦め、部活を辞めてからというもの目的のない日々が続いていた。

「あの頃は将来、何をしようかと考えるけど何も思い浮かばなくて、目的もなくただただ落ち込んでいました」

世間から見れば東大のエリートが、それでメシを食べていくわけでもない水泳を辞めたからといってどうということでもあるまいと映るかもしれないが、笠原が感じた挫折感は大きかったようだ。

会計士を目指そうかと思い立ち、専門学校とのダブルスクール生活を始めたが、どうにも熱が入らない。大学3年になる時、会計ゼミの選考にも落とされてしまった。仕方なく2次募集の一覧を見ると、東大助教授になったばかりの新宅純二郎の経営戦略ゼミに空きがあることが分かり、応募した。後から振り返れば、これが人生の分岐点となった。

新宅ゼミでは経営理論よりケーススタディーの学習に重点が置かれていた。当時は1996年。まさにインターネット産業の勃興期である。ゼミの題材となる会社もＩＴ関連が多かった。そこで笠原が出会ったのが、ＮＨＫ出版がまとめた『新・電子立国』という本だった。別巻も含めれば全7冊になる大著で、全9回のＮＨＫスペシャルをまとめたものだった。

日本の松下電器産業や新日本製鉄といった大企業の取り組みも紹介されているが、笠原の心を捉えたのは、米国で繰り広げられていた若き起業家たちの攻防劇だった。ビル・ゲイツ、スティーブ・ジョブズ、マイケル・デル――。起業家たちがきら星のように世に飛び出したのは、自分と同じ年頃のことだった。

「ベンチャーという道もあるのか……。でも俺には何ができるだろうか」

起業家にあこがれるものの、アイデアが何も浮かばない。何か夢中になれるものが欲しかった。水泳部を辞めてからというもの、目的もない大学生活を送っていた笠原にとって、人生の目的を探す葛藤の日々が始まった。

そんな毎日のなかで、今でも鮮明に覚えている光景があるという。故郷の大阪を離れて東京にやって来た笠原は当時、横浜市・日吉のマンションで一人暮らしをしていた。ある日、いつも通る東急日吉駅近くの陸橋で思わず歩みを止め、辺りを見回した。そこに、人生の針路を示してくれるような何かがあるわけではない。足元を見ればいつもと変わることなく都会の道を車がせわしなく行き交っている。昨日も一昨日も何も変わらない日常。たぶん、明日も……。そこから抜け出すためには、何をすればいいのか。答えがないまま深いため息をつくと、そのままいつものように陸橋を歩き始めた。

特段、なにかが起きたわけでもないのに、無目的に毎日を過ごしていた頃のことを思い出す時、いつもこの時に陸橋の上から眺めた景色が頭によみがえるのだという。

俺には何ができるのか――。

そんな毎日が変わるきっかけは、アルバイト先の先輩のなにげないボヤキだった。

「まったく……。見ろよ、これ」

そう言って笠原に見せたのがアルバイトの求人誌だった。

「せっかくカネを払って載っけても、こんなマッチ箱くらいの大きさなんだよな……。これじゃ、人なんて集まらないって」

聞けば求人広告を出すには、最低でも5万円程度は必要だという。そう言われてみればコストに見合いそうもない。それなら、『新・電子立国』で読んだようなコンピューターと掛け合わせてみればどうか――。こんな考えが笠原の脳裏にひらめいた。正確に言うなら、コンピューターというよりインターネットだ。

早速、ネット求人のサイトを調べてみると、待遇や募集条件などはちょっと紹介しただけで「続きは誌面で」と書いてある。これだとアルバイトを探す人は結局、書店やコンビニに行って雑誌を買わざるを得ない。せっかくインターネットを使っているのにその力を生かし切れていないように思えた。

「これなら俺一人でもできる。やるなら今しかない」

意を決した笠原は、ゼミ合宿に参加するために貯めていたお金をはたいて初めてパソコンを買った。インターネットで完結する求人サイトを作ろうと思い立ったのだ。

パソコンは学校で触ったことがある程度だったが、日吉のマンションにこもり、ホームページ作成の入門書を参考にして無心でキーボードをたたいた。

「今すぐにやるしかないと思いました。あれは、悶々としていたなかで見つけた光でした。ようやく打ち込めるものを見つけたんです」

猛烈な集中力でプログラミングを習得していった笠原はわずか2カ月で求人ネットの「Ｆｉｎｄ　Ｊｏｂ！」のページを開設した。

だが、まだインターネットが普及していない当時、すぐには顧客が集まらない。サイトを訪問する人はいるが、肝心の求人広告を出してくれないのだ。結局、サイトを開設してから最初の1カ月間は問い合わせがゼロだった。笠原が営業に回るようになってようやく仕事が入り始めたが、この段階ではまだ学生の個人事業にすぎない。笠原はすでに大学4年生になっていた。

ビットバレーとの出会い

このまま起業家として挑戦し続けるべきか、まずは就職すべきか――。

笠原がヒントを求めたのが、後に「ビットバレー構想」の中心的役割を担うネットエイジ社長の西川潔だった。1998年7月、東京工業大学で開かれたシンポジウムで、笠原は西川を直撃した。

「バイトでもいいです。僕に何かやらせてもらえませんか」

ネットエイジがFind Job!に求人広告を出していたこともあり、西川も笠原のことは知っていた。

「ああ、君があの笠原君か」

こうして笠原は渋谷・松濤の歯科医院の2階にあったネットエイジのオフィスに間借りすることになった。部屋には2つの机が置かれていた。第6章で触れた通り、そこは笠原のように起業家を志す若者たちのたまり場だった。

グリーを創業した田中良和、連続起業家として知られる小澤隆生、後にメルカリを創業する山田進太郎。そして「日本にアマゾンを連れてきた男」、西野伸一郎は、笠原にネット通販の市場調査を依頼していた。

ビットバレーが注目を浴びると、若者たちによるパーティーが次々と開かれた。生まれたばかりの起業家や金融機関の関係者が群がった「ビットな飲み会」、あるいは「ビットスタイル」である。

笠原は「そういう飲み会にはなるべく参加せずに、じっくりとサービス（の開発）と向き合う方が性に合っていました」と振り返る。それでも、自分と同世代の若者がインターネットを舞台に次々と起業に挑む姿を見て、感じるものは大きかった。

「僕は社交的じゃなかったし、ビットバレーの飲み会とかはできれば行きたくなかったんですよ。それでも、刺激は受けました。やっぱりインターネットは大きなムーブメントなんだと実感しました」

Ｆｉｎｄ Ｊｏｂ！は軌道に乗り、月間の売上高は１００万円、２００万円と増えていく。主要顧客となったのが生まれたばかりのネットベンチャーだった。藤田晋も１９９８年にサイバーエージェントを起業するとまずはＦｉｎｄ Ｊｏｂ！を使って人手を集めていた。

笠原はここで満足しかけたが、ネットエイジに集う先輩起業家たちから『そうじゃないだろ。もっと大きくやろうよ』と言われてハッとさせられました」と言う。

1999年にイー・マーキュリー（現ミクシィ）を創業し、翌年には株式会社にした。

「やるからには『新・電子立国』に出てくるような大きなビジネスだ。求人だけに頼っていてはダメだ」

そう考えて目を付けたのが、当時は楽天の台頭で注目されていたeコマースだった。

この年、笠原はFind Job!の顧客だったオン・ザ・エッヂ社長の堀江貴文のもとを訪れた。堀江は同じ東大で笠原より先に起業した学生ベンチャーの先輩にあたる。イー・マーキュリーを設立した際には、オン・ザ・エッヂがお祝いとして会社のロゴを作ってくれたこともあった。

「オークションのアイデアがあります。一緒にやりませんか」

「いいね。やろうよ」

笠原がネットオークションの事業を一緒にやらないかと誘うと、堀江は二つ返事で答えた。笠原が堀江に声をかけたのは、先輩にあたるからというだけではない。

「ちょうど堀江さんがサイバーエージェントと組んでサイバークリックを作っているのを見ていました。だから、僕もそういう形でできないかと思ったのです」

サイバークリックは第1章でも触れたが、クリックされて初めて料金が発生する仕組みで、一定のクリック数に達するまで広告が掲載されるため「クリック保証型」と呼ぶ。藤田晋が顧客のサービスを丸ごとコピーして始めたもので、藤田自身が後に、「今ならあり得ない」と言い「悪魔に魂を売ってでも成功を手に入れたい」との思いで始めた事業だったと振り返っている。

ちょうど藤田が堀江にシステムの開発を持ちかけて共同事業として展開したように、笠原もネットオークションのアイデアを、堀江にぶつけたのだ。話はとんとん拍子に進み、1999年11月に二人は「eハンマー」というオークションサイトを始めた。

乱戦模様のオークション

1999年の当時、インターネット業界ではオークションサイトはちょっとしたブームになっていた。ちょうど同じタイミングの1999年11月に参入したのが、南場智子が創業したばかりのDeNAだった。今では「モバゲー」の認知度が高くゲーム会社と見られることが多いが、DeNAの社名は遺伝子を意味するDNAとeコマースの「e」を組み合わせたものだ。南場はマッキンゼー時代にNTTドコモのiモード誕生に関わっていたが、ソネット社長の山本泉二に「ソネットでオークションを立ち上げればどうか」と提案したところ「そんなに熱っぽく語るなら自分でやったらどうだ」と言われ、経営コンサルタントから起業家へと転身していた。

楽天もオークションに参入したインターネット企業の一つだ。三木谷浩史が軌道に乗りつつあった楽天市場に続き、「インターネットの一坪ショップを創るぞ」と言って始めた事業がオークションだった。誰もが参加できてもっと簡単にモノを売り買いできるeコマースをつくるべきだというのだ。

実はこの時、「一坪ショップ」を担当した創業メンバーの杉原章郎のもとに、早稲田大学の4年生がやって来た。楽天への就職が内定し、インターン生という肩書で卒業を待たずに働くことになったのだ。

この人物こそが後にメルカリを創業する山田進太郎だった。笠原と堀江のeハンマーや南場の「ビッダーズ」に2カ月だけ先駆けて楽天が開業した「インターネットの一坪ショップ」の名は「楽天フリーマーケットオークション」だった。いわゆる「フリマ」だ。

山田はサービス開始を見届けると楽天には入社せずにフリーランスのプログラマーとして生きていくことを決意する。そしてこの時から14年後にフリマアプリの「メルカリ」を創業している。この間、ソーシャルゲームの会社を設立していたが、14年間の曲折を経て学生時代に楽天で見たeコマースの世界に戻ってきたのだ。

当時の楽天社員に聞くと、一様に山田は口数が少なく地味な存在だったと証言する。創業メンバーの本城慎之介は「正直、暗い奴だなと思っていました。背中合わせで仕事をしていたのに、どんな学生だったかあまり印象に残っていないんです」と振り返る。ただ、直属の上司だった杉原の印象は違った。

「当時は10人くらいのチームでしたが、フリマへの情熱は誰にもひけをとらなかった。こだわりがあって頑固で退かない。インターンの学生なのに当時からフリマをやる意義を力説していました」

メルカリを成功させた山田と再会した杉原は当時の思い出話となった時に、山田がかつての上司に「楽天がフリマをやり続けるべきだと分かっていたのは三木谷さんだけだったんじゃないですか」と言うと、杉原は思わずこうつぶやいた。

「ほんと、進太郎君は信念の人だよなぁ……」

話を笠原と堀江が立ち上げたeハンマーに戻そう。

最大の特徴は手軽さだった。出品者はeハンマーのページに行かなくても自分のホームページでモノを入札にかけることができた。商品の情報や最低価格などをeハンマーに電子メールで送ると、オークションを開くためのデータが返信されてくる。あとはそれを自分のホームページに貼り付けるだけ。

これなら、楽天市場のようなeコマースに参加してみたもののいまいちその力を生かしきれていない中小企業や個人商店にも受けるのではないかと、自信満々で始めたサービスだった。

だが、そこに立ちはだかったのが、日本のインターネット業界の巨人であるヤフーだった。この時、笠原と堀江は知るよしもなかったが、水面下で孫正義による大構想が進んでいたのだ。米国でイーベイと米ヤフーの合併を実現しようとしていたのだ。

孫が率いるソフトバンクは米ヤフーの大株主である。そのポータルサイトにイーベイが持つオークションを採り入れようという計画だったが、狙いはそれだけではない。日米のヤフーは1999年9月にそろってオークション事業に参入していた。イーベイは米国で巨大な壁となるだけでなく、その先には日本への参入を見据えている。米ヤフーとイーベイを合併させて、生まれたばかりの日本のヤフー・オークション、通称「ヤフオク」を守ろうとしたのだ。

この構想は首尾良く進むかに見えた。米ヤフーとイーベイが覚書にサインするところまで話は進められたのだが、最終合意の直前で白紙となってしまった。

こうなればイーベイは日米ヤフーに真っ向勝負を挑むことになる。米国ではイーベイが完勝し、米ヤフーのオークションサイトは駆逐されてしまった。一方の日本市場。2000年に入り、イーベイがいよいよ進出してくると、孫はヤフーとソフトバンクの幹部を集めてこう宣言した。

「イーベイが撤退するその日までヤフオクの手数料を無料にする」

徹底した対抗策を打ち出して迎え撃とうというわけだ。まさに巨人同士の体力勝負が始まった。そのあおりを食ったのが生まれたばかりのベンチャー企業だった。笠原はこう振り返る。

「日を追うごとに引き離される感覚でした。人の集まるところにさらに多くの人が集まる。

その力をまざまざと見せつけられました」

笠原は1年もたたずにeハンマーの運営権を手放すことになった。ただ、この時の屈辱は、後にSNSを生むヒントにもなるのである。

ヤフーの猛威

一方、孫のイーベイ対抗策の「巻き添え」を食らったのは笠原と堀江のeハンマーだけではない。楽天の「一坪ショップ」も追い詰められた。そこで翌2001年に買収したのが、小澤隆生が1999年に創業していたビズシークだった。

小澤はインターネット第1世代の起業家としても個人投資家としても知られる存在だ。この後、楽天のオークション担当役員となったが2004年に三木谷がプロ野球参入を決めると、新設された楽天球団の幹部となる。その後、突然「ライオンキングに出たい」と言って楽天を辞めた。劇団四季のオーディションには落選してまた起業。この会社が、今度はヤフーに買われてそのまま移籍する。すると今度はヤフーで孫に見いだされ、eコマース担当となった。2013年に孫が肝煎りで仕掛けたヤフーの「eコマース革命」の陣頭指揮を執ることになるのだった。

楽天フリマはその後も続いたがヤフオクの後塵(こうじん)を拝し続ける。2013年に山田がメルカリを立ち上げると、翌年に「ラクマ」で追随したが、こちらもメルカリの後ろ姿を追うことになった。

南場智子のDeNAが始めた「ビッダーズ」にもヤフオク無料化は荒波となって押し寄せてきた。次第に資金難に追い詰められ金策に奔走することになる。ヤフオクに手を焼いたイーベイもDeNAに提携を打診してきたが実現することはなかった。

興味深いのが、そのイーベイがついに日本から撤退した時のことだ。2002年2月末、3月いっぱいで日本でのサービスを終了するとイーベイが発表すると、ヤフーはヤフオクの完全有料化を打ち出した。孫が「イーベイが撤退する日まで」と宣言した通りの戦略を完遂したわけだ。南場はヤフーが方針転換を発表した日のことを著書『不格好経営』でこんなふうに回想している。

「ヤフオクの手数料値上げを告知するメールがユーザーに送られ、本件が明るみに出たのは夜11時50分ごろと記憶している。その5分後には幹部全員がミーティングルームに集まり、ビッダーズは逆に手数料を値下げする検討に着手し、同時に、機能追加、マーケティングによる反転攻勢の戦略が練られた」

出口の見えない暗いトンネルを歩き続けた南場に、突如として光が差し込んだのである。ここがビッダーズの踏ん張りどころだ。南場は奇策を打った。

「ネットオークションに関心がある人が一番目にするサイトはどこか」

なんと、これまで行く先をはばんできたヤフオクにビッダーズの広告出稿を申し出たのだ。一度は断られたが交渉を続けて実現にこぎ着けた。「オークションならビッダーズ！」の広告がヤフオクのページトップに掲載されるという前代未聞の事件は、業界内でちょっとした話題となった。

「さすが王者、英断だ」

南場はこう回想するが、王者ヤフーの余裕がただの見せかけではなかったことを、4カ月後に思い知る。完全有料化によるヤフオクからのユーザー離脱が一段落すると、全く同じタイミングでビッダーズの成長も止まったのである。両社のサービスのグラフを見比べていた南場は、前掲書でこう綴っている。

「心のなかで何かがコツンと音を立てた。負けた。この試合は負けだ。できること全部を全力でやって、負けた」

こうしてヤフーは1999年に始まった「オークション戦争」で並み居るライバルを蹴散らし、ヤフオクは確固たる地位を築いた。

南場は、この時から再び光明を探す暗いトンネルを歩む日々が始まる。脱出のヒントはDeNAを創業する前にマッキンゼーで手掛けたモバイル・インターネットにあった。2004年に携帯電話のオークション「モバオク」を始め、2006年にリリースした「モバゲー」で大ブレイクするのだった。

m・i・x・i誕生

話を笠原に戻そう。

eハンマーを一蹴したヤフーは、笠原の本業にも迫ってきた。2002年10月、ヤフーはリクルートと包括提携してネット求人事業に本格参入してきたのだ。

（このままじゃ、まずい……）

ヤフーの強さは身に染みて実感したばかりだ。しかも手を組んだのが人材ビジネスの老舗であるリクルートだ。巨人たちの握手がFind Job!にどんな結末をもたらすかは、火を見るより明らかである。

ちなみに、この本で何度も登場するヤフーの「サトカン」こと佐藤完はこの提携にも関わっている。

「インターネットには強いが営業が弱いヤフーと、企業への営業にめっぽう強いリクルートが組めば最強になると思った」

リクルート幹部との会食では「いずれはヤフーとリクルートだけで日本の人材領域（のビジネス）をやりましょう」とぶち上げたという。

巨人連合の足音がもう、そこまで迫っていたのだ。

何か新しいビジネスを始めなければヤフーとリクルートに飲み込まれてしまう――。焦る笠原は2003年から会社を挙げて新規事業の種を探し始めた。都合よく見つかるわけもなく、いくつものアイデアが生まれては消えていった。

笠原の耳に、ある社員のつぶやきがひっかかったのは、その年の10月ごろのことだった。インターン生としてイー・マーキュリーに働きにきていたインドネシア人留学生のバタラ・ケスマ（後にミクシィCTO）がこんなことをつぶやいた。

「最近、留学生仲間はみんな、これを使っているんですよね」

そう言ってパソコンの画面を指し示す。それは米国のフレンドスターというサイトだった。自分の経歴や顔写真を公開して友達同士がつながっている。

「当時はインターネットといえば匿名が常識でした。そこに本名や顔をさらすなんて、衝撃でした」

仮想空間であるインターネットは無限の広がりを持つ。そこにあえてリアルの人間関係を持ち込んで、ある意味で空間を閉ざす逆転の発想。だがその分、人と人の結びつきは強い。笠原はそう考えた。

「これは友達から誘われたら、そりゃ使うよな、と。たくさんの人が使うイメージが湧いてきました」

このフレンドスターこそがSNSの元祖と言われるサービスだ。2002年にカナダのプログラマー、ジョナサン・エイブラムスが開発したもので、2003年3月に公開されると、米国を中心に瞬く間にユーザーを増やしていった。

そのインパクトは強烈で、米国ではフレンドスターのヒットを機にマイスペースやリンクトイン、トライブといったSNSが続々と生まれていた。フレンドスターにはグーグルも目を付け、買収を試みたが条件が折り合わずに失敗していた。

日本には同様のサービスがないため、バタラたち留学生はフレンドスターを使っているのだという。

ただ、このフレンドスターには重大な欠点があるように思えた。友人同士の「つながり」を維持するための日々のコミュニケーションがないのだ。実際、フレンドスターはすぐに人気をなくし、後にスイス連邦工科大学によってSNSが消滅するプロセスの研究対象にもなってしまった。

逆にいえば、「つながり」を維持する機能を補えば、自己増殖するコミュニティーがインターネット上に生まれる。

「フレンドスターは人と人がつながった様子を見て楽しめる。でも、その先に変化がないと人はすぐに（そのサイトを）忘れるし使わなくなってしまいます。つまり、日々のコミュニケーションが必要だと考えたのです」

笠原はバタラを含む4人でコミュニケーション機能を備えた「閉ざされたネット空間」の作成に取りかかった。開発に要した期間は4カ月。こうして2004年2月に生まれたのが和製SNSの「mixi（ミクシィ）」だった。

m・i・x・iはフレンドスターに着想を得て開発したものだが、数々の画期的な機能を加えたことが大ヒットにつながる。オープンなネット空間に背を向けるかのような招待制。誰がサイトを見たのかが分かる「足あと」は、自分の書き込みが確かに読まれているという充足感をユーザーに与えた。m・i・x・iは若者を中心に瞬く間に広がり、ユーザー数は3年で1000万を超えた。

m・i・x・iのヒットにより、イー・マーキュリーは2006年に「ミクシィ」に社名を変更する。ここから先はSNSサービスの名称をm・i・x・i、社名をミクシィと表記したい。

m・i・x・iが築いた閉じたネット空間には、それまでにない強みがあった。人と人がつながる、つまり点と点をつなげる線の数は、参加者が増えれば幾何級数的に増えていく。例えば点が2つの場合はそれらを結ぶ線は1本だが、点が5つなら線は全部で10本、点が6つなら線は15本……。参加者が1人増えるごとに複数の新しい「つながり」を呼び込む。そこに出来上がるのがライバルのサービスが容易に追随できない空間である。

このような現象を、インターネット・ビジネスの世界ではよく「ネットワーク外部性が働く」と言う。その効果は米国の電気工学者、ロバート・メトカーフが提唱した「メトカーフの法則」で語られることが多い。

「ネットワークの価値は、ユーザー数の2乗に比例する」

思えば、ヤフオクはイーベイを撃退するための無料戦略でユーザー数を一気に増やしてネットワーク外部性を利かせたのだった。その壁にはじかれた笠原が、今度はSNSで画期的な機能を生み出し、「人が集まる場に生まれる力」を見せつけた。ヤフーは2年遅れでSNSに参入したが、今度はミクシィの背中を追う側となり、結局、追いつくことはなかった。

巨人ヤフーへのリベンジを果たし、笠原はSNSで不動の地位を築いた。

だが、その絶頂期が長く続くことはなかった。笠原がmixiで日本にSNS時代の到来をもたらしていたちょうどその頃、遠く離れた米東海岸の名門大学で巨大SNSが産声を上げていたのだ。ここからしばらくは、笠原に立ちはだかったライバルたちの日本進出の物語を追いたい。

フェイスブック前夜

笠原がバタラのつぶやきをヒントにm・i・x・iの開発に没頭していた2003年10月。米東海岸ボストンを流れるチャールズ川のほとりに建つハーバード大学の寮、カークランドハウス。世界中からエリートたちが集まってくるこの寮の共用室で、コンピューターサイエンス専攻の2年生が妙なサイトを作っていた。

「フェイスマッシュ」と名付けられたそのサイトをのぞくと、2人の学生の顔写真が表示される。

「どちらがホットか（イケてるか）」

どちらかをクリックすると、もう一方が別の学生に差し替えられる。

「どちらがホットか」

この繰り返しである。男性にも適用されるが、美人投票を目的に創られたものだった。ご丁寧に「ホット」と選ばれた方の女性と同じような特徴を持つ女性が、次の「対戦相手」に選ばれるというアルゴリズムが備え付けられていた。

フェイスマッシュを開発した19歳のマーク・ザッカーバーグは、実は当初、美人投票ではなく学生の顔を動物と比べるシステムを作ろうとしていたが、友人から学生同士を比べた方が面白そうだと指摘されて方針を変更していたという。

ザッカーバーグが実験目的で一部の友人にこのサイトの存在を教えると、瞬く間に学内で広がり、大学のコンピューター管理部が知るところとなった。サイトは強制的に停止され、ザッカーバーグは大学の査問委員会に呼びつけられた。セキュリティーやプライバシー、著作権の侵害で謹慎などの罰則が科され、学内の女性団体に謝罪するはめになった。もし友人のアドバイスを聞かずに学友と動物を比較するサイトにしていたら、とてもこんな軽い罰では済まなかったことだろう。

これがハーバード大の学内交流サイト「ザ・フェイスブック」の前史として、今でも語り草となっているトラブルの一部始終だ。

ザッカーバーグはフェイスマッシュを創るほんの少し前に、誰がどの授業を選択しているのかを調べる「コースマッチ」というサイトも自作していた。こちらも多くの学生に支持された。

そして年が明けて2004年1月、ザッカーバーグはレジスター・ドットコムに年35ドルの登録料を支払い、「thefacebook.com」のドメインを取得する。冬休みを利用して創ったのが、現在のフェイスブックの原型だった。翌2月、ハーバード大学の学生に限定して利用されるようになった。『フェイスブック　若き天才の野望』の著者、デビッド・カークパトリックは当時のフェイスブックのことを次のように説明している。

「このサイトはコースマッチとフェイスマッシュのミックスで、それにザッカーバーグ自身もメンバーであるフレンドスターの要素を加えたようなものだった」

カークパトリックによると、フレンドスターは２００３年にハーバード大でも大流行していたという。ザッカーバーグは後に「アイデンティティーは一つ」として実名主義にこだわったが、ヒントとなったのは大学内で物議を醸した美人投票サイトであり、やはり実名主義を取る元祖ＳＮＳのフレンドスターだった。

ちなみに当然ながら美人投票には顔写真が欠かせない。ザッカーバーグはハーバードに12ある寮の一つずつから集めていったのだが、そのうち9つの寮にはローカルネットワークなどにハッキングを仕掛けて、写真と名前を無断でダウンロードしたものだったという。

フェイスブックはハーバード大にとどまらず、アイビーリーグと呼ばれる米東海岸の名門大学に範囲を広げていった。一般に公開されたのは２００６年9月のことである。

米国のエリート大学生の交流用サイトだったフェイスブックは新進気鋭のSNSとなって世界中に拡大し始めた。英語のほかにスペイン語、ドイツ語、フランス語、イタリア語と、次々と対応言語を増やしていったのだ。そして2008年5月19日、ついに日本にも上陸する。

「本物の情報は本物の人間が生み出す。フェイスブックの価値は人と人をつなぐことにある」

この日、都内で記者会見したザッカーバーグはこう力説した。ただ、日本上陸と言っても、特に日本にオフィスを開くわけではない。しかも日本語版を作ったのも、実はシリコンバレーのフェイスブック社員ではなく、ボランティアだった。

フェイスブックは日本語版の開設にあたって自社の翻訳ソフトを開放した。すると、すでに英語でフェイスブックを使っていたエンジニアなど430人のボランティアが3週間かけて日本語版を作った。430人もいるため誰の訳文がふさわしいかは投票で決められた。

フェイスブックの収益源は広告だが、日本では広告営業に力を入れることもなく、まずは自然発生的にユーザーが広がるのを待つ戦略だった。だが、このやり方ではいつまでたってもフェイスブックが日本で広まらないことを悟るのに、そう時間はかからなかった。日本上陸から1年余りが過ぎた2009年秋、一人の男がシリコンバレーに呼び寄せられた。

ネット広告の大転換

「タロウにはお礼がしたい。ぜひ遊びに来てもらえないか」

ヤフーで企画部長を務める児玉太郎のもとに、フェイスブックで海外戦略を担当するハビエル・オリバンからこんなメッセージが届いた。

仲間たちからハビと呼ばれるこのスペイン生まれの男は2007年にフェイスブックに入社すると、まだ米国を中心に5000万人に満たなかったフェイスブックのユーザーを一気に海外に広げ、その後の10年間で22億人以上が使うプラットフォーマーとしての地位を確立した立役者である。この時、児玉とハビは互いにまだ30歳過ぎだ。

航空券もホテルもフェイスブックで用意すると言うが、ビジネストークではなく、あくまでざっくばらんにシリコンバレーの本社に遊びに来てほしいという趣旨だった。

児玉が招かれたのには理由があった。児玉自身は筆者の取材にもノーコメントを貫いたが、複数のソフトバンク関係者によると実はこの当時、孫正義の肝煎りでヤフーとの合弁でフェイスブックの日本進出が画策されていた。ちょうど1996年に米ヤフーと合弁でヤフー・ジャパンを設立した時のようなスキームを描いていたのだ。その交渉担当者を任されていたのが、児玉だったという。

児玉が交渉を任されたのは英語が堪能だからという理由だけではない。児玉は以前からヤフー社内でも知られるフェイスブック通だった。その凄みに気づいたのは、児玉がまだフェイスブックが生まれたばかりの頃から使い続けるヘビーユーザーだったからだ。当時の対応言語は英語のみ。青春時代を過ごしたロサンゼルスの友人とつながるためにフェイスブックを使っていたという。

現在はニュースフィード形式といって画面を下にスクロールしていくと次々と友達の投稿や広告が出てくるが、当時のフェイスブックはｍｉｘｉのように自分から友達のページに飛ばないといけなかった。ところが2006年9月に突然、ニュースフィード形式を導入した。

これには、児玉は驚愕したと言う。

「それまでのヤフー的な発想からすると大転換だった」

その理由は、ニュースフィードとして投稿がつながっていると色々な友人の書き込みを見てもページビューが「1」とカウントされるからだった。他のページに飛ぶ必要がないので当然である。これが「大転換」に思えたのは、当時のヤフーの広告の根底にある哲学が、ページビュー至上主義と言われていたからだ。

当時も今もヤフーの広告の看板と言えば、パソコン画面で見た時にトップ画面の右上に表示される大きな広告枠だ。ブランドパネルと言われるもので、広告業界では「ブラパネ」の名で通っている。これは「ヤフトピ」と呼ばれるニュースを見に来た人が最初に目にする。毎日膨大なページビューを稼ぐヤフーのトップ画面ならではの広告力を発揮するのだ。

フェイスブックのニュースフィード方式は「数の力」の追求をやめてしまったことを意味する。児玉の目にはそう映った。

実際、この時からフェイスブックの広告はページビュー主義からターゲティング広告へとかじを切っていた。ユーザー登録の際に入力する現住所や出身校だけでなく、日々の利用時に何を見ているのか。そういった個人データを確度の高いターゲティング広告へと変えていくのだ。今では当たり前の手法だが、当時はまだほんの一部で注目され始めた時期だった。

「最初は不思議で理解を超えた仕組みだと思って研究していたんですけど、だんだん『これはすごいことなんじゃないか』と思うようになって、社内でしょっちゅう勉強会を開くようになりました」

児玉がフェイスブックとの合弁設立の交渉役に任命されたのは当然かもしれない。そして、フェイスブック側の交渉役の一人がハビだった。

ハビはスペイン生まれで米国の名門スタンフォード大学を出ているが、実は日本通でもある。もともとモバイルエンジニアだったハビが若い頃に学んだのが、iモードでモバイル・インターネットの幕を開けたころのNTTドコモだった。2001年から1年間、iモードのソフトウエア研究に携わった経験がある。学生街の高田馬場にマンションを借り、行きつけのラーメン店の店主から教えられたマンガ『行け!稲中卓球部』で日本語を学んだのだという。

結局、合弁交渉は条件面で折り合わず頓挫したが、ハビは日本きってのフェイスブック通である児玉の労をねぎらいたいと、当時はシリコンバレーのパロアルト市内に点在していたフェイスブックのオフィスを案内したいと言ってきた。

ザッカーバーグからの誘い

児玉が軽い気持ちでやって来てサンフランシスコ国際空港に降り立つと、黒塗りのリムジンが用意されていた。案内されたのは高級ホテルであるウェスティン・パロアルトのスイートルームだった。

翌日、フェイスブックに招かれるとハビが次々と同僚を紹介する。

「じゃ、ちょっとタロウの話を聞かせてくれ」

そう言って連れて行かれた大会議室はすでに人で埋まっていた。渡米数日前になって「日本の話を聞かせてほしい」と言われていたのだが、予想外の大人数だった。

「日本とアメリカの違いはなんと言っても人を検索する難しさです。ファーストネームとファミリーネームは漢字で書くのだけど、間にスペースを入れないので」

そんなプレゼンが終わると、今度はハビに小部屋へと連れて行かれた。「じゃ、ここで待ってて」と言ってハビが部屋を後にすると、フェイスブックの幹部陣が入れ替わりで入ってくる。みんなが両手にコーヒーが入ったマグを持ち、一つを児玉に勧めると同じように日本市場の話を聞いてくる。ここでハビの意図に勘づいた。

(これって、どう考えても採用の面接だよな)

その数は正確には覚えていないが、10人を超えただろう。最後にハビがまた登場する。児玉に意図が伝わっている様子を見て取ると、にやっと笑ってこう言った。

「じゃ、マークに会いに行こうか」

児玉を待ち受けていたマーク・ザッカーバーグは矢継ぎ早に質問を浴びせてきた。

「どうしたら日本でフェイスブックが使われるようになると思う？　例えば、ゲームなんかどうかな」

「ゲームで伸ばす必要はないと思う。日本にはこういう実名のインターネット・サービスはないから面白いと思うよ。ただ、日本人はとにかく細かいことを気にするから」

こんな話が続くなかで、ザッカーバーグはこう訴えかけた。

「僕は日本が大好きなんだ。ちゃんと取り組むべきだと、ずっと以前から決めていたんだ」

ザッカーバーグとの面談が終わると、ハビから正式なオファーを受けた。ヤフーでの待遇を聞かれると、ハビは「まだフェイスブックはそこまでの給料を出せない。でもストック（株）は出せるから」と言う。フェイスブックは今ではテックジャイアントと呼ばれ、シリコンバレーきっての高給で知られるが、当時はまだまだスタートアップの域を出ない。むしろヤフーの方が大企業だった。

児玉はこのシリコンバレーの新星のオファーを受けることにした。

正式にフェイスブックに入社することになった児玉は年が明けてすぐに再びパロアルトへと渡った。今度は研修を受けるためだが、そこで待っていたのが3人のエンジニアだった。

「ハジメマシテ」

3人とも片言の日本語を話す。ここで児玉はザッカーバーグが日本市場攻略を「ずっと以前から決めていた」と言っていたのが、単なるリップサービスではなかったことを知る。3人のエンジニアは児玉が採用される半年前から、地元スタンフォード大学の日本語クラスに通っていたのだと言う。

日本語だけではない。その顔ぶれはザッカーバーグの本気度を示していた。一人はザッカーバーグとハーバード大学で同級生。ただ者ではないと思わされたのが彼より年下のマルセル・ラベデだった。草創期のフェイスブックにハッキングを仕掛け、ライバルであるマイスペースの画面に作り替えてしまった。これに激怒したザッカーバーグがラベデを呼びつけたのだが、損害賠償を請求したり警察に通報したりはせず、その腕を買って仲間に引き入れてしまったのだという。まだ23歳の若者だった。

こうして3人のエンジニアを引き連れて日本に戻った児玉は、原宿に1LDKのマンションを借りてフェイスブックジャパンを立ち上げたのだった。

ガテン系の男

ところで、児玉太郎はヤフーを扱った第4章ですでに登場している。川邊健太郎ら電脳隊の面々を迎えて歓迎会の幹事も買って出た男だが、ヤフーとの出会いは偶然のものだった。そもそもITの世界なんて無縁のものだと思っていた。

米国の高校を卒業して日本に帰ってきた児玉が久々に見た我が家は、変わり果てていた。コツコツと乾いた靴音が響く鉄製の階段を上り、木造アパートの扉を開けると、雨漏りのする薄暗い部屋に父が住んでいた。一家が置かれた状況を瞬時に理解できる光景だった。

もともと裕福な家庭に生まれ育った児玉はその日から10年ほど前に一家で渡米していた。正確に言えば、父だけ遅れてやって来る予定で母と弟の3人でロサンゼルスの郊外に引っ越したのだった。家は広い芝生の庭付きだ。自営業を営む父の悲願は米国進出だった。その野望を果たそうと家族を先に現地に送り込んでいたのだ。

ところが、いつまでたっても父は来ない。日本からの仕送りも徐々に減り、現地のアパートへの転居を余儀なくされた。高校を出る頃には一家の困窮ぶりは目に見えて進んでおり、児玉は「大学に進むなんていう発想すらなかった」と振り返る。

日本に戻ると土木や引っ越しといったガテン系の仕事で日銭を稼いでいた児玉の人生を変えたのが、何気ないワン・クリックだった。パソコンでヤフーのページを見ていると、画面の一番下に「スタッフ募集」と書かれていたのだ。そこをクリックしてみると、ほとんどの職種の年齢制限が「26歳以上」となっていた。当時のヤフーは新卒採用はせず、即戦力だけを採用していたのだ。ダメもとで唯一、年齢制限のない「サーファー」という職種で応募してみた。人海戦術でインターネット上のホームページをあさり、ヤフーのディレクトリに登録していく仕事だった。

ただ、児玉の心を捉えていたのは「プロデューサー」という職種だった。仕事の内容紹介に「カッコいいサービスをつくる仕事」と書いてあったのが、妙に心をくすぐったのだ。ただし、こちらにも応募資格に「26歳以上」と書いてある。

面接官に正直に「本当はプロデューサーになりたいんです」と打ち明けると、再び面接に呼ばれた。今度は社長の井上雅博をはじめ数人の役員が出てきた。プロデューサーになりたいという熱意を伝えると、井上は隣に座る役員にこう言った。

「お前のところで、丁稚奉公で見てもらっていいか？」

それでヤフーへの採用が決まった。社員番号は１５４番。すでに辞めている社員も多いので１００人ほどがオフィスで働いていた。最初の仕事はキャンペーンのプレゼント発送。まさに丁稚奉公の扱いだったが、そこはガテン系で鍛えただけあってへこたれない。しかも当時のヤフーは朝から夜中まで働くのが当然という雰囲気だ。エンジニアが机を並べて器用に寝たり、床に寝袋を敷いたりしている。

「『ああ、なんだ、この会社は体力勝負なのか』と。それを見てむしろ違和感なく働くことができましたよ」

英語が堪能な児玉は井上に見いだされて米ヤフーとの折衝役に起用され、徐々に頭角を現していく。26歳で最年少の部長に抜擢されるようになっていた。

そんな児玉がフェイスブックに誘われた。

真っ先に伝えた人物が二人いた。一人は「サトカン」こと佐藤完だ。目黒通り沿いのカフェの2階で「フェイスブックに行くことになりました」と伝えると、佐藤が感極まった表情で「お前の時代が来たじゃないか！」と言ってくれたことを、今もよく覚えているという。

もう一人は松本真尚だった。妹をタカラジェンヌにするため大学を辞めて香港に渡った男だ。松本もヤフーでの肩書にこだわりはない。そもそも井上からヤフー社長の座を打診されながら、「興味がないです」とあっさりと断ったほどだ。当時は児玉にとって直接の上司だったが、部下への引き抜きを大いに喜んでくれたという。

思えば、佐藤も松本も高校を出てから己の腕一本を頼りにインターネットの世界を歩み、曲折を経てヤフーに飛び込んでいた。筆者は両人にも直接聞いたのだが、やはりガテン系アルバイトから転じて丁稚奉公扱いから這い上がってきた児玉には、ひとかたならぬ思い入れがあったのだという。

熱血ラガーマンと漫画家女子

その児玉が帰国してフェイスブックジャパンを立ち上げるための仲間を探し始めた。まっ先に声をかけたのが、ヤフーの同僚だった森岡康一だ。元ラガーマンの森岡も児玉に負けぬ肉体派で熱血漢である。宇野康秀が立ち上げた人材サービスのインテリジェンスに入社して2年でヤフーに転じた時にはエクセルさえ使えないIT音痴だったが、持ち前のガッツでのし上がってきたタイプだ。

ヤフーではチームの部屋の壁に「死域」という言葉を貼り付けていた。北方謙三が書いた『水滸伝』に登場する言葉だ。北方自身が雑誌『GOETHE』のインタビューで、その意味をこう説明している。

「死の一歩手前の意識も半ば失った状態、それでも立つと、普段の能力を超えたすごい力が出ることがある」

人間の潜在能力が引き出される限界の先の限界。それを表現した死域という言葉を常に意識するために壁に貼り付けたのだという。実際、森岡は「成功か死か」が口癖というから、その熱さは尋常ではない。その森岡を、児玉は「7秒で落とした」という。インターネットの巨人であるヤフーを飛び出して新しいことをやろうという熱意を伝えるのに、ほとんど時間はかからなかった。

さらにもう一人、チームに異色の人材が加わった。こちらは全くの偶然だ。

後にウォンテッドリーを創業する仲暁子は、米ゴールドマンサックス証券を2年弱で辞めて実家のある札幌に戻っていた。引きこもりのような生活が半年ほど続いていた。子供の頃からの夢だったという漫画家になろうと朝から深夜まで部屋にこもってマンガを描き続けていたのだ。

だが現実はそんなに甘くない。

東京の出版社に作品を送っては毎回ボツにされる。筆者の目にはプロ並みにしか見えないのだが、ある時は編集者から「絵が下手だね」と一蹴されたという。

心が折れそうになり、気晴らしを兼ねて作ったのがイラスト投稿サイトのMagajinだった。ただ、片手間だけにユーザーは増えず、収益化の道も見えてこない。そのため広告を出すようになったのがフェイスブックだった。

フェイスブックジャパンが走り始めたばかりの2010年6月、スタートアップのイベント「IVS」が地元の札幌で開かれた。通訳として参加した仲がパーティー会場に行くと、フェイスブックのロゴが入ったパーカーを着ている男が二人で談笑していた。児玉とハビだった。

すかさず、「私、フェイスブックに広告を出しているんですよ」と声をかけたのにはちょっとした下心があった。

「うまくいけばフェイスブックにMagajinを支援してもらえるかなと思ったんです」

フェイスブックに潜り込めば、広告をタダにしてもらえるかもしれない――。こんな魂胆で児玉とハビに接近したのだが、フェイスブックの持つ人と人をつなげる力はよく理解しているつもりだった。というのも、仲は京都大学の学生時代に学内専用のSNSを創ろうと考えたことがあった。その時にアプローチしたのが、まだ米国で立ち上がったばかりの本家フェイスブックだった。

先述した通り、フェイスブックはハーバード大からアイビーリーグへと大学内でのコミュニケーションツールとして広がった。仲が発見したのはちょうどこの頃のフェイスブックだった。ホームページに載っている「info@――」の連絡先に「京大でもフェイスブックを広げたい」とメールを送ったところ、すぐに米国から返信が来た。メールの連絡が何度も続いたのだが、結局、京大版フェイスブックは実現せずに立ち消えとなってしまった。こんな経緯もあってフェイスブックが日本語版を作ると、すかさずそこにMagajinの広告を出していたのだった。

ただ、児玉とハビは日本で英語ができるアシスタントを探していると言う。「アシスタント」という肩書には難色を示したが、Magajinとの掛け持ちを認めるという条件で、仲はフェイスブックで働くことが決まった。

「キテる感を出せ」

児玉が代表、森岡が副代表。米国から引き連れた3人のすご腕プログラマー。そこに「何でも屋」の仲が加わった。この6人でフェイスブックは日本での版図拡大に取りかかった。

指標となるのはMAU（月間アクティブユーザー数）だ。月に一度でもそのサービスを使ったユーザーの数のことで、当時のフェイスブックは日本で約80万人。これを1000万人にすることを当面の目標とした。

すでに80万人が使っていると言っても実際には海外在住者も多く、日本での認知度はまだまだゼロに近い。人の輪が人を呼ぶメトカーフの法則を働かせるには、リピーターを作るのが鉄則だ。「アクティブ」なユーザーを作るにはどうすればいいか――。森岡が著書『グロースの時代』で何度も使った言葉を借りるなら、「キテる感」を出すにはどうすればいいか。

6人がまず取りかかったのが日本語版フェイスブックそのものの改善だった。前述したように日本語版は430人のボランティアが一文ずつの訳文を投票で決めたものだ。コストゼロで80万人ものユーザーを獲得したのだから、それはそれで素晴らしい成果と言えるが、やはり本家アメリカ版を翻訳しただけでは使いにくい。

さらに、当時はまだガラケーがスマホに置き換わろうとしているタイミングだ。日本で独特の進化を遂げたガラケー（だからガラケー＝ガラパゴス・ケータイと呼ぶのだが）を使うユーザーをいかに取り込めるかが問われる局面だった。

大量のガラケーを仕入れ、一台ずつを見比べながらの作業が始まった。仲が得意のイラストで3人のプログラマーにデザインを示すと、即座にデモ画面が出来上がる。

「もう、神だと思いましたよ。フェイスブックで求められるのは完璧さよりスピード。現場のエンジニアが会社の方向性に合っていると判断したら、どんどん作って世の中に出していくカルチャーでした」

人と人がつながるSNSでは語感一つでユーザーの使い方がガラッと変わってくる。例えば、語り草になっているのが「いいね!」の翻訳だ。英語では「Like」だが「好き」ではニュアンスが違う。どう訳せばいいか。これは米国駐在の日本人女性が考えたのだが、「ナイス」と「いいね」の2案に絞り、最終的に「いいね」を選択したという。もしナイスを選んでいたらどんな効果の違いがあったかは分からないが、名訳と言っていいだろう。

こうして日本語版フェイスブックの改良が進んでいったが、それだけでは「キテる感」を出すことはできない。

そこでカギを握ったのが3つの企業とのパートナーシップだった。2010年秋からフェイスブックジャパンはリクルート、電通、KDDIと続けざまに提携を打ち出した。

この時点では、まだユーザーはフェイスブックに登録しても絶対数が少ないため、なかなか知り合いを見つけることができないという問題があった。すると登録されてもすぐに使われなくなる。この循環が続けば「人と人のつながり」ができず、フェイスブック自体が使われなくなってしまう。

この負のスパイラルを断ち切るにはどうすればいいか——。答えは、登録してすぐに友達が見つからなくてもユーザーが「つながり」を求めて使い続けるような仕組みを作ればいい、ということだった。

そのために児玉が目を付けていたのが、リクルートだった。就職活動生にとってOB・OGとつながるニーズは大きい。就職活動は実名制のメリットが使える分野だと考えたのだ。特に2010年初めの当時は、まだリーマン・ショックの余韻が残り、企業が新卒採用を渋っていた時期にあたる。

そこで児玉と森岡は「コネクションサーチ」という機能を日本版に追加した。学校や志望する企業・業界を登録すればOB・OGとつながれるという機能だった。これなら「一度見て終わり」とはならないだろう。とはいえ、まだまだフェイスブックの認知度は低い。そこでリクルートが持つ「リクナビ」との連携を提案した。

この提携はすぐにまとまった。森岡は20代のヤフー時代にインディバルというリクルートとの合弁事業に最若手として参加していた経験もあり、リクルートとの交渉はすんなりと着地したのだった。

この提携がパートナーシップ戦略の突破口を開いたとはいえ、ターゲットはまだ就活生に限られる。

電通から来た元ＤＪ

もっと広くつながりを求めるにはどんな仕掛けが必要か――。

次の打ち手を練る児玉と森岡は羽田空港までクルマを走らせ、飛行機を眺めながら話し合ったという。一気に知名度を高めるにはテレビ広告を打つのが手っ取り早い。だが、それは「キテる感」というのとはちょっと違う。それに広告で瞬間的にユーザーを伸ばしたところで肝心の「つながり」がなければユーザーは離れてしまう。

周りを見渡せば、ここでもあそこでもフェイスブックが使われている。そこに行けば普段は会う機会は少ないけど大切な友達といつでもつながっていられる――。

そんな状況をどう作り出せばいいのか。二人が出した答えは極めてシンプルなものだった。

「電通と組もう」

企業がフェイスブックを使っている状況を作り出せば一般ユーザーもついてくるはずだ。そのためには広告最大手の電通の力を借りるのが一番の近道だと考えた。フェイスブックは日本での最初期にはビジネスでの利用を通じて成長路線を描いたのだが、その裏にいたのが電通だった。

「でも、相手が電通だと、俺たちがいいように使われてしまわないか？」

ビジネスの主導権を握られるのではないかと恐れたのだ。ただ、時間を浪費していてはリクルートとの提携で突破口を開いた「キテる感」を出すことはできない。

二人は電通デジタル・ビジネス局長の遠谷信幸にバカ正直と言えるくらい率直に告げた。

「僕たちを大きくしてください」

そう言って頭を下げる二人を、遠谷は受け入れた。電通とフェイスブックが結んだ提携はやや特殊なものだ。電通はフェイスブックが持つ「プレミア広告枠」を1年間独占販売する一方、フェイスブックの日本での成長を支援する、というものだった。プレミア広告枠とは、フェイスブックにログインした直後の画面や個人プロフィルページに表示されるもので、特にアクセス数が多い。

さっそく電通社内でフェイスブック支援のための「グロースチーム」が結成された。そのリーダーを誰に託すべきか。実は、遠谷と児玉には意中の人物がいた。

その男がフェイスブックジャパンにやって来たのはこの提携を結ぶ1年ほど前のことだった。ちょうど児玉が原宿に借りた1LDKのマンションにソファが運び込まれている最中だった。

「電通の黒飛です。川邊さんの紹介で来ました」

黒飛功二朗は電通でトヨタ自動車の担当をしているという。黒飛は「くろとび」と読む。名字由来netによると全国におよそ880人しかいない珍しい名前だ（2020年6月時点）。まだガランとした雰囲気のマンションの部屋に招き入れた児玉に、黒飛はiQというトヨタの超小型車の広告をフェイスブックに出したいと力説した。日本法人の設立は公表していないのだが、ヤフーで知り合いだった川邊健太郎からオフィスの所在を聞きつけたのだと言う。

「iQはいままでのトヨタにはない個性的なクルマなので個性的な広告にしたいんです。それならフェイスブックの力が生かせると思うんですよ」

見た目からしてゴツい児玉や森岡と違い、黒飛はすらっとした印象だが、その中身は二人に負けない熱血漢だった。

学生時代にＤＪとして生計を立て、ろくに通わなかった神戸大学には7年も在籍することになった。完全に昼夜が逆転し、後輩ＤＪたちの元締めのような立場になり、「1日20時間、寝るヒマも惜しんで音楽に触れていた」と言う。

そんな生活が、電通に入社してからガラリと変わる。「仕事は自ら創るべきで与えられるべきでない」で始まる電通の社訓「鬼十則」を肌身離さず持ち歩くゴリゴリの営業マンとなったのだ。

電通がフェイスブックと提携を結ぶと、黒飛はグロースチームのリーダーに選ばれた。トヨタの仕事も続けながらの兼務だと言われていたのだが、すぐにフェイスブックの仕事に没頭し始め、やがて出向扱いとなった。この黒飛が企業向けにフェイスブックの広告をバンバン売りまくったのだが、本人の思惑は単なる広告営業にとどまるものではなかった。

「僕は広告を売るより、どうやったらフェイスブックがｍｉｘｉを倒せるか、そればかりを考えていました」

日本のＳＮＳの草分け的存在であり、絶対王者であるｍｉｘｉをどう倒すか——。原宿のマンションの一室に集まった若者たちのターゲットは明確だった。

黒飛はフェイスブックのプレミア広告枠への出稿を取り付けてくるだけでなく、企業側にフェイスブックページを作るよう持ちかけていった。企業だけではない。芸能事務所を駆けずり回り、タレントにフェイスブックに書き込んでもらえないかと促した。

「最初はアメブロとかに書いていることをコピーして貼り付けるだけでいいですから」

広告会社からやって来た身でありながら、テレビ広告に頼らずに着実に「人と人のつながりを創っていく」という児玉と森岡の戦略を実践に移したのだ。

人と人とのつながり――、つまり強固なコミュニティーはmixiの最大の強みである。その厚い壁を、薄皮を一枚ずつはいでいくように切り崩していく。

電話帳を解き放て

児玉と森岡はそこで間髪入れずにフェイスブックを日本で飛躍させることになる第3の提携を実現させた。電通の助けを得て企業側で「キテる感」を演出することには成功した。次に攻めるべきは「本丸」である個人ユーザーだ。ここで児玉たちは根本的な問いに立ち返った。

誰が誰とつながっているのか。そのデータはどこに眠っているのだろうか——。

本章の冒頭で触れた通り、その答えは電話帳だった。当時はまだまだガラケーが広く使われていた時代だ。ユーザーのケータイに眠る電話帳のデータをフェイスブックと連携できないか。フェイスブック社内でも世界中のどの地域でも実現したことのないアイデアを、児玉と森岡はまずKDDIにぶつけた。

「それは絶対に無理ですよ」

付き合いのあったKDDIの新規ビジネス担当者に相談したところ、言下に否定された。当然と言えば当然だ。言うまでもなく電話帳は、ユーザーの個人情報の中でも最も扱いに慎重を要するデータだ。

ただ、一方で当時のKDDIにはフェイスブックと組むメリットもあった。児玉と森岡がKDDIにアプローチし始めたのは2010年末のこと。当時は後発で携帯に参入したソフトバンクが2年余り前にiPhoneの独占販売に成功し、一気にシェアを奪っていた。最も顧客を奪われ、草刈り場とまで言われていたのがKDDIだった。

ソフトバンクへの流出阻止は会社を挙げての最重要課題だ。そこで魅力となるのが、フェイスブックが持つ「人と人がつながる力」である。それまで携帯会社が顧客つなぎ留めのツールとしていたのが、いわゆるキャリアメールである。@の後ろにezweb.ne.jpやsoftbank.ne.jpと続くアドレスは、携帯会社を乗り換えると変わってしまうため、顧客の囲い込みに一定の効果を持っていた。

ただし、それもガラケー時代の話である。ライバルのソフトバンクはすでにiPhoneを握っている。KDDIもアンドロイドOSのスマホは扱っており、いずれキャリアメールに代わる、ユーザー同士をつなぐツールが必要となることは理解していた。

ちなみにフェイスブックはKDDIとの提携を成功させると、次はすかさずソフトバンクとも手を組んでいる。

児玉と森岡はともにヤフー出身で、言うまでもなくソフトバンクにもヤフーにも旧知の仲は多い。もっと言えば、ソフトバンクはヤフーとの合弁方式でフェイスブックジャパンをつくろうとしていた。それなのにあえて先にKDDIにアプローチしたのは、KDDIが置かれている状況を考え抜いた上でのことだろう。児玉に「なぜソフトバンクを差し置いてKDDIに？」とストレートに聞くと、「それを言っちゃうと色々と（ソフトバンクに）怖い人たちがいるから（笑）」と、やんわりとかわされてしまったが、苦戦が続くKDDIなら交渉に乗ってくると考えたはずだ。

言い方を変えれば、そこをフェイスブックが補い、KDDIに利益を提供できれば交渉は進むはずだ。パートナーシップ交渉で利益を対等に分け合うことは基本中の基本と言える。フェイスブック側で交渉の主導役となった森岡は、米国の本社からもこの点を徹底するため契約書の書き直しを指示されたことを前掲書で明らかにしている。ユーザーのプライバシーに関わる部分なので、交渉は何度も契約書を書き直しながら進められた。森岡はこの作業に集中するため1LDKのマンションの洗面所に一人でこもったという。

この時、KDDI側のトップが専務の高橋誠だった。第4章で登場した電脳隊をモバイル・インターネットのビジネスへと導いたあのDDI課長である。高橋は2018年にKDDI社長に昇格している。

最後の詰めは高橋自らが原宿のマンションに突然やって来て、その場で進めたという。

「よし、やろう」

このひと言で電話帳をSNSと連動させるという不可能と思われたパートナーシップが実現へと動き始めた。具体的にはKDDIのユーザーは「au one アドレス帳」からフェイスブックを利用している知人を検索したり招待したりできるようにし、キャリアメールの送受信履歴からも同じことができるようにした。

7人衆の旅立ち

リクルート、電通、KDDIと3つのパートナーシップを境に、フェイスブックは日本で爆発的に普及し始めた。児玉と森岡は当初、MAU（月間アクティブユーザー数）を1000万人にする目標を掲げていたが、二人が原宿のマンションから出発して3年が過ぎた頃には2000万人を突破していた。

その後、このチームは解散し、オフィスも狭苦しいマンションの一室から引っ越しを繰り返して広々としたビルに移転した。原宿に集まった面々も、それぞれの道を歩み始めた。

米国から派遣された3人のエンジニアは日本を後にし、札幌からやって来た仲暁子は人材サービスのウォンテッドリーを創業した。森岡康一は交渉相手だった高橋誠に誘われてKDDIへと転じた。

黒飛功二朗は2013年9月8日早朝にオリンピックの東京開催が決まったと伝えるニ

ュースを見た時に「今しかない」と思い立って電通に辞表を提出した。「フェイスブックで一緒に働いた仲間の生き方に感化されちゃったんですよ」と言い、起業を決意したのだ。この後にスポーツ専門サイトのスポーツブルを創業している。

仲間たちの旅立ちを見送ったリーダーの児玉太郎はカントリーマネージャーと言われる外資系企業の現地トップを支援するアンカースターを立ち上げた。

「僕は（フェイスブックで）カントリーマネージャーの孤独やつらさを味わっている。それならその経験を生かして何かできることがあるんじゃないかと考えたんですよ」

フェイスブックはその後、米国と英国を震源とするプライバシー問題に直面し、次第に日本でもMAUの伸びが鈍化していった。ただ、その代わりにインスタグラムという新しいサービスで爆発的に成長していった。「インスタ映え」は2017年の流行語大賞に選ばれた。

米国からやってきたフェイスブックは異色の7人衆によって日本でもすっかり市民権を得た。それは同時にミクシィの苦しみでもあった。

そしてもう一つ、米国からSNSの代表格がやってくる。フェイスブックとほとんど時を同じくして日本に到来したのが、短文投稿のツイッターだ。フェイスブックが米国東海岸の名門大学で生まれたのに対し、ツイッターは西海岸の起業の聖地で産声を上げたのだった。

ツイッターの船出

米テキサス州オースティン。19世紀にテキサス共和国の首都だった南部の地方都市では毎年3月になると、世界中から人が集まる一大イベントが開かれる。もともとは音楽祭として始まったサウス・バイ・サウスウエストだ。略して「SXSW」。今ではスタートアップやテクノロジーの見本市として紹介されることが多いが、そのきっかけとなったのが2007年のことだ。サンフランシスコで生まれた短文投稿SNSのツイッターが、この場所でスターダムにのし上がったからだった。

「皆さんに140文字以内でありがとうと言いたい。それだけです」

SXSWのベスト・ニュー・スタートアップ大賞にツイッターが選ばれると、壇上に立った創業メンバーのジャック・ドーシーがいたずらっぽく両手を広げてひと言だけつぶやいた。

普段は物静かで口数が少ないドーシーらしい、そして「140文字以内のメッセージツール」の考案者らしい、極めて簡潔な受賞の弁に会場はドッと沸いた。ドーシーの左右に立ったのが「エブ」ことエバン・ウィリアムズと、「ビズ」の愛称で呼ばれるクリストファー・ストーン。3人ともジーンズにシャツのラフな格好だ。

物静かな連続起業家のエブと、どこか天才肌でこの授賞式の少し前までは鼻ピアスがトレードマークだったジャック。それにジョーク好きでフレンドリーなビズ——。この3人の快進撃が、ここから始まった。

ツイッターは会場に集まったメディアの話題をさらい、その名は米国のITウオッチャーの間で一気に拡散していった。SXSWでは会場のあちらこちらでライブが開かれ無料でアルコールが配られる。今、どこでクールな催しが開かれているか、広大な会場での連絡手段としてツイッターが使われていたのだ。

エブはブログの創始者として、シリコンバレーでは早くから名が知られた存在だった。人口が400人に満たないネブラスカ州の小さな街で農園を営む家に生まれ、地元の大学を1年半ほどで退学すると、サンフランシスコの北にあるテクノロジー系の出版社に就職し、そこで独学でプログラミングを学んだ。

独立してガールフレンドと小さな会社をつくると、会社の本業である職場管理用ソフトの開発とは関係のない日記サイトを開発する。仕事上のパートナーでもあるガールフレンドからは余計なことをするなと注意されたので、彼女が留守にした隙を狙ってそのサイトを公開した。

エブはそのサイトを「ブロガー」と名付けた。ウェブ上で日誌（ログ）を書くので「ウェブ・ログ」。それを略して作った造語が「ブログ」だった。1999年夏のことだ。

インターネットは個人に広く情報を発信する力を与えたツールだ。今ではツイッターなどのSNSがその機能を担っているが、情報発信革命の初期にその役割を担ったのがブログやBBSと呼ばれる掲示板だった。実名のブログに対して匿名のBBSと役割が分かれてくる。ブログの創始者として歴史に名を刻むのが、後のツイッター共同創業者であるエブことエバン・ウィリアムズであることは、今では覚えている人も少ないだろう。

このブロガーがほんの数年で100万を超えるユーザーを獲得していった。現在のSNSと比べるとなんでもない数字だが、ブログはすぐに日本にも到来する。サイバーエージェントやライブドアが事業化し、藤田晋と堀江貴文も自ら投稿してブログの普及に一役買った。

ブログの成長性に目を留めたのがグーグルだった。2003年2月にエブはブロガーを売却し、自らもグーグルに移った。妙なメールを受け取ったのはそれから半年ほど後のことだった。

「私ビズ・ストーンは〝バンドに欠けているメンバー〟だ」

ニック・ビルトンの著書『ツイッター創業物語』によると、エブにこんな求職のメールを送りつけてきたのがビズことクリストファー・ストーンだった。実際に話してみるとブログの重要性を力説し、頭の良い男だと思ったようだが、ビズはプログラミングができない。グーグルで働くには極めてポジションが限られるが、エブはグーグルを説得してブロガーの「バンドメンバー」にこの男を迎えた。

ところが、今度はエブがグーグルになじめずに飛び出してしまいポッドキャストのオデオという会社をつくる。これが後のツイッターへとつながっていくのだが、ビズもエブの後を追ってグーグルを辞めてオデオに合流した。

その翌年の2005年、ニューヨークで自転車便の仕事をしていたジャック・ドーシーはスタートアップで働きたいと思いサンフランシスコに移住していた。フリーランスのプログラマーとして生計を立てていたある日、カフェに居たジャックは、レジに並ぶ男が何度もテレビやインターネットで見た人物だと気づいた。その人物こそ、ブロガーを立ち上げたエブだった。

この頃、グーグルを飛び出してエブが立ち上げたオデオはサンフランシスコ北部のサウスパークという公園のすぐ近くにオフィスを構えていた。港に近く、もともとこの辺りは倉庫街で治安も良くなかったのだが1990年代後半から次々とIT企業が立地し、ジャックのようなよそ者のエンジニアがカフェでノートパソコンを広げて仕事をする姿がよく見られるようになっていた。この時、ジャックが陣取ったカフェは、この公園のすぐ隣にあった。

エブの姿を見つけると、ジャックはインターネット上からすぐに連絡先を探し出して、エブにメールを送った。こうしてエブのもとにやってきたジャックはこの後、ツイッターの考案者となり、CEOに就く。そしてエブによって追い出され、その後に今度は逆にエブを追い出してツイッターCEOに返り咲くのだった。

この3人に、ブロガー時代にエブの住居兼オフィスの隣に住んでいたノア・グラスを加えた4人がツイッターの創業者である。ちなみにニック・ビルトンの著書で奇人として描かれたノアはツイッター誕生と前後してエブと決裂し、早々に会社を去っている。ツイッターが世間に広く知られるようになった2007年のSXSWでも、他の3人が喝采を浴びるのを会場の席で見守り、足早にその場を立ち去ったという。

ここまでの4人の創業者たちの邂逅の物語は、ITウオッチャーの間ではよく知られた話である。4人の出会いからその後の抗争劇についても興味のある方には前掲書の『ツイッター創業物語』を手に取ることをお薦めする。

この先は、4人が生み出したツイッターが日本上陸を果たした物語に焦点を当てたい。中心人物であるエブに、早くから目を付けていた日本人がいた。

ジョーイ

ギョロっと光る大きな目が印象的な伊藤穰一は、幼くして米国で育ち14歳で帰国してからも東京のインターナショナル・スクールに通ったため、英語はネイティブだ。講演などでは日本語でも英語でも、まさにマシンガントークという表現がぴったりで、よどみなく話し続ける。

2011年にマサチューセッツ工科大学（MIT）のメディアラボ所長に就任したが、これは後に児童買春に関わった実業家から資金支援を受けていたことが発覚したため辞任している。

実業家、投資家、研究者、エバンジェリスト、シカゴで活躍したDJ――。

多くの顔を併せ持つ男だが、とりわけテクノロジーには幼い頃から関心が強く、新しいイノベーションの種が転がるシリコンバレーでは太いパイプを持つことで知られている。米国では「ジョーイ」の愛称で呼ばれる伊藤がエブと出会ったのは、まだ彼がブロガーを立ち上げたばかりの頃だった。

「エブと初めて会ったのは確か僕が開いたパーティー。彼はあまりおしゃべりではなかった。変わった男だけど妙に行動力がありましたね」

インターネットの黎明期から米国に深く根を下ろし、投資家としても活動してきた伊藤はブロガーへの出資を持ちかけた。交渉は進み伊藤はエブに100万ドルを出資するタームシート（条件書）を手渡した。

ところがサインも間近というタイミングになって、突然エブからの連絡が途切れてしまった。グーグルがエブに猛アプローチを仕掛けていたのだ。これをエブから聞かされた伊藤は「絶対にやめた方がいい」と断言した。すでに大企業になっていたグーグルの空気に、エブは合わないだろうと忠告したのだという。実際、ブロガーをグーグルに売却したエブは、伊藤が予言した通り、グーグルの水に合わず1年ほどで退社したことはすでに述べた通りだ。

その後に立ち上げたオデオで、ツイッターは生まれた。実はジャックはファッション業界に転身しようと考えていたのだが、女性同僚から「電話じゃなくてテキストして」と言われたのをヒントに、短文のメッセージツールを考案したという。

あのブロガーをつくったエブが起業したポッドキャストの会社で、音声ではなくテキストのメッセージツールが誕生した。これを見た時、伊藤はすぐに「僕なら毎日使うツールだなと思った」と言う。短い文章に載せて誰でもいつでも情報を発信できる。

「そこに彼らの〝オープンの美学〟があった」

そして、この新しいコミュニケーションの形が受け入れられる市場はどこだろうかと考えた時、真っ先に浮かぶのが日本だった。ガラケーが独自に進化していた日本ではショートメールでやりとりする慣習が、米国と比べて早くから定着していたからだ。

この読みは当たった。

SXSWでツイッターの名が知られることになったのが2007年3月のことだ。そこから猛烈な勢いでユーザー数を伸ばしたのだが、3カ月後の時点でツイッターへのアクセス数の実に4分の1が日本からのものになっていたのだ。

伊藤は「今度こそは」と投資を考えたというが、一つ問題があった。フィンランドのジャイクというミニブログ会社のアドバイザーを務めており、ツイッターへの出資は利益相反になる恐れがあるため動きが取れなかったのだ。

ツイッター日本進出

ここで登場したのが、東京に本拠を置くデジタルガレージだ。広告会社を経営していた林郁と伊藤が1995年8月に創業していた会社だ。

実は伊藤と林には創業直後に経験した悔しい思い出があった。シリコンバレーに広範なパイプを持つ伊藤は当時、米ヤフーの共同創業者、ジェリー・ヤンから誘われ、ヤフーの日本進出を検討していた。すると、ある人物から伊藤に連絡が入った。ソフトバンク社長の孫正義だ。

孫は日本でのヤフーの将来性を説明してほしいという。２人が孫にヤフーのレクチャーを施すとその直後に孫はヤフーへの出資を決め、ヤフー・ジャパンを創設してしまったのだった。

孫は買収した米出版社の情報網をもとにヤフーを「発見」し、まだ社員が５～６人の同社のオフィスに出向いていた。伊藤と林から話を聞いたのは調査の一環のようだが、２人にとってはハシゴを外され、「ヤフーを横取りされた」という憤りが残る。

ヤンからは「ヤフー・ジャパン株の１％を譲る」との提案が届いたが、一連のいきさつに憤慨していた二人はこれを拒否した。

さらにヤフーの競合だった米インフォシークを日本に進出させて徹底抗戦を決め込んだが、ヤフーにかなわなかった。その後、ヤフーがソフトバンクの経営を支えるまでに成長したことを考えれば痛恨事だった。

そんな経緯もあって伊藤と林はシリコンバレーを中心に、ヤフーに代わる次の「大魚」を探し続けていたのだ。ブロガーもその一つだと思ったが、どうやらツイッターはブロガーとは比較にならない可能性がありそうだと感じていた。

先述の理由から伊藤は動きにくいためツイッターへの出資交渉はデジタルガレージに託

した。交渉役となった2人のうち南一哉は、伊藤がデジタルガレージ以前に創業したネオテニーというベンチャーキャピタルに在籍したこともあり、ブロガーへの出資交渉も担った経験がある。当然、エブとは旧知の仲でサウスパークの隣にあるオフィスを訪れた際もエブ自らが迎え入れてくれた。南が託されたのはツイッターの日本語版展開の契約と、ツイッター本社への出資だった。

ただ、ツイッターは当時すでに何社からも出資のオファーを受けている。慎重な性格のエブはおいそれとは首を縦に振らない。

ここで追い風となったのが、伊藤がアドバイザーを務めるフィンランドのジャイクが買収されたことだった。伊藤も交渉の前面に出ることになり、エブを直接口説いた。

「ツイッターは日本でこそ可能性が大きいんだ」

2007年12月、デジタルガレージとツイッターは資本業務提携を結ぶことで合意した。本格的な日本進出は翌2008年からだ。そこからの快進撃は言うまでもない。ツイッターはデジタルガレージの支援を受けて瞬く間に日本で広がり、経営者や政治家、芸能人、スポーツ選手が既存のメディアを介さずに情報発信するツールとなったのだ。

こうしてヤフーとブロガーを逃していた伊藤は、三度目の正直でツイッターという大魚をものにしたのだった。

ツイッターが日本に進出した２００８年は先述の通り、マーク・ザッカーバーグが初めて来日してフェイスブックがやって来た年でもある。それは日本のＳＮＳの先駆者であるミクシィが徐々に二つの「黒船」に追い詰められ始めた転換点と言ってもよかった。

そこで忘れてはならないのが、この二社が米国からやって来たということである。米国では両社の日本進出に先立つ２００７年に、インターネットのゲームのルールが書き換えられる「事件」が起きている。ｉＰｈｏｎｅの誕生だ。それはいよいよ世界的なモバイル・インターネットの時代が始まったことを意味していた。

当然、フェイスブックとツイッターはいち早く本国主導でスマホへのシフトを進めていった。一方の日本はどうか。ｉＰｈｏｎｅがやって来るのは１年遅れの２００８年のことだ。しかも、何度か述べている通り、日本ではガラケーが独自に進化している。日本で生まれ日本で普及したミクシィは、このイノベーションの時間差に苦しむことになったのだ。

崩れたSNS三分の計

2011年12月7日、スタートアップが集まる国内最大級のイベント「IVS」に登壇したミクシィの笠原健治は一枚のスライドを指し示した。それはm:i:x:iとフェイスブック、ツイッターの三大SNSの立ち位置の違いを示すものだった。

スライドの中心に据えられたのは自社のm:i:x:iだ。そこから同心円を描き、「強いつながり」「弱いつながり」「一時的なつながり」と広がっていく。m:i:x:iは強いつながりに位置し、フェイスブックは弱いつながり。そしてツイッターは弱いと一時的のはざまに位置している。

さらにそれぞれの特徴が簡潔に説明されている。m:i:x:iは「プライベートグラフ」と題して、親しい友人が中心で平均40人程度のつながり。フェイスブックは仕事関係や友人が中心で150〜2000人程度のつながりで「パブリックグラフ」に分類される。最後にツイッターは有名人やインフルエンサーが主なユーザー像で片方向、つまり一方通行のつながりのため、「ニュースグラフ」に分類されるという。

要はm・i x・iが最も親密な者同士でコミュニティーを形成しており、フェイスブックとツイッターはより緩やかなつながりの上に成り立っていると主張しているわけだ。

「この図にあるように、それぞれの思想の違いが明らかになっています」

笠原はこう強調した。2011年時点でこの分類はあながち違っているとも言えないだろう。確かに、この時点では特にツイッターは一部の有名人を除けば匿名での書き込みが目立っていた。

ただ、この時期はよりm・i x・iに近いポジションを取るフェイスブックが、原宿のマンションに集まった7人衆の手で急成長のカーブを描き始めた段階にすぎない。この後、急激に日本でのユーザー数を伸ばし、m・i x・iの領域に侵攻していく。ツイッターも実名で使うユーザーが増えるに従い、インターネット上での拡散力が再評価されて影響力を強めていった。さらに付け加えればこの年に誕生したLINEがこの後、爆発的な成長を見せることになる。

つまり、この時、笠原が描いたSNS市場の「天下三分の計」はもろくも崩れ去ったのである。ここから笠原の苦悩が始まるのだが、米国から来た黒船に追いやられた原因としては「オウンゴール」とも言える戦略上のミスも大きく響いていた。

例えば、2009年3月に起きた「コミュニティー」の大量消滅事件。ミクシィが、「出会い系」として使われている可能性があると見たユーザーのコミュニティーを一方的に削除していたことが発覚した。なんの通告もなく健全なコミュニティーまで突然消されたとして、ユーザーからは一斉に反発の声が上がったのだ。

IVS講演に先立つ2011年6月には、名物機能の「足あと」を事実上廃止したことに反対運動が起きた。この時は1万7000以上の署名が集められ、一転してミクシィは足あとを復活させる迷走ぶりを露呈した。

SNSは名も無き一般市民の声を広げるツールとして評価された。例えば2010年に中東で起きたアラブの春では、フェイスブックが市民の怒りを共有する役割を果たし、大いにクローズアップされたばかりだった。

mixiにとってはその名も無き声が集まり、巨大な声となり、かえって変化をはばむ皮肉な現象が起きていたのだ。塊となってぶつかってくるユーザーの声には新しいサービスを生む芽や改善のヒントが隠されていることは事実だ。ただ、ユーザー層が保守的になればなるほど、その声への向き合い方を誤れば変革の芽を摘むことになりかねない。これはデジタル時代に多くの企業が直面してきたジレンマだろう。

2012年11月、笠原は一般ユーザーを本社に招いて交流会を開いた。その場でmixiのデザインの刷新を発表したが、熱烈なファンの口から飛び出したのは痛烈な批判だった。

「昔のmixiに戻ってほしいんです」

ある女性がこう訴えかけると、笠原に嘆願書を手渡すユーザーもいた。

「どれも耳に痛い言葉でした」

笠原はこう振り返る。mixiが始まった2004年ごろに高校生や大学生だったユーザーは社会人となり、友人関係も変わっていた。

「SNSは本来、今一番ホットな友人関係を反映していないといけないのに、それがシャッフルできないでいた」

笠原はこう振り返る。これはフェイスブックも後に直面した課題である。本当に近しい「友達」と仕事でつながる「知人」をうまく分けられないため、どうしても書き込む内容に昔のような自由度がなくなってしまう。つながる人の数が増えるのと比例して、ちょっとした失言が炎上を招いてしまうリスクも大きくなる。mixiの場合はコミュニティーが肥大化した結果、書き込む頻度が激減したり、そもそも書き込みをやめてしまうユーザーが増え始めたのだ。

たそがれのミクシィ

ライバルが攻勢をかけてくるなかで、一度傾いたサービスを立て直すのは容易ではない。

この年の5月には証券会社を通じてミクシィが身売りを検討しているとの報道も出た。笠原は「僕が証券会社にそんなことを言ったことはない」と否定する。ただ、この少し前にヤフーからの出資受け入れを巡って交渉をしていたことは事実だ。笠原によると、最終局面で条件が折り合わずに流れたという。

いずれにせよ、ミクシィが苦境にあえいでいることは誰の目にも明らかである。やはり買収のオファーも舞い込んでいた。笠原は当時の経緯については口が重いが、「どこからかは言えないですけど、変わるチャンスではある。（売却することも）一度は考えました」と打ち明けた。身売り報道について「僕は誤報だと思っている」と話すが、火のないところに煙は立たぬ、といったところだろう。

好調だった業績もみるみる悪化していった。2013年4～6月期には2006年に上場して以来、四半期ベースで初の最終赤字に転落した。インターネット業界では「ミクシィは終わった」とささやかれ始めていた。

企業の絶頂期には往々にして凋落の病根がどこかに隠れている。逆に、どん底の場面には、小さな復活の芽が生まれているものだ。問題はそれを見つけて育てられるかどうか――。ミクシィでも笠原の苦悶の裏で、この会社に憧れてやって来た男が悪戦苦闘していた。

「ミクシィは僕にとって初恋の相手でした」

こう言い切る木村弘毅の言葉は、誇張ではないだろう。笠原と同じ1975年生まれの木村は大学を中退して父親が経営する電気設備の会社を手伝っていた頃から、コミュニケーションのサービスに強く関心を持つようになったという。NTTが刊行していた『インターコミュニケーション』という季刊の専門誌を毎号、むさぼるように読んでいたという。NTTドコモが1999年に始めたｉモードの影響を受けて携帯コンテンツ会社に転職したが、そこで出会ったのがｍｉｘｉだった。

ある日、オフィスで部下がパソコン画面を指さして聞いてきた。

「木村さん、これ知ってますか？」

それがｍ・ｉ・ｘ・ｉの画面だった。その画面に浮かぶ映像は、今も目に焼き付いているという。

「なんじゃこりゃ、と思いました。ネット上で顔をさらすなんて。大げさでなく、時代の転換点に立ち会っていると思いましたね」

そのミクシィがプランナーを募集していると聞いて、木村は早速応募した。採用面接に出てきたのが笠原だった。

自分がアピールできることは何か――。

木村はｍ・ｉ・ｘ・ｉのモバイル版を収益化させる戦略を熱く説いたが、結果はまさかの不採用。後にミクシィを救った男を落としたことを笠原に聞くと「すいません。それを言われるともう、切腹したいくらいです」と苦笑いするしかなかった。

だが木村は憧れのミクシィに諦めずにアプローチを続けた。ついに3度目に「初恋」を成就させ、２００８年に晴れてミクシィに転じたのだった。

ところが言い渡されたのが、ゲーム部門への配属だった。当時のゲーム部門は10人に満たない傍流中の傍流部門だった。

ただ、ゲームは嫌いじゃない。20代からコミュニケーションサービスに関心があった木村が作りたいのは人と人がつながり、みんなでわいわいと楽しめるようなサービスだった。いくつかのゲームを手掛けた後に取りかかったのが、「m・i・x・iパーク」というゲームの開発だった。ユーザーに似せたキャラ同士が交流するゲームだが、これが見事に外れたのだった。

当時は面識のないプレーヤー同士が戦い合うオンラインゲームの人気が高く、木村が「遊びにケーション」と呼んだ、知り合い同士がゲーム上でわいわいと盛り上がるm・i・x・iパークのようなゲームは、多くのユーザーからは受け入れられなかった。

その時、木村の頭をよぎったのがライバルであり、ミクシィの脅威になりつつあったツイッターとの連携だった。背に腹は代えられない。そんな思いで経営陣との会議に臨んだ。

「あと1カ月だけ時間をいただけないでしょうか。この機能さえ付けば、数字は回復しますから」

木村は涙ながらにm・i・x・iパークの延命を訴えたが、会議の後に経営企画を担当する幹部が席までやって来てこうつぶやいた。

「弘毅さん、もう無理ですよ……」

このｍｉｘｉパークをリリースしたのが2012年10月のことだ。当時はミクシィの業績がどんどん悪化していた。ｍｉｘｉパークにリターン・マッチのチャンスが与えられることはなかった。

挽回を期して作成したｍｉｘｉパークのデモ映像を自らの手でアンインストールした時、木村は再起を誓った。

「次こそ絶対にヒット作を作ってやる」

最後のチャンス

ミクシィが置かれた状況を考えれば、これが最後のチャンスだろう。木村は「次のゲームがダメだったら、ミクシィとともに自分も沈むしかない」と腹を決めていた。

すでに木村の頭の中にはラストチャンスに賭けるべきゲームのイメージがあった。まずはｍｉｘｉパークよりずっとゲーム性の高いもの。このイメージを後に5つの骨子にまとめている。

1、誰でもできる
2、集まると最高！（顔合わせマルチは超お得）
3、多彩なパーティ
4、厨二魂を震わせるど派手な必殺技（注：厨二は中学2年の意味）
5、ドキドキハラハラ激怖ボス！

それは誰にでもとっつきやすく、みんなで集まってわいわい楽しむゲーム。あえて人間関係を限定し、仲間同士がスマホを持ち寄って楽しめるゲームだった。ちょうどｍｉｘｉが２００４年にネットに持ち込んだ「リアルとの融合」を、オンラインゲームで実現しようとしたのだ。

「リアルな人間関係で情報の信頼性が高ければ、口コミが伸び、やがてユーザーは指数関数的に伸びるというモデルを、僕たちは疑っていなかった」

そのイメージをどんなゲームで形にするか——。

２０１２年12月、社内の小さな会議室に、木村は3人のメンバーを呼び出した。いずれもｍｉｘｉパークでの敗戦をともにしたプロジェクトメンバーである。その中の一人である楠井大地がこんなことを口にした。

「木村さん、俺、今度こそ見返してやりたいです」

時代はちょうどガラケーからスマホへとシフトしていた頃だ。

「次のゲームはスマホの特性を思いっきり使う分かりやすいものにしたい。画面全体を使って遊べるゲームを考えよう」

木村がこう言うと、色々なアイデアが浮かんでは消えていく。「そんなに簡単に糸口はつかめないか」と考え始めていた時だった。またしても楠井が口を開いた。

「画面をビリヤード台に見立てて遊ぶのはどうでしょうか」

「なるほど！　それはいいね！」

スマホの画面をビリヤード台に見立て、指先でモンスターを引っ張り、弓矢のように放つ。テンポ良く感覚優先で誰でも簡単に操作できることが「わいわい」のカギとなる。

こうして生まれた「モンスターストライク」は2013年10月にリリースされた当初、ほとんど誰の目にも留まらなかった。

木村があえてそうしたからだ。

「最初の100人のユーザーを誰にするか」

そこが勝負の分かれ目と見たのだ。

木村が目指すのは「リアルの人間関係」でつながるゲームだ。人と人とのつながりが有機的に膨らんでいけば、かつてSNSのｍｉｘｉが体現したような「ネットワーク外部性」が働き、さらに人と人のつながりを呼び込み雪だるま式にユーザーが増えていく。そんなつながりの連鎖の起点となり得るイノベーター層を「最初の１００人」に選んだのだった。

モンストの大ヒット

その拡大戦略を担ったのが多留幸祐だった。木村が前職の携帯コンテンツ会社時代に採用した男だった。大学を出てからミュージシャンを目指したが夢破れてリゾート会員権の営業をやっていたという多留を、木村は面白がった。多留は木村のもとでプランナーとしての才能に目覚め、その後にライブドアやＬＩＮＥに転じていた。

「マネジメントができる奴がいないんだ」

木村はＬＩＮＥにいた多留をこう言ってモンストのチームに誘った。多留はゲームのことは全く知らなかったが、師匠である木村から何度も言い聞かせられた言葉を覚えていた。

「難しいことは考えずユーザーだけを見ろ。そのために〝最強の素人〟であれ」

リゾートの営業からＩＴの世界に転じた多留の胸に響いた言葉だった。仕事が行き詰まった時は「ユーザーのことだけ」と思い返してきた。

「分かりました。じゃ、俺は木村さんに転職しますよ」

ミクシィに転じた多留はモンストのプロジェクトマネジャーを託された。まだ生まれたばかりのモンストをどう育てるか。２０１４年春、多留はあえてチームの予想を大きく超える成長軌道を描いた。

「11月に売上高70億円」

当時はまだほとんど売り上げがない。これには木村でさえ、「そんなに行ったらいいけどさ」と苦笑したが、多留はこう答えた。

「いいんですよ。どうせ素人が作った数字なんで」

それは沈滞しきったミクシィの空気を変えるための大風呂敷ということだった。多留は「最強の素人」を演じきろうとしていたのだ。結果的に、モンストは多留が描いた成長軌道を大きく上回ることになるのだが。

このゲームが面白いと思ってくれれば、いずれユーザーは指数関数的に伸びるはずだ

――。木村と多留はその時をじっと待った。毎日何度もツイッターでどんなユーザーが使っているかをチェックする。ある日、4人の男の子が遊んでいる様子を見つけた時に、木村は思わず叫んだ。

「これで勝ったな!」

まさに木村が想定していた使われ方だったからだ。

世間にもモンストの愛称が定着し、木村たちの読み通りにリリースから1年近くがたった2014年半ばから人気に火がつき、爆発的な成長モードに入った。それから4年で累計のユーザー数が4500万人を突破した。

傾いていたミクシィを救った一発逆転の大ホームラン。

その威力は数字が雄弁に物語る。2014年3月期からわずか4年でミクシィの売上高は121億円から1890億円に跳ね上がり、売上高営業利益率は4%から38%に急上昇した。今やモンストを中心とするエンタメ事業が売上高の9割以上を占める。

功労者の木村は2018年に社長に昇格した。前任の森田仁基は、木村がmixiパークで失敗した時に、陰で笠原に「次は木村さんをプロデューサーにして新しいゲームを作らせてください」と直訴していた人物だった。その森田が子会社によるチケット売買の不正の責任を取る形で突如退任を迫られた。

「木村さんが思うようにやったらいいから」

それだけ言い残して後ろ盾となってくれた森田は去った。こうして木村はゲームプロデューサーから社長に抜擢されたのだった。

目指すはディズニー

それからというもの、木村の胸の内にあるのが「一発屋で終わりたくない」という恐怖感だという。m・i・x・iがあっという間にSNSの王座から追い落とされたように、いつまでもモンストに安住していてはいけないことは分かっている。

「もう安泰ですね」

「これからはモンストで生きていけますね」

そんな祝福の言葉のひと言ずつが、木村にとっては「水に落とした墨汁のように不安の染みを胸の中に広げていきました」と言う。

もとより栄枯盛衰の激しいインターネットの世界で安泰などあり得ない。かつてのミクシィがSNS頼みで衰退の道をたどったのと同じ過ちを繰り返さないため、木村が掲げるのが「XFLAG」構想だ。

ゲームやスポーツ、アニメ配信などの事業をXFLAGという軸で束ねていく。これだけでは少々分かりにくい。木村がモデルにするのが米国のディズニーだという。

「ディズニーは一つのストーリーを作ってテーマパークや映画、テレビを統合して『ディズニー』という世界観を作り上げた。ミクシィもXFLAGのもとでそういう垂直統合型で勝負していきたい」

木村が掲げるXFLAGの世界観は「友達や家族とワイワイ楽しめる」だ。それはまさに木村がモンストで実現しようとしたものである。逆転劇で築いた幹に、色とりどりの花を咲かせることができるか。分かっていることは、走り続けなければいずれ同じ轍を踏むということだ。そうはなるまいと、今日も歩みを止めないでいる。

第 10 章

逆襲のＬＩＮＥ

——敗者がつないだ物語

LINEには3つの系譜が息づいている

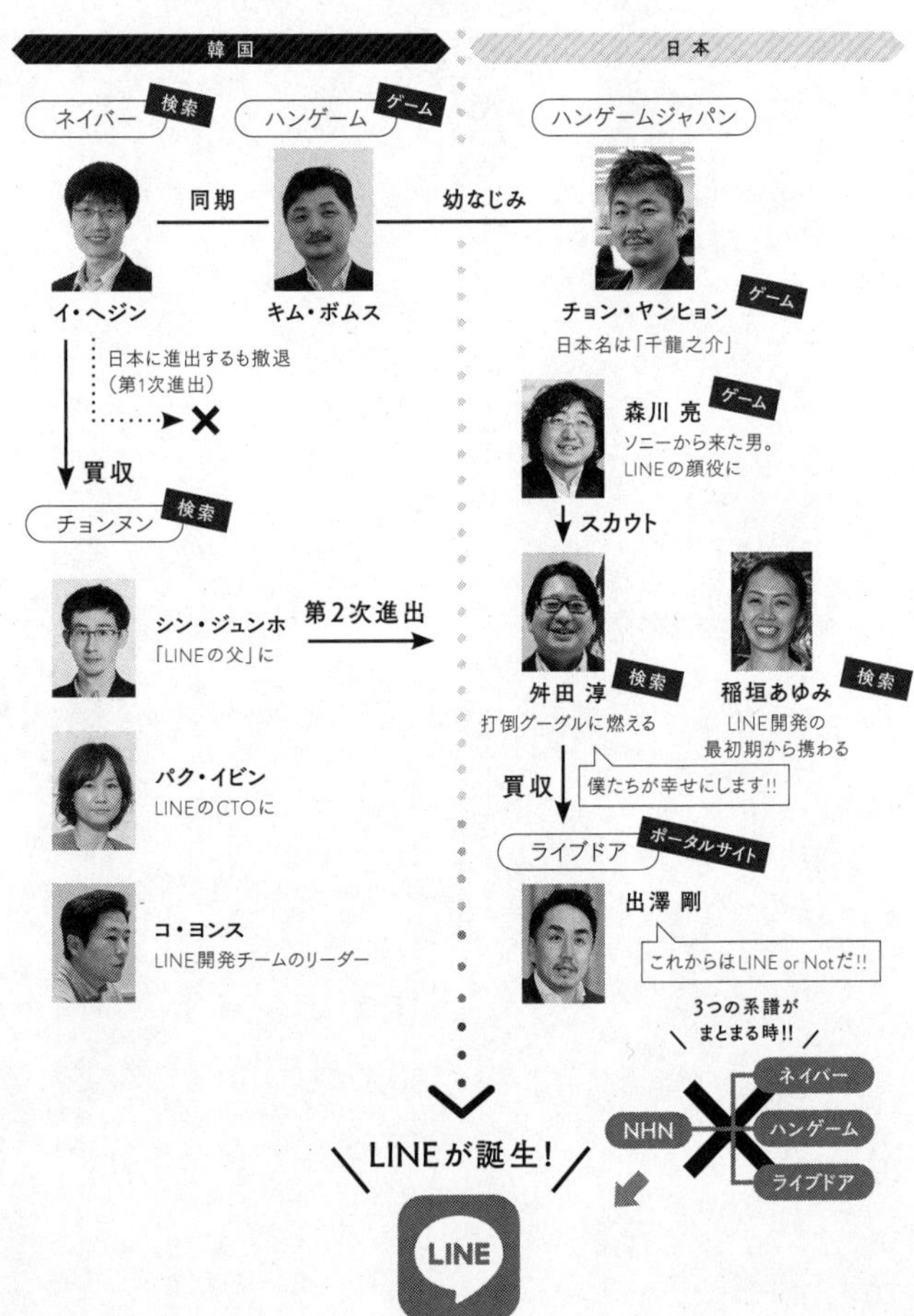

韓国
日本
ネイバー
検索
ハンゲーム
ゲーム
ハンゲームジャパン
同期
幼なじみ
イ・ヘジン
キム・ボムス
チョン・ヤンヒョン
ゲーム
日本名は「千龍之介」
日本に進出するも撤退
（第1次進出）
買収
チョンヌン
検索
森川 亮
ゲーム
ソニーから来た男。
LINEの顔役に
スカウト
シン・ジュンホ
「LINEの父」に
第2次進出
舛田 淳
検索
打倒グーグルに燃える
稲垣あゆみ
検索
LINE開発の
最初期から携わる
パク・イビン
LINEのCTOに
買収
僕たちが幸せにします!!
ライブドア
ポータルサイト
コ・ヨンス
LINE開発チームのリーダー
出澤 剛
これからはLINE or Notだ!!
3つの系譜が
まとまる時!!
NHN
ネイバー
ハンゲーム
ライブドア
LINEが誕生！
LINE

宴のあと

20世紀最後の年となった2000年は、大いなる安堵から始まった。

1月1日0時になった瞬間にコンピューターが西暦を正しく認識できず、世界的に誤作動の連鎖が起きるのではないかと危惧された、いわゆる西暦2000年問題に社会は身構えた。

「信号が突然止まって交通がマヒするかも」

「停電に備えて石油ストーブと懐中電灯を買っておかないと」

「弾道ミサイルが誤作動で飛んでくるかもしれないらしいぞ」

ちまたに広がったこんな懸念や噂話が杞憂にすぎなかったということは、元旦の日が昇る頃には明らかになっていた。だが、誰もが「0」と「1」を組み合わせたデータで構成される目に見えないネットワークを通じて、社会がつながり始めていることを改めて思い知ることになったのではないだろうか。

安堵と肩すかしの中で始まった20世紀最後の年は、しかし、この国のインターネットの歴史の中でも類のないほどの激動の一年として記憶されている。

ＩＴ関連企業の株価は前年から引き続き猛烈な勢いで上昇を続け、年明け早々の1月19日には、額面が5万円だったヤフーの株価が国内で初めて1億円を突破した。2月に入ると、ビットバレーの高まりが最高潮に達し、六本木のヴェルファーレには2000人もの起業家や投資家が駆けつけた。3月からサイバーエージェント、オン・ザ・エッヂ（後のライブドア）、楽天が相次いで上場し、産業界の新旧交代には大いなる期待が寄せられた。

誰もが熱狂に酔いしれていたその時、バブルは崩壊した――。

冬の時代の始まりである。

サイバーエージェントの藤田晋は「物言う株主」の村上世彰に追い込まれ、一時は会社を手放してしまおうかというほどにまで思い詰めた。ヤフーを傘下に持つソフトバンクも株価がざっと100分の1にまで急落し、経営危機が露呈する。孫正義は後に、当時の状況を「崖から落ちそうなのを指2本で支えているような危機だった」と表現している。

皮肉にも「ＩＴ革命」が新語・流行語大賞の年間賞に選ばれたこの年、多くの起業家が荒波の中に放り込まれ、試練と向き合っていたのだ。もっとも、脳梗塞で倒れた小渕恵三の後釜として総理大臣の座を射止めた森喜朗がＩＴのことを「イット」と口走ったことは、まだまだ情報革命が一握りの若い人たちのものでしかないことを印象付けた。

渋谷を直訳したビターバレーからビットバレーへと名を変えた頃の熱狂は、もはや遠い昔のもののように思えた。この年に大ヒットを記録したサザンオールスターズの「ＴＳＵＮＡＭＩ」のせつない歌声が、妙にしっくりくる。ＩＴ起業家たちの野望とため息が交錯する街に一人の韓国人がやって来たのは、そんな時代のことだった。

千良鉉（チョン・ヤンヒョン）——。

渋谷・道玄坂のマンションの一室でその男が立ち上げたのが、オンラインゲームのハンゲームジャパンだった。２０００年９月。家賃は７万５０００円。この界隈では格安と言っていいだろう。この小さなベンチャーが、今では日本人にとって国民的アプリとも言える存在になったＬＩＮＥの源流となったことを知る者は少ない。

ＬＩＮＥは２０１１年３月の東日本大震災をきっかけに作られたという「神話」が存在する。それは事実であり、この章で後述する。ただ、ＬＩＮＥの誕生に至るまでの歩みを紐解けば、そこには10年以上に及ぶ長く曲がりくねった道が存在していた。決してポッと出で生まれたものではなく、そこに至るまでに多くの人々が関わり、多くの挫折が存在していた。その上でついに花開いたのがＬＩＮＥだった。その物語を追っていきたい。

紫陽洞の幼なじみ

千が日本に来たのはこれが初めてではなかった。初来日は１９９０年のことだ。自国の大学を出て兵役を終えていたが、日本への留学を決意する。

「どうして日本が強くなったのか、自分の目で確かめたいと考えたのです」

当時はバブル景気のまっただ中だ。エズラ・ヴォーゲルが１９７９年に唱えた「ジャパン・アズ・ナンバーワン」が確信に変わったかのような空気感が、日本中に満ちていた。

そんな時代に日本にやって来た千は語学学校に通うかたわら、新聞配達や公園の清掃、焼き肉店でのアルバイトなどで生活費を捻出し、最終的には慶應大湘南藤沢キャンパスで修士号を取得した。研究テーマは認知言語学で、日本語の助詞の研究をしていたという。今では極めて流暢な日本語を話す。

日本にとどまり学究の道に就くことを志したものの、母親の看病のため帰国を余儀なくされた。１９９８年。すでに日本ではバブル景気が崩壊し「失われた時代」に突入していたが、千の母国は日本とは比較にならないほどの苛烈な経済危機に襲われていた。前年にタイでの通貨下落に端を発したアジア通貨危機が韓国にも及び、国際通貨基金（IMF）に救済を要請する事態に陥っていたのだ。

「あの時はどうしても日本と比較してしまいました。色々なところで日本と韓国の違いが見えてくる。当時は若かったし、（母国への）やり場のない怒りを覚えていました」

だが、その後の人生を変える再会が待っていた。

千の生まれはソウル近郊の紫陽洞。今では再開発されておしゃれな店も立ち並ぶが、千が幼少期を過ごした1970年代は貧しい下町だった。ガスは通らず、冬になるとどの家も練炭で暖を取る。道ばたで凍ってしまった死体を目にすることもあったという。

千の記憶に残っているのが、小学校の教師が教室の生徒たちに問いかけたことだった。

「このクラスで、お父さんが大学を出ている人は？」

手が挙がるのは2〜3人。

「じゃ、家にテレビがある人？」

手が挙がるのは、また数人。月給取りの会社勤めの家庭に育った子は、ほとんどいなかったという。

「あの当時は韓国全体がまだまだ貧しかったので、気にはならなかったですが」。当時はまだ「漢江の奇跡」と呼ばれた韓国のめざましい経済成長が、入り口にさしかかったばかりのことだ。

質素な家が密集する貧しい街の中で、とりわけ貧しい家庭に育った幼なじみが金範洙（キム・ボムス）だった。両親と5人の兄弟、祖母の8人が一つの部屋で暮らしていた。この寡黙な少年と千は妙に気が合い、小学校から高校までを同じ学校で過ごした。

この男が後に韓国を代表するIT起業家となる。ハンゲーム創始者にして、韓国でLINEと同じような地位を築いた「カカオトーク」を運営するカカオの創業者でもある。

1998年、日本への留学を切り上げた千が生まれ故郷の紫陽洞に戻ると、金と再会した。

「一緒に仕事をしようよ」

こう言って誘ったのは金だった。金は苦学の末に兄弟で唯一大学に進み、名門サムスンSDSでエンジニアとして働いていた。誰もがうらやむような地位を得ていたのだが、それを捨てて千と一緒に起業しようというのだ。

「うーん、友達とやるのはなぁ……」

千が渋ると金がやや話題を変えた。

「だったら日本でやるのはどうだ？」

韓国の景気はどん底である。それなら日本にも事業の手を伸ばせばどうだというのだ。

これに、千は真っ向から反対した。

「正直言って韓国は日本より30年は遅れている。財閥に力が集中している韓国と違って日本は産業全体が細かく出来上がっているから」

そこに付け入る隙はないというわけだ。すると金がこう返してきた。

「なるほど。でもインターネットは違うと思うな。過去を見る必要がないからな」

結局、二人はそれぞれネットカフェの経営に乗り出した。母親を看病する必要がある千が紫陽洞に、金が大学の前に店を構えた。これが予想を上回る繁盛ぶりだった。

ここで得た資金をもとに金はハンゲーム・コミュニケーションをオンラインゲームの最大手へと育てていく。千もハンゲームに合流したが、ここで前言を撤回する。今度は自ら「俺は日本でやりたい」と金に申し出たのだった。確かに金の言う通り、生まれたばかりのインターネット産業でなら日本で成功するチャンスがあると考えたからだ。この時にはすでに看病していた母が亡くなっており、千は日本に戻る決意を固めたのだった。

ハンゲームの成功

韓国での事業展開を盟友に託した千は、日本に戻ってきた。これが2000年のことだ。

ちょうどこの頃、ハンゲームは韓国の検索ベンチャー、ネイバーとの合併を決めていた。ネイバーを創業した李海珍（イ・ヘジン）は、金とはソウル大学とサムスンSDSの両方で同期という仲だった。丸顔で無精ひげが似合う金に対して、李は面長でメガネにおかっぱ頭。野心旺盛な起業家というより、研究者然とした雰囲気を漂わせている。見た目は全く異なる印象だが、いずれ劣らぬ起業家として、今では韓国では広く知られた存在だ。

ネイバーはこの後、検索エンジンでグーグルと真正面から戦い、一時は韓国市場で8割近いシェアを確立するのだが、この当時はまだまだ検索による広告収入が少ない。千は「検索を育てるのには時間がかかると思った。ハンゲームはすでに売り上げが立っていたので、良い合併だと思った」と振り返るが、そうなると本国のハンゲームは、ハンゲームジャパンを支援する余裕はなくなる。

「僕は正直、日本のことで精いっぱいになった。日本でハンゲームを成功させて日本で一番になりたいと。たとえ韓国の本社が潰れても生き延びてやるというつもりでした」

だが、当時は日本でインターネットバブルが崩壊した直後だ。千は華やかなりしビットバレー人脈ともつながりはなく、手探りで仲間を探し始めた。最初に誘ったのが慶應大SFC時代の同級生である佐野裕だった。システムエンジニアとして富士通に勤めていたが佐野の父親にまで会いに行って説得し、ハンゲームジャパンへと引き抜いた。

会社の管理全般を託した大下泰高は、もともとは千がハンゲームジャパンの会社登記を依頼した司法書士だった。ちょうど事務所を探している最中だと言う大下に「それならうちのオフィスを使えばいいじゃない」と言って、まんまと引き込んでしまった。大下は千と一緒にハンゲームの事業計画書を作っているうちにその面白さに気づき、のめり込み始めたのだという。

ハンゲームが提供するオンラインゲームは麻雀やカードゲーム、花札、ビリヤードといったゲームを、アバターという本人に似せたキャラクターでプレイする。大下はこのアバターに可能性を感じたという。

「アバターはバーチャル空間での分身です。自分をどう見せるか、どう見られたいか。日本の消費者の場合、リアルの世界で服を買うのと同じ動機で行動するだろうと思って、それを事業計画にも落とし込みました」

将来的にアバターを有料化することを前提に考えれば十分に採算が取れるだろうと考えたわけだ。

「僕は便利屋でした」という室田典良は、ゲームの提携戦略などを担った。千との出会いはまだ韓国ソウルの雑居ビルに入居していた本家ハンゲームのオフィスだった。当時テレビ番組制作の仕事をしていた室田は、番組の下調べとしてハンゲームを訪れていた。通訳も連れていたが、どうもぎこちなくて意思疎通がままならない。すると、たまたま日本から出張で来ていた千が通訳を買って出てくれた。聞けば、千は慶應大SFCの同級生だという。そもそも室田がハンゲームを訪問するアポイントを取れたのは、同級生の佐野のおかげだった。要するに3人とも同級生ということが分かったのだ。

「だったら、うちに来ない?」

室田も生まれたばかりのハンゲームジャパンに入ることになり、手作り感満載のチームが発足した。この時34歳だった千を除けば、皆が20代の若者たちだった。

ソニーから来た男

「いずれゲームで日本一になる」

千は集まった若者たちに夢を語ったが、こう付け加えざるを得なかった。

「でも今は苦しいし、本社からの支援もない。普通のサラリーマンだと思わないで、アルバイトを掛け持ちするつもりでやってくれ」。すると台所事情を知る経理担当がすぐに辞めてしまった。

「こりゃあ、本当にアルバイトでもしないと食っていけないいな」

当初はユーザー数が伸びず、こんな冗談を言い合っていた千とその仲間たちだが、ヤフーやgooといったポータルサイトにゲームを提供するようになって徐々に事業が軌道に乗り始めた。転換点となったのが2002年7月に打ち出したアバターの有料化だった。

これは現在のスマホゲームで広く採り入れられている課金モデルの先駆けといえる。ゲームそのものは無料で始められるが、途中でアイテムなどに課金する仕組みだ。ユーザーのほとんどが成人だが課金の金額は「小学生のお小遣いの範囲」に設定した。初日の売上高は91万円。まずまずの出だしだが、カスタマーサポートを兼務していた大下のもとに一通のメールが届いた。

「ハンゲームのアバターは、他の人に僕のことを知ってもらうためのものなのです」

そこに課金しないでほしいという趣旨だったが、これを見てアバター有料化の事業計画を策定していた大下の自信が確信に変わったという。

「そこまで思ってもらえる存在だからこそ有料化するんです。そのユーザーさんに思わずそう返信しそうになりました」

ユーザーの愛着を喚起し、カスタマー・ロイヤルティーを高める戦略は当たった。ユーザー数が伸び始めたのは年が明けた2003年初めのことだった。当時のハンゲームが重要指標としていたのが、その時々に何人がゲームをプレイしているかを示す同時接続者数だった。有料化を決めた当初は3000人ほどだったが、2003年に入った頃から急激に伸び始め、3月末には1万人に到達した。

この動きに目を留めていたのが、ソニー社員の森川亮(もりかわあきら)だった。

「これから必ずブロードバンドの時代が来るという確信がありました。その先進国が韓国であり、韓国で光が当たっていたのがゲームでした」

ゲームそのものは好きではなかったという森川はある時、千の講演を聞き、道玄坂にあるハンゲームのオフィスを訪ねてきた。実は千も個人的にはゲームが好きというわけではない。森川は当初、ハンゲームに移るつもりはなかったというが、千と意気投合して転職を決めた。

柔和な丸顔にもじゃもじゃの髪の毛が特徴的な森川は、後にLINEの顔となって世間に知られることになるが、当時はソニーの中にあって鬱屈した思いで会社を眺めていた。

小学生の頃からNHKの歌番組に出演し、筑波大学ではジャズにのめり込んだ森川は、音楽の仕事をしたいと日本テレビに就職したが、配属されたのは財務のシステム開発部門だった。辞表を出すと上司から「好きなことをやっていい」と言われ、インターネットの専門部署を作ったが、入社から10年で日テレを後にした。

この頃に輝いて見えたのがソニーだった。

1995年に「デジタル・ドリーム・キッズ」を掲げて社長に就任したのが出井伸之だ。10年続いた出井時代のちょうど折り返しにあたる2000年に、森川はソニーへと転じた。出井のビジョンのもと、テレビなどエレクトロニクス部門のハード主体からソフトウエアやコンテンツへとかじを切るかに見えたからだ。

「僕のイメージでは、ソニーがいずれアップルみたいな会社になる時代が来るだろうと想像していた。次の時代のメディアを押さえるのはソニーだと考えていました」

実際に入社してみると、それがイメージでしかなかったことを思い知らされた。品川の職場では昼休みに電気が消え、夕方になると音楽が流れて社員一同での体操が始まる。古き良き日本の職場の慣習に、デジタル時代の到来を求めてやって来た森川はなじめなかった。

「ああ、やっぱりここはメーカーなんだなと痛感しました」

なにもメーカーそのものを否定しているわけではない。森川が疑念を感じたのは、トップである出井の言動と現場の空気感のギャップが大き過ぎるという点にあった。

「例えば、動画の新規ビジネスを提案しても、上司から問われるのは『それがテレビやオーディオの売り上げにどうつながるんだ』ということ。徐々に、ソニーにいる意味があるのかなと考えるようになりました。やっぱり大企業だと未来より今が大事という雰囲気がするな、と。それならベンチャーの方がやりたいことを邪魔する人もいないだろうなと思いました」

そんな疑問を感じていた頃に出会ったのがハンゲームだった。ちょうどアバターの有料化戦略が功を奏してユーザーが急増していたタイミング。森川は2003年5月にハンゲームジャパンに事業部長として入社した。

覇者グーグルの誕生

同じ時期に千とハンゲームジャパンのもとにやって来たのが、ネイバーの面々だった。本国の韓国ではすでに合併により一体経営となっていたが、日本でも両社が合併することになったのだ。社名をNHNジャパンとし、その傘下にハンゲームジャパンとネイバージャパンがぶら下がる形に改められた。

当時のネイバーとハンゲームの置かれた状況は明暗がくっきりと分かれていた。ハンゲームがアバター有料化で売上高を伸ばしていたのに対し、検索のネイバーの前には巨大なライバルが立ちはだかっていた。米国からやって来たグーグルである。

インターネットの世界に現れた覇者グーグルはこの後、ネイバーの行く手を阻み続ける。そしてあまりに強大なグーグルへの惨敗の歴史の末に、LINEが生まれることになるのだ。

グーグルは、シリコンバレーにあるスタンフォード大学の博士課程に在籍していたラリー・ペイジとセルゲイ・ブリンによる研究プロジェクトの一環として生まれた。二人が創り出した「ページランク」というアルゴリズムがグーグルの原点になっている。その特徴を、『グーグル秘録』の著者、ケン・オーレッタは次のように記している。

「キーワードのみに頼るそれまでの検索エンジンと異なり、ページランクはリンクを分析してユーザーが最も頻繁に訪問するサイトを調べ、それを検索結果の上位に持って来るようにした。〝群衆の叡智（Wisdom of Crowds）〟こそ、どのウェブページが最も重要かを測る客観的な指標だと考えたのだ」

「群衆の叡智」の結晶を探る試みは、スタンフォード大のシステムに膨大な負荷をかけ、学内ネットワーク全体をダウンさせたこともあったという。ページランクを組み込んだこの検索エンジン「バックラブ」は当初、起業のタネというより学究的な目的で開発された。

二人はこの検索エンジンの名をすぐにグーグルに変更している。これは10の１００乗を意味する「googol」のスペリングミスだという説があるが、実際にはすでにドメイン名として登録されていたためgoogleにしたという。

ただし、この時点ではまだ学生による研究の域を出ない。実はこの時期、ペイジとブリンはこの検索エンジンをヤフーやエキサイトなど有力ポータルサイトに売ろうとしていた。後にペイジは「エキサイトには『本当は売りたくないけど160万ドルでなら売ってもいい』と言ったのだけど、彼らはそれほど〝エキサイト〟していなかった」と述べている。もし実現していたら、産業史上で最もお買い得なM&Aになっていたと言えるだろう。もっとも、その後のグーグルの台頭はなく、我々が知るインターネットの世界は今とは少し違ったものになっていたのかもしれない。

ヤフーの判断は、ある意味でもっと合理的だった。スタンフォード大の先輩でもあるジェリー・ヤンとデビッド・ファイロは、グーグルの検索エンジンの性能が良過ぎるため、もしヤフーに採用するとユーザーが検索結果を見る時間が減ってしまい、その結果として広告収入が落ちてしまうだろうと考えたのだという。

そして1998年9月、ついに起業を決意した二人は、知り合いから間借りした大学近くのガレージでグーグルを設立した。ガレージの入り口には「Google Worldwide Headquarters（グーグルの世界本社）」と書かれたホワイトボードがちょこんと置かれていたことは、今では伝説となっている。

ここからグーグルの快進撃が始まる。

その最大の原動力は、皮肉なことに検索が「正確過ぎる」と早くからその能力を見抜いていたヤフーが検索エンジンにグーグルを採用したことにある。2000年のことだが、ヤフーはその後にグーグルの爆発的な成長を脅威と見なすようになり、2004年に検索エンジンを自社製に切り替えている。

ヤフーとグーグル。この頃からスタンフォード大発の2つの学生ベンチャーの勢いの違いが誰の目にも鮮明になっていた。

「日本は甘くない」

こうして生まれた検索の巨人は、日本でも着実にシェアを伸ばしていた。日の出の勢いのグーグルとどう戦うべきか──。千はネイバー創業者の李海珍（イ・ヘジン）にこんな忠告をしていた。

「日本は甘くない。最低でも10年はやるつもりでがんばってください。そして、日本人の気持ちが分かるようになるくらいじゃないとダメです」

しかし、ネイバーは韓国で定着していた検索技術をそっくりそのまま日本に輸出する戦略を採った。グーグルが群衆の叡智を集めるアルゴリズムを駆使した検索で世界中でシェアを伸ばす一方で、ネイバーの検索技術は確かに特徴的なものではあった。

韓国内で認められる端緒となったのが2000年に始めた「統合検索」だった。キーワードを入力して検索するとウェブ情報やニュース、画像、ブログなどのジャンルに分かれて検索結果が表示される。さらにネイバーの独自性を決定付けたのが2002年にリリースした「知識iN」だ。ユーザーが検索すると、ネイバーが選んだ専門家が説明付きで答えてくれる。画像やイラストも交えるため分かりやすいと評判になり、2003年にはヤフー・コリアを抜いて韓国で検索シェア首位の座をつかんでいた。日本でもヤフーが数年遅れで「ヤフー知恵袋」として似たようなサービスで後追いしている。

この成功体験を日本にも持ち込もうとしたわけだが、これがなかなか日本のユーザーの間に定着しなかった。

ここで注意しないといけないのが、ゲームのハンゲームと検索のネイバーを抱えるNHNという視点で見ると、この時点で日韓で逆転現象が起きていたことだ。韓国ではネイバーが検索首位の座を固め、グーグルにさえその地位を明け渡さなかった。一方で、ハンゲームのオンラインゲームに陰りが見え始めていたのだ。

一方の日本では千たちが独自に進めたアバター戦略が当たり収益源となったものの、ネイバーは低迷を続けていた。日本では、韓国とは逆にハンゲームが会社全体を支える収益構造となっていたのだ。ソニーからやって来て千と二人三脚を組み始めた森川も、社内では完全にハンゲーム側の人間と見られていた。ハンゲーム側の古参幹部である室田典良はこう振り返る。

「当時は同じNHNジャパンと言ってもハンゲームとネイバーで価値観も何もかもが違っていました。ネイバーの人たちは肩身が狭かったと思う」

そんないびつな構造の会社に「ネイバー側の人間」として飛び込んできたのが、島村武志だった。ポータルサイトのライコスでサーファーとして働いていたのだが、もともとはミュージシャンだった。

スキニーパンツがよく似合う細身にロン毛。今もそうだが、1990年代ごろから音楽とコンピューターは切っても切れない関係となっていた。もはや楽曲編成にコンピューターは欠かせない。島村のように、若い頃に音楽の世界で食べていく夢が破れ、インターネットの世界に転身するエンジニアやデザイナーは、今も少なくない。

島村はユニコーンの奥田民生に憧れて中学時代からバンド活動を続けていたが、大学を出ると本格的にプロのミュージシャンを目指した。当時は東京・中野坂上に家賃3万円で5畳1間風呂なしの部屋を借り、機材ラックの間で寝る生活。ライコスの給料は生活費を除けばすべてバンド活動に消えていた。

「あの頃は何もない、夢しかない暮らしでした」

ちょうどバンドを解散してアコースティックギター一本で音楽活動を続けていた時に誘われたのがネイバーだった。当時、すでに28歳。そんな島村の目に映ったのも、ハンゲームとネイバーが分断された組織だった。

「ハンゲームが一発ヒット作を狙う山師なら、ネイバーは図書学的な組織。書生的な人が多い印象でした。そして、ネイバーはうまくいっていないことがすぐに分かりました。NHNジャパンという組織自体がハンゲーム化している印象でした」

30人ほどいるネイバー側の社員は、ほとんどが韓国からの長期出張者だった。日本に根ざしたゲームを作ろうとしてきたハンゲームとはそもそも腰の据え方が違っていたのだ。

島村が入社して3カ月ほどがたった時のことだ。韓国ネイバーから来ていた長期出張者たちが、一斉に帰国してしまった。韓国本社がネイバージャパンの撤退を決めたのだ。翌年の2005年をもって日本での検索サービスを打ち切るという。

（俺、どうなるの……）

ネイバーに入ってから生活が安定していた島村は、さすがにうろたえた。そこでNHNジャパン全体の社長でもある千から、こう迫られた。

「選択肢は二つだ。ハンゲームに来るか、新規のサービスを立ち上げるか。どっちがいい？」

島村が選んだのは新規事業だった。千にはアイデアがあった。そもそもゲームにはあまり関心がなかったという千は、「ゲームで終わりたくない。NHNを総合インターネット企業に育てたい」と度々口にしていた。

千が目を付けたのが、ミクシィの成長で注目されていたSNSだった。ちょうど本国のネイバーが韓国版SNSのサイワールドを立ち上げた人物をヘッドハントしていたこともあり、日韓合同チームが組まれたが、これがまたしても鳴かず飛ばず。ネイバーにやって来た島村はいきなり不遇の時代を迎えることになってしまった。

韓国のグーグル

ちょうどその頃、韓国側で動きがあった。

2006年半ば、韓国内での検索の地位を固めるべく、本家ネイバーが生まれたばかりのベンチャーを買収したのだ。1noon（チョンヌン）という会社だ。チョンヌンは韓国語で「初雪」を意味する。まだ創業して1年ほどの小さな会社だが、韓国で理系の最高峰とされるKAIST（韓国科学技術院）出身のスーパーエンジニアばかりを集めた会社として注目され、韓国メディアでは「韓国のグーグル」とも称されていた。

その可能性に先に目を留めたのは、韓国でネイバーに手を焼いていた本家グーグルだった。チョンヌンの創業メンバーでCTO（最高技術責任者）だった慎重熇（シン・ジュンホ）はグーグル幹部から届いたメールを「忙しいから」と無視していた。ところがその後も面談を求めるメールが届き、最後はCEOのエリック・シュミットから直々に会いたいというメッセージが来た。

「これはもう、礼儀としてお会いしないと」

3日間のシリコンバレー訪問に行くと「会いたい者がいれば誰でも言ってほしい」と言われ、「インターネットの父」と呼ばれるヴィントン・サーフに会いたいとリクエストしたところ、本当に面談をセッティングしてくれた。充実した3日間の滞在を終えてソウルに戻ると、正式に買収のオファーが届いていた。

ここで動いたのがネイバーだった。

グーグルに対抗する形でチョンヌンへの買収を表明したのだ。結論から言えば、慎たちチョンヌンの創業メンバーはネイバーを選んだ。提示された金額はグーグルの方が高かったにもかかわらず、同期を選んだことが韓国メディアから称賛された。

だが、交渉の当事者だった慎は筆者の取材に対し、KAISTの先輩にあたるネイバー創業者の李珍海(イ・ヘジン)に対しては、事前に相談を持ちかけたことを明らかにした。

「先輩として、悩み相談として聞いてもらいました。M&Aのオファー以前に李珍海さんは先輩なので、後輩として率直にアドバイスを求めました」

この辺りは長幼の序を重んじる韓国ならではの人間関係と言えるかもしれない。李は後輩に対して、いつになく熱弁を振るったという。

「一緒に世界で挑戦しよう」

これに慎は、「後輩として響いた」と振り返る。

「これはもしかしたら自分の人生で最初で最後の好意的な誘いなのかもしれないと思いました。李珍海さんは言葉だけで誘うような人ではない。嘘をつくような人ではないと分かったので」

こうして慎たちが立ち上げた気鋭の検索ベンチャーはネイバーを選んだ。ネイバーはチョンヌンの力も得て巨人グーグルから韓国市場を守ることに成功したが、李が目を向けていたのは隣国の日本だった。

もう一度、日本でグーグルの壁を破ってみせる——。

それは李にとって、そしてネイバーにとっての悲願となっていた。李は一度はグーグルに敗れた日本に再進出することを決めた。日本市場攻略の大役を託したのが他でもない、自らの懐に飛び込んできた後輩の慎だった。

「日本のことだけど。選択肢として二つあると思っている。一つは日本人の検索担当者を採用する。もう一つは君に日本に行ってもらって日本のことを勉強してもらう」

慎は一瞬、李の真意を測りかねた。李はかまわず続ける。

「撤退してからこれまで日本で検索を任せられる人材を探してきたが、なかなか見つからないんだ」

「え、それって……」

「そう。さっさと東京に行けということだよ」

いつものように柔和な表情だが、メガネの奥で光る目が冗談ではないことを物語っていた。こうしてネイバーによる第2次日本進出作戦が動き始めた。

検索のエース投入

慎重熇（シン・ジュンホ）は韓国ではすでに名前が知られたエンジニアだった。小学生の頃にコンピューターを使い始めた時、「これは人工知能（AI）を作るための機械だと考えた」という。理系の俊才が集まるKAISTでの学生時代の専攻はコンピューターサイエンスだが、AIの研究を続けた。やがて自然言語処理の技術を駆使する検索のエンジニアとして頭角を現し、KAIST出身者を集めてチョンヌンを創業した。

ネイバーの日本再参入を託されたのが慎であることから、韓国の経済メディアが「チョンヌンが日本で復活する」と報じたほどだ。

その慎に、李が託した言葉がある。

「韓国での成功体験を捨てろ。必要なのはローカライゼーションじゃない。カルチャライゼーションだ」

そのためには「日本語ベースで日本語の考え方を身につけなければならない」と言う。一度目の失敗で韓国式のサービスをそのまま日本に輸出するやり方では通用しないということが身に染みていたのだ。

とはいえ、慎は日本には旅行で来たことがある程度だ。日本のカルチャーに明るいわけでもなんでもない。それでも不退転の覚悟を決めて家族とともに東京に来ると、第2次ネイバージャパンのオフィスで韓国語を使うことを自ら禁じた。

これは日本での先輩にあたる千の教えだった。千は前回ネイバーが日本から撤退してからもハンゲームジャパンとNHNジャパンを率いていた。慎たち第2次ネイバー進出組を東京・大崎の本社に迎えていた。その千に、慎は聞いた。

「日本で成功するにはどうすればいいでしょうか」

ストレートに聞く慎に、千は当初「そんなのないよ」とはぐらかしていたが、慎は何度もしつこく聞いてくる。

「慎さんのすごさはあの情熱と執念深さですね」

母国から送り込まれた検索のエースに、千は「抽象的な話だけど」と前置きしてから3つの教訓を伝えた。

「まずは通訳を使わないこと。下手でもいいから自分の言葉で話すことだ。次にデータで話すこと。3つ目が一番大事で、この2つを守っても心に響かないならそれをやめること。日本人の心の琴線に触れないようでは絶対に成功しない」

日本人の心の琴線に対する千の解釈は独特だった。

「日本には見えない線が1000本以上もある。それを理解できれば成功につながるのだけど、この線のことは誰も説明してくれない。日本人さえもね。自分なりに理解するしかないんだ。日本人の心の中にある見えない線を、見えるようにならないといけない」

率直に言って、韓国企業が日本で成功することは難しい。特に一般消費者向けのビジネスとなると目に見えない壁を感じざるを得ないだろう。サムスン電子や現代自動車といった大企業でさえ、この壁に直面してきた。

両国の国民を隔てる歴史を巡る感情の溝について、今さらここでは論じない。学生時代から日本に根を下ろしながら、「韓国のオンラインゲームなんか日本人には受け入れられない」と日本の同業者から面と向かってこき下ろされ、それでもこの国で成功を収めてきた千ならではの、深みのあるアドバイスと言えるだろう。

実は、千はこの時点でＮＨＮを離れる決意を固めていた。親友の金範洙（キム・ボムス）はすでに韓国ＮＨＮを後にしており、千も目標に掲げていた売上高１００億円を達成したことで、森川に後任を託して独立しようと考えていた。

千はＬＩＮＥ誕生には直接関わっていないが、知られざる功労者と言えるだろう。たった一人で日本にやって来て渋谷・道玄坂のマンションで立ち上げたハンゲームジャパンの成功が、ネイバーの第２次日本進出を支え続けた。千の貢献がなければ果たしてＬＩＮＥは生まれただろうか。

日本で乗り越えるべきハードルは高い。慎は愚直に千の教えを守った。検索再参入の戦略を練る一方で、第一の教えである日本語の習得に明け暮れたのだ。

「まずは名詞から。辞書に載っている言葉を片っ端から覚えました」

仕事で日本語を使うには、生きた言葉も覚えないといけない。そこでドラマを教材に使ったが、選んだのが当時流行っていた「ごくせん」と「るろうに剣心」だった。作中のセリフを会話で使うと「そんな言葉、どこで覚えたんですか」と笑われた。そこでオフィスのシーンが多い作品から学ぼうと、「ハケンの品格」と「ホタルノヒカリ」を何度も見てセリフを頭にたたきこんだという。

ただし、乗り越えるべき壁は日本人の心だけではない。検索の世界には行く手を塞ぐ巨人グーグルが存在する。

グーグルの壁

「今度、韓国に来てよ」

東京に旅立つ直前に、まだソウルにいた慎はある男を呼び出した。ネイバーの第1次進出時の末期に入社して不遇をかこっていた元ミュージシャンの島村武志だ。聞けば、東京にはネイバーが韓国で実績を残した知識iNのような「参加型検索」に対して抵抗し続けている男がいるという。それが島村だった。

「韓国でうまくいっているからといって押しつけてくる。それがフラストレーションでしたね。あの頃は100%うまくいかないだろうなと思いながら仕事をしていました」

そう言う島村が新しいボスを訪ねて韓国を訪れたのは2008年3月のことだ。ソウルの中心街から南南東に20キロあまりの場所にある京畿道城南市に建つのが、グリーンファクトリーと呼ばれるネイバーの本社だ。27階建てのビルはガラス張りだが、その名の通りに緑がかっている。

東京からやって来た島村を、慎は喫煙テラスに誘った。当時は二人ともタバコを吸っていた。そこでの話は2時間近くに及んだ。

「そもそも知識iNだと同じ質問が何度も繰り返される可能性があるじゃないですか。しかも回答が正しいかどうかを決めるのが質問者というのはおかしくないですか。これって完全性を欠いていないですか」

「では、まず質問を作って、その質問の普遍性を問うようにしたらどうかな？」

こんな会話が延々と続いた。そこに正解があるわけではない。ただ、島村にとって発見だったのは「この人は仮説と回答案をセットで返してくる」ということだった。

「それまで（の韓国ネイバー社員）はこういう成功事例があるから、と言ってくるだけでした。ところが慎さんは私の問いから絶対に逃げない。この人となら面白くなるかもと思いましたね」

この後、島村が韓国で成功した知識iNとは違い、グーグルのロボット型とも違う検索の形を探し続けてたどり着いたのが「NAVERまとめ」だった。ネット上で話題になっているキーワードを抽出し、一般利用者がネット上で情報を集めてページを編集して公開する。後にキュレーションサイトのはしりと言われるようになったものだ。

日本でネイバーと言えば、このNAVERまとめを思い浮かべる人も多いのではないだろうか。ただ、2009年7月にリリースした際は、全く受け入れられなかった。受け入れられないというよりユーザーが使ってくれる感触が皆無というほかなかった。

「よくドラマなんかで人が死ぬ時に心電図が映し出されるシーンがあるじゃないですか。ピーといったまま線が動かない。まさにそんな感じでした」

グーグルとは違う何かを探しながらも、島村は「スタートラインにも立てていないと痛感させられました」と振り返る。

「慎さんは発明家みたいな人で、毎日のようにガラクタを持ってくるんです。『今度こそ、これは光るかも』と言ってね。次第に私たちは『またかよ』となってくる。それでも私もまた光るものを考える。これだ、と思ったけどやっぱりガラクタだった。また考える……。その繰り返しです」

グーグルの壁がぐらつく気配は、みじんも感じられなかった。

「もう一度やりませんか」

舛田淳が運命のメールを受け取ったのは、2008年6月のことだった。

「お疲れ様でした。ごはんでもどうですか?」

メールの発信者は、千からNHNジャパンの社長を託された森川亮だった。中国の検索最大手、百度（バイドゥ）の日本法人幹部だった舛田だが、韓国からやって来たネイバーと同じようにグーグルの壁に跳ね返されていた。力尽きるようにしてバイドゥを後にした舛田が退職を知らせるメールを、世話になった関係者たち一同にBCCで送っていた。森川とは同業者としてたまに意見交換の場を設ける仲だったが、すぐに返信が届いた。「お疲れ様会」を開こうというのだ。

森川はNHNの立場で言えばハンゲーム側の人間と見なされていたが、2007年にネイバーが第2次日本進出を決め、NHNジャパンの子会社としてネイバージャパンを設立すると両社の社長を兼ねることになっていたのだ。

「そういえば森川さんのところ、ネイバージャパンをまた作ったと聞きましたけど、その後になんのアクションもないじゃないですか。どうなってるんですか？」

「サービスを作る人はいるけど、戦略担当がいないんですよ」

森川の狙いは、舛田をスカウトすることだった。

「舛田さん、もう一回我々とやってみませんか？」

森川はこう切り出したが、舛田にその気はなかった。グーグルを負かしてやろうと勢い込んでバイドゥに飛び込んだものの、全く勝てる気がしない。

「正直、全く歯が立たなかった。というより、勝負をする前からもう負けているような感覚です。体力的にも精神的にも疲弊してボロボロ。しばらく休みたいと考えていました」

舛田は筆者の取材に対して当時の精神状態を赤裸々に明かした。

目の前に座る森川も、グーグルの強さは身に染みて分かっているはずだ。互いに外資の日本法人に身を置いている。本国から見れば日本法人はグローバル展開するうちの一つにすぎない。同じような境遇だからこそ理解してもらえると思い、舛田はバイドゥで日ごろから感じていた不満を口にした。

「そもそもエースと言われるような人間が本国から来ない限り、何をやっても無駄ですよ」

「それなら来ますよ」

森川がこともなげに返す。

「慎重熿(シン・ジュンホ)ですよ。舛田さん、ご存じですか？　チョンヌンのシン・ジュンホ。今度、彼が東京に転勤します」

森川は続けた。

「舛田さんがバイドゥで経験したことは我々も経験してきました。一度撤退していますから。もう一度、我々とチャレンジしませんか。このままでは日本はグーグルに支配されてしまう」

シン・ジュンホ――。その男の名は、舛田も耳にしていた。舛田と入れ替わるようにバイドゥが引き抜いたヤフー検索事業部長の井上俊一が、森川との会食の少し前に開かれたバイドゥ社内の勉強会で話題にしていたのだった。

検索のプロである井上が「今度、ネイバーが韓国から検索の中枢中の中枢のエンジニアを日本に送り込んできますよ」と言っていたのだ。井上は慎と面識があるらしく「ネイバーのエースですが謙虚な人です」とも付け加えた。

検索のプロが言葉の限りを尽くして絶賛するライバル企業のエースとは、いったいどんな男なのだろうか――。舛田はシン・ジュンホという男と会ってみたくなった。

東京・大崎駅の近くにあるNHNのオフィスで初めて会った慎とは、ホワイトボードを使い片言の英語での会話だったが、2時間近くに及んだという。この時、慎はまだ日本語をほとんど話せない。それでも話は尽きず、二人はそのままランチに出かけ、ホワイトボードの代わりに紙ナプキンに英語を書きながらの会話が続いた。

「私は片道切符で日本に来ました。ここで成功するまで帰りません」

舛田が慎から感じ取ったのは打倒グーグルへの熱意だけではなかった。慎は二言目には

「僕は日本のマーケットのことが分かっていない。だから勉強しているんです」と言う。

「だから今、日本のドラマを見て勉強しているんです。日本人の心の琴線に触れないといけないと思って」

これには驚かされた。片言の英語での会話には、慎が猛勉強中だという日本語も交じったのだが、「心の琴線」という言葉を、慎はハッキリと日本語で口にしたのだ。千から授けられた教訓なのだが、まさか日本に来たばかりの韓国人が使う言葉だとは思えない。

「心の琴線なんて日本人でもめったに使わないじゃないですか。それを聞いてこの人は本気なんだと思いました。この人とならやれるんじゃないかと」

舛田はバイドゥを辞める時、妻に「しばらくゆっくりしよう」と伝えていたが、一転してネイバージャパンに参加し、もう一度打倒グーグルを目指そうという気になったという。

「あの時にスイッチが入りました。それにやっぱり心残りだったんですよ。こんなにも負けきったことはないとまで思わされていましたから。（バイドゥを）退任する時には自分の中で色々な言い訳を持っていた。これがダメだったから、あれがなかったからとか。今考えるとなんてセンスのない思考回路だと思うんですけど、慎という人間と触れた時にもう一回やろうという気になったんです」

ただ、舛田の入社にはちょっとしたすったもんだがあった。当初提示された給料を直前になって半分近くにまで下げられたのだ。NHN側からすればバイドゥで結果を出せなかった舛田を高給で雇うわけにはいかないという理屈だが、この「賃下げ」は実は慎の指示だった。筆者がその意図を聞くと、慎はこう説明した。

「舛田さんと会ってみて、この人とは通じるなと確信しました。でも、本音を確認したかったのです。自分の給料を下げてでもチャレンジしたいのか。舛田さんの本気度を測りたかった」

舛田は屈辱的とも言えるこの条件変更をのんだ。

こうしてネイバージャパンにやって来た舛田は今では「LINEの軍師」と呼ばれる。最初にオフィスに出社した時に森川と慎に言われたことが今も忘れられない。

「何から始めましょうか。事業分析かマーケット分析からやりましょうか」

「そんなものは必要ありません。舛田さんにやってほしいのは、(グーグルに) 勝つために必要なことすべてです」

遠回りしてきた「LINEの軍師」

こうしてネイバージャパンでグーグルとのリターンマッチに臨むことになった舛田だが、ぽっちゃりとした体型に柔和な表情からはイメージしづらい過去を持っていた。

自営業を営む父親の影響で小学生の頃からスーツを着て近所の家庭に浄水器を売り歩いた舛田少年。高校では特進科に進むが、決められたレールを走るような学校教育に言いようのない窮屈さを感じ、授業をサボる日々が続いた。

高1も終わりが近づいた冬のある日。学校に行くと、教師に呼び出された。部屋に入ると何人もの教師がずらりと並ぶ前に、椅子が一つだけ置かれている。「そこに座れ」と言われるままに座ると、査問が始まった。

「お前、このままでいいのか」

「これからどうするつもりなんだ」

そう詰問された舛田が普段から感じていた疑問を口にすると、ある教師がさじを投げたように言った。

「そんなんだったらもう、学校を辞めれば」

舛田が他人事のように「いい意見ですね」と返すと火に油を注ぐ結果となったが、もう高校に未練はなくなっていた。高校に退学届を提出すると複数の派遣会社に登録し、二輪車のエンジン工場で働き始めた。だが、ベルトコンベヤーを流れてくる部品を組み立てる毎日を過ごしていると、また疑問が湧いてくる。

（ずっとこれが続くのか……。俺の人生、このままでいいのか？）

工場での仕事が嫌だったわけではない。だが、同年代が大学に進学すると正直、焦りを覚える。一念発起して猛勉強を始めると、大学検定試験を経て同級生より2年遅れて早稲田大学に合格した。

入学式の日、キャンパスを歩いていると毎年恒例の新入生歓迎のテントが出ている。通りにはサークルや部活動へと勧誘する上級生がビラを配り、人でごった返している。その日は雨が降っていたため、たまたま足を止めたのが放送研究会だった。「ついつい居心地が良くて」と言い、舛田は代表を務めるようになり、プロの放送作家から仕事を回してもらうようになっていた。

ただ、そのまま放送作家を目指す考えはなかったという。同じ時期に出会ったインターネットにのめり込み始めたからだ。当時は1990年代末。インターネットが急速に普及し始めていた時期だ。

「大学のパソコン部屋に行くとみんな明け方までネット・サーフィンをやっている。まだみんながインターネットで何ができるのかを模索している時期です。なにも定まっていないのにみんなが熱中している。その変な熱量が衝撃でした」

そんな時に出会ったのが後にメルカリを起業する山田進太郎だった。二人は同い年だが舛田が遠回りをしたため、早大では2年先輩となっていた。山田は「人と情報の交差点をつくる」を掲げる早稲田リンクスというサークルの3代目代表を務めていた。

山田はその後に内定していた楽天への就職を蹴ってフリーランスのプログラマーとなる。まだ得体の知れないものだったインターネットを使って「早稲田大学のデジタル化」を進める山田が、自分よりはるかに先を行く存在に見えた。

「進太郎さんに対しては、憧れと少しの悔しさがありました。（先に）やられちゃったなぁ、と」

次第に放送作家の仕事もテレビや雑誌、ラジオといった旧来のものから、ウェブのコンテンツの企画といったインターネットに関わるものが増え始めた。

「誰もいないところの方が前に進めると思ってインターネットを選んだ。そもそもインターネットはルールがなくて自由な世界に見えました。20代の半ばになるまで、そこにどんな未来があるのかを考え続けて過ごしていました」

結局、大学も辞めてしまい、いくつかの会社を転々としながら実質的にはフリーランスのように働き続け、政策系のシンクタンクに転じていた。従って舛田の最終学歴は中卒ということになるが、インターネットという新しい世界を前に、もはや学歴などどうでもよくなっていたのだ。

そんな舛田の最初の転機は27歳で訪れた。

「グーグルには歯が立たない」

ある日、舛田はシンクタンクの研究員として食事会に招かれた。中国で検索大手として急成長していた百度（バイドゥ）が主催したもので、創業者の李彦宏（ロビン・リー）が視察に訪れていた。ただ、5〜6人が座るテーブルの中には、舛田以外にインターネットに明るそうな日本人がいなかったという。李は舛田に日本の検索市場について矢継ぎ早に聞いてくる。

「日本に進出したいと思っている。興味はないですか？」

「いや、そもそもやめた方がいいと思います。日本ではヤフーが王者で、グーグルも伸び始めています。韓国のネイバーも撤退しちゃったし、過去に何度も（外資系が）失敗していますから。言い方は悪いですが、お金はもっと有効なことに使った方がいいんじゃないですか」

率直な助言に、李は耳を傾けた。

少したったある日のことだ。その日、舛田は父親の葬儀の準備に追われていた。そこにある男が現れた。李の代理人だという。

「ロビンがあなたをスカウトしたいと申しています」

舛田は喪主だったが、そのまま1時間ほど中座して対応せざるを得ない。困惑するのと同時に、その熱意に揺れた。

舛田はこうして三顧の礼をもって、2006年12月に設立されたバイドゥ日本法人に迎えられた。

ただ、李への助言は、残念ながら的中してしまう。日本の検索市場はヤフーに代わってグーグルが絶対王者になっていったのだ。

バイドゥ日本法人が抱える最大の問題が、中国本社との距離感だった。

北京主導で中国で作ったサービスをそのまま日本に持ち込もうとしても受け入れられない。何度そう訴えても聞き入れられない。

エース級のエンジニアを日本に送り込んで日本のユーザーの声を聞き、日本人に合った検索サービスを作らなければ勝負にならない——。そう言うと「では、君が北京に来たらどうだ」と返ってくる。それでは日本人に受け入れられるサービスを作ることなどできるはずがないだろうと言っても、何も変わらない。

「私もマネジメントの力が足りず、未熟でした。あの頃はもう体力的にも精神的にも疲れ果てていました」

やはり、と言うべきか、検索の世界に飛び込んであらためて思い知らされたのがグーグルの強さだった。舛田は「四つ相撲は無理でも戦略やプロダクトの方向性次第では一刺しくらいはできるんじゃないかと思っていた」というが、現実は甘くなかった。グーグルの壁はびくともしなかった。

「やっぱりグーグルはすごいのひと言でした。世界中から天才が集まり、最高の環境でやっている。我々も全体で勝てないなら局地戦で挑もうと画像検索に集中したりしましたが、歯が立たなかった。もう、勝負をする前に負けているような状態でした」

三顧の礼で迎えられたバイドゥで、完膚なきまでにグーグルにたたきのめされた。その屈辱の傷が癒えないうちに、韓国からやって来た慎重熇（シン・ジュンホ）という男と出会い、舛田のファイティングスピリットに、もう一度火がともったのだった。

ただ、新天地でも目の前に立ちはだかる壁は高く、とてつもなく分厚いものだった。

売りに出されたライブドア

あなたの仕事はグーグルに勝つために必要なことすべてです——。

こう言われてしまっては、逆に何から手を付けていいのか戸惑ってしまうところだろう。だが、舛田は「それなら本当になんでもやってやろう」と考えた。

備品の手配、席替え、配線、宴会などの社内イベント……。そういった雑用も自ら引き受け、専門家がそろっているプログラミングとデザイン以外の仕事はすべてこなしてやろうと考えたのだ。

「最初から認めてくれる人はいなかった。それなら(なんでもやって)信頼のポイントを積み重ねようと思いました」

当時のネイバージャパンはまだ30人ほどの小所帯だ。この頃の舛田を知るネイバーOBは「舛田さんはあえて雑用係をやることで、次第に社内を掌握していきました」と証言する。

居場所を探す舛田が取りかかったのが、マーケティングの立ち上げだった。舛田が入社した2008年秋の時点で、ネイバージャパンはまだ再参入の準備を進めている段階だった。実際にNAVER検索を再び日本で立ち上げたのは、翌年になってから。人員の大半がエンジニアで、会社全体が検索サービスの開発に集中している時期だった。それなら先回りして自分がマーケティングの責任者を買って出ようというわけだ。

こうして1年余りがたった時のことだった。舛田は前職のバイドゥ時代から付き合いのあったライブドアの検索ビジネス部長である窪島剣璽と新宿で会食する機会があった。舛田と窪島は、バイドゥ時代にライブドアの画像検索エンジンに採用してもらった縁で付き合いが続いていた。その席で窪島は舛田に極秘事項を伝えた。

「実は今、ライブドアはオークションにかかろうとしています。というか、ほぼかかっています。すでに何社かが手を挙げているんですよ」

堀江貴文が逮捕された後、社長に就任した出澤剛によってライブドアは黒字化を達成したが、株主である投資ファンド連合が投資回収を狙って売りに出しているという噂は、舛田の耳にも届いていた。

「そこで、なんですが……。緑の会社も手を挙げてもらえませんか」

緑はネイバーのコーポレートカラーだ。要するにネイバージャパンにも入札に参加してライブドアを買収してもらえないか、ということだ。

「ないよ、そんなの。いやいや……、ないない。ないって」

舛田は耳を疑うというより、冗談だと思って聞き流そうとした。だが窪島は真剣な表情で迫ってくる。

「僕たちとしてはちゃんとプロダクトを考えてユーザーに向き合ってくれる会社に買ってもらいたいんですよ。まあ、僕の個人的な考えですけど……」

どうやら入札にはファンドなどが参加しようとしているようだ。

「どうにかなりませんか。このままだとライブドアがライブドアじゃなくなってしまうんです」

そうは言われても粉飾決算で上場廃止になったライブドアを買収することは、大きなレピュテーションリスクを抱え込むことを意味する。ライブドアの名前を毛嫌いして離れるユーザーや広告主が出てくるかもしれない。舛田は酒の席の話とばかり、なんとかはぐらかそうとしたが、窪島は執拗に食い下がってきた。

「分かりましたよ。それなら一度、ライブドアがどういう状況なのかが分かるデータを送ってください」

そのデータが送られてきた日の夜──。舛田は自宅のパソコンを前に思わずうなった。出澤がストイックな経営を徹底してコストを絞り、恒常的にキャッシュを生み出す状況にまで持ってきていることは分かっていたが、あらためて会社の状況を数字で見直すと「ホリエモンのライブドア」のイメージとは全く違う、手堅い経営に徹していることが理解できた。

ただ、舛田の目に留まったのは、財務状況だけではなかった。業界内では名の知れたエンジニア陣が、ほとんどそのまま会社にとどまっていたのだ。堀江時代からライブドアが誇ってきた「ギーク」たちである。

「真夜中に一人でパソコンを見ながら思わず『おおっ！』とうなりましたよ。ライブドアを支えてきたエンジニアリングの力がそのまま残っていることが見て取れました」

舛田は即決した。その夜のうちに森川と慎の二人に宛てて一通のメールを送った。

「ライブドアを買いたいと思います。すでにオークションが進んでいてギリギリのタイミングなので即決しないといけません」

翌朝、森川の部屋に三人が集まり、舛田がライブドアを買収すべき理由を簡単に説明すると、森川と慎は声を合わせるように同じことを言った。

「行きましょう!」

5つの約束

こうして動き始めたネイバージャパンによるライブドアの買収計画——。ただ、当事者たちの思惑は微妙にすれ違っていた。

実はこの時点でライブドアを率いる出澤は、ライブドア自らが株主である投資ファンド連合からライブドア株を買い取って独立しようと画策していたのだ。経営陣による買収。つまりMBOだ。

ライブドア事件という激震の中を必死の思いで生き抜き、踏みとどまってきた。その試練をともに乗り越えた仲間たちと新生ライブドアをつくっていきたいという思いがあるのは、ある意味で当然のことかもしれない。舛田に買収を持ちかけた窪島が「個人的な考え」と付け加えたのには、こんな事情があった。出澤は当時の心境をこう振り返る。

「窪島さんが動いていることは知っていました。会社としてオフィシャルなことではなかったけど、確かに色々な選択肢はあった方がいいかなと(許容していた)」

「それに、本当のところは経営陣の中でも（売却か独立か）考えは一枚岩ではなかった。僕としてはMBOしたかった。それ以外の選択肢は正直、がっかりです」

結局のところは資本の論理が優先する。ライブドアの針路についての決定権を握っているのは出澤たち経営陣ではなく、株主である投資ファンド連合だ。

独立か、売却か――。下された判断は売却だった。

「夢破れた……。そういう思いが正直、ありました。自分たちの手でやりたいという思いが潰えました」

出澤は筆者の取材に対して、当時の落胆ぶりを率直に打ち明けた。世間から虚構とまで言われたライブドアを立て直しながら、独立の夢は絶たれたのだ。

買収交渉の責任者となった舛田は、出澤の秘めた野望は後に知ることになったのだが、経営陣には同業の事業会社の傘下に入ることに抵抗があることはなんとなく伝わっていた。

ライブドア事件の荒波の中で会社を立て直してきた出澤たち経営陣の協力なしでは、たとえ買収が成功してもライブドアが抱えるギークたちの力を発揮できるとは思えない。

どうすればライブドアの「残党」たちがネイバー傘下で前を向いてくれるのだろうか

――。

舛田には腹を割って話そうと思う人物がいた。

買収交渉がヤマ場を迎えた時のことだ。ライブドア経営陣への個別ヒアリングで、舛田は着席したある幹部に語りかけた。

「落合さん、僕です。舛田ですよ」

相手はライブドアの管理部門を預かる落合紀貴だった。出澤の腹心であり、出澤もライブドアの独立運動を落合とともに検討していたと証言する。

実は落合は、舛田が早大時代に所属していた放送研究会の先輩だった。ちょうど大学は入れ違いで落合が先に卒業していたが、面識はあった。ただ、舛田は学生時代と比べて20キロも太っていたので、落合が気づいていないようだった。

「あれ、舛田くん？」

二人はそのまま母校が近い高田馬場に繰り出し、朝方までバーで飲み明かした。落合の本心は、やはり同業であるネイバージャパンに買収されるのは抵抗があるようだった。夜が明けようとしていた頃、したたかに酔っ払った舛田は、落合にこう伝えた。

「一緒にやりましょうよ。僕たちが幸せにしますから」

アルコールが入っていたからかもしれないが、口から出任せではなかった。ライブドアへの買収提案書は舛田自身が書いたものだが、舛田はそこに「5つの約束」を盛り込んだ。ライブドアのブランド、雇用、経営体制、経営ポリシーの4つを守る。そしてライブドアの成長を支援し続けるという内容だった。要するにネイバー傘下になってもライブドアの独立を守るというわけだ。

舛田は5つの約束に込めた狙いをこう説明する。

「大事なのは一緒にチャレンジしてくれるメンバーです。ライブドアのメンバーたちにもこのM&Aは良かった、一緒になって良かったと思ってもらえるようでなければ、意味がないと思っていました。お金でハコは買えるけど、それじゃ魂は残らないから」

とはいえ、ライブドア側から見れば眉唾ものだ。出澤も疑念が晴れなかったと言う。

「『それ、本当かよ』と。そんな約束をしてもらっても、かえって不安になりました。気持ちはうれしいけど、本当にビジネスになったらまた状況が変わるよね、と」

懐柔策を提示する舛田のことを、むしろ「手ごわい交渉相手」と見るようになったという。出澤のもとで技術陣を束ねていた池邉智洋も「ライブドアはいろいろな会社を買ってきたので、買う側としての論理でM&Aがどういうものかは分かってました」と振り返る。

池邉は妻に「すぐにクビになるかも」と伝えていたという。

ただ、舛田の狙いは変わらなかった。交渉を重ねるごとにライブドアが欲しいという思いが強くなったという。

「面白いもので、最初はオークションに参加してほしいと言われて手を挙げたのに、いつの間にか我々がラブコールを送る側になっていました。『幸せにします』なんて、妻にも言ったことがないのに（笑）。もう全力で口説いていましたね」

こうして2010年5月、NHNジャパンの名目でライブドアを買収した。日本のインターネット産業の初期を彩り、ヒルズ族の象徴とも言われたライブドアが韓国企業の日本法人の手に落ちたことは、時代の移り変わりを印象付ける出来事として伝えられた。一時代を築いたライブドアの終焉と見なされたわけだ。だが、ライブドアの「残党」たちの物語はここで終わってはいなかった。


ネイバーのもとにやってきたライブドアの残党たち。出澤が面食らったのが、第1次日本進出時代からネイバージャパンに在籍していた元ミュージシャンの古参幹部、島村武志と初めて会った時のことだ。島村は当時、NAVERまとめの責任者だが、全くの鳴かず飛ばず。インターネットのデパートとも言えるポータルサイトを手掛けるライブドアなら何か手伝えることがあるのではないかと話しかけた。

すると、島村はこう言ってのけた。

「いや、いいです。僕たちはバントみたいなことは考えずに、ホームランしか狙ってませんから」

出澤によると「本当に嫌みなく、サラッと言われた」という。これで新しい職場の流儀を理解できた気がしたものの、肝心のホームランが飛び出す雰囲気は全くしなかった。真正面からグーグルに挑んでも勝ち目はないと、主軸のNAVER検索に加えて次々と局地戦的な検索サービスを投入していく。

NAVERまとめ、グルメ検索、トピック検索、iPhoneに特化した検索、地域情報のNAVERスポット……。

この中で記憶に残るのはNAVERまとめくらいだろうか。それも使われ始めたのは2011年にリニューアルしてからのことだった。手を替え品を替えてグーグルの牙城に突破口をこじ開けようとするが、ことごとく跳ね返されていく。

その様子をやや遠巻きで見ていた出澤は「まるで壁に卵を投げつけているようだった」

と振り返る。「投げても、投げても、壁はビクともしない。それでも投げ続けることをやめるわけにはいかない。もう体力と集中力が限界に来ているように見えました」

戦略担当の舛田も、当時の胸の内をこう打ち明ける。

「新しいサービスを作っては閉じ、作っては閉じ……。正直、途方に暮れていました。リングに登っても、登っても、勝てない。チームのメンバーたちはまさに『24時間戦えますか』という状態で走っているのに、勝たせてあげられない。僕も心が折れそうになっていました」

二人三脚を組む慎とは、社員の目から逃れるように大崎駅前のデニーズにこもって突破口を見つけ出そうと話し合った。

年が明けて2011年1月。その席に居合わせた島村は、二人がこんなことを話し合っていたことをよく覚えているという。

「もし今年もうまくいかなかったら。その時は僕たち二人とも、覚悟しないといけないですね……」

初めて明かした弱音

打倒グーグルの悲願を託されて韓国から東京に来て3年。慎の両肩にかかるプレッシャーは相当なものだったようだ。本国の取締役会では「こんな勝算のないことになぜ大金を使うんだ」という批判が出ていることを、同僚から知らされていた。それだけではない。自らを抜擢してくれた李海珍（イ・ヘジン）が取締役会の席で「もし日本のプロジェクトが失敗したら責任を取って、私が会社を辞める」と発言したのだという。

「お前が諦めないと、李海珍さんが会社を追われるかもしれないぞ」

ある取締役会メンバーが、慎にこう耳打ちした。

李と慎は細身で面長、学者風と、互いの見た目がよく似ていることから「兄弟」とも言われることがある。大学院の先輩であることからＭ＆Ａの相談を持ちかけ、李が創業したネイバーに移ってからは主力事業である検索の中心的存在に据えられ、李の右腕と言われてきた。韓国経済新聞記者の林圓基（イム・ウォンギ）は著書『ＬＩＮＥを生んだＮＡＶＥＲの企業哲学』の中で、慎のことをこう評している。

「彼は（ネイバーの親会社である）ＮＨＮの検索事業における中心的な人物だ。ＮＨＮの第1世代の検索事業をイ・ヘジンとイ・ジュノが率いたとすれば、第2世代のコアメンバーはシン・ジュンホだと断言できる」

Ｍ＆Ａでやって来た自分にこれほどの大役を与えてくれた李のことを、慎は「先輩であり先生であり、一番リスペクトしている人」と言う。

その李が、自分が結果を出せないせいで辞任に追い込まれるかもしれない——。

「進む道が見えない。もう、つらくて、つらくて、しょうがなかった」

元来、酒は好きではないという慎が、プレッシャーからくるストレスのはけ口を探すかのように深酒を繰り返すようになった。つまみは決まってたくあん。食が進まないからだ。

「孫の代までかかってでも日本市場を攻略する」

李が繰り返し語っていた執念が、巨大なプレッシャーとなってずしりとその両肩にのしかかってくる。

それは２０１１年3月10日の夜のことだった。

出張で東京に来ていた李を食事に誘った慎はビールを傾けながら、誰にも打ち明けたことのない弱音を、李に漏らした。

「撤退の基準を教えてください。いつまでに何ができないと日本から撤退すべきか……」

思い詰めた様子の後輩に、李はこう返した。

「もし君がそうしたいなら、それでもいい。ただし、僕はまた新しいチームを日本に送り込む。彼らになぜ失敗したのかをちゃんと説明してほしい。それを約束してくれるのなら、いつ辞めてもいい。でもね、……」

李が慎の目をじっと見据える。

「君が諦めたら、そこで終わりだよ」

李が不退転の覚悟を迫っている。この時、慎は何を思ったのか——。

「怖かった。初めて限界だと思った。でも、ここで辞めたらほかの犠牲者が出る。ここで辞めるのはずるい。正面突破するしかない。ここで終わりたくない。そう思いました」

一日の中で最も闇が深いのは夜明け前だとは、よく言われることだ。ネイバーの日本進出は第1次から数えて、この時点ですでに10年がたっていた。この間、次第に巨大になるグーグルの前に立ちすくみ、その壁に何度も跳ね返され、背中は遠のき、視界から消えようとしていた。再び「撤退」の二文字が誰の頭にもよぎり始めていた。

闇に差し込む光明がすぐ近くにあるとは、まだ誰も気づかない。

東日本大震災

慎と李が深夜まで語り合った翌日の3月11日。午後2時46分、激しい揺れが東日本を襲った。

大崎駅前のビルの23階に入るNHNのオフィスも揺れに揺れた。慎が座る机の隣の開閉式の壁が揺れのせいで飛び出してくる。この日は李の出張に合わせて韓国からの出張者も多かった。地震には慣れているはずの日本人でさえ経験したことがないような揺れだ。振動が止まらないオフィスに、悲鳴が響いた。

「すぐに階段で逃げるぞ」

慎が叫べば、舛田は「いや、待って！　まだ建物から出ちゃだめです」と大声で制する。ようやく揺れが収まると、パソコンに向かう島村の姿が目に入った。

「これ、NAVERまとめにまとめた方がいいよ」

「もうやってますよ！」

完全にスイッチが入った状態のまとめチームを横目に、まずは地震に驚く韓国人出張者を、慎が運転するクルマで帰すことになった。この時、出張者の多くがあるメッセンジャーツールを使っていた。この時から1年前に韓国で生まれた「カカオトーク」である。本国にいる家族や友人には、カカオトークを使って自分たちが安全に退避していることを伝えていたのだ。

一方で、日本人社員の多くがまずは家族や友人にスマホで電話しているが、なかなかつながらない。慎も東京・用賀の自宅にいるはずの妻と連絡が取れなかった。ようやく連絡がついたのは、マイクロソフトが提供していたMSNメッセンジャーを通じてだった。

この時の体験が後に「LINEは東日本大震災で生まれた」という伝説につながるのだが、実はその前から希望の種はまかれていた。

震災の直後、慎と舛田はいつもの大崎駅前デニーズで話し込んだ。

「やっぱりメッセンジャーをやるべきじゃないかな。家族とか大切な人とだけつながるシンプルなものを」

「選択は我々にしかできない。これを取るしかないな」

「これで最後。このプロジェクトに賭けてみよう。ダメだったら二人で責任を取るしかないですね」

実は、この時点ですでに社内でメッセンジャーの開発プロジェクトは動き始めていた。開発というよりまだ市場リサーチと言った方が正確だろう。チームはたったの3人。そのうちの一人である稲垣あゆみは震災の日、プライベートで韓国に行く予定だった。23階のオフィスから直接、羽田空港に向かおうとしたが忘れ物に気づき、エレベーターから自分の机に戻ったところで揺れがやって来た。もしそのままエレベーターに乗っていたら何時間もとじ込められていただろう。

非常階段を駆け下りるとその足で羽田へと向かい、東北地方の大惨事を知ったのは搭乗待ちのテレビだった。そのままソウルへと向かい、数日の訪問のつもりが5月の連休前まで滞在することになった。NHNジャパンが福岡のオフィスに社員を一時待避させることになったからだ。

4月に入るとネイバー本社のグリーンファクトリーでの会議に呼び出された。そこで告げられたのが、今後の日本事業の方針だった。

「これからはメッセンジャーに集中することになりました」

稲垣とともにメッセンジャーの市場リサーチを担当していた残りの2人は韓国からの駐在者で、震災を機に帰任させることになったという。つまり、日本に戻ってメッセンジャーツールの「みどりトーク」の開発を続けるのは、チームメンバーの中で稲垣ただ一人ということになったのだ。

ただ、たった3人でリサーチしていたみどりトークはネイバージャパンが総力を挙げて取り組むプロジェクトに「昇格」されたのだという。総責任者は慎だ。その慎が起用したのが、自らの腹心たちだった。

現場を取り仕切るプロジェクト・マネジャーに起用したのが韓国人エンジニアの高永受（コ・ヨンス）。さらに女性エンジニアの朴懿彬（パク・イビン）を補佐的な役割に置いた。

慎はKAIST卒業後にチョンヌンという検索ベンチャーを設立したが、その前にネオウィズというゲーム会社で検索チーム長を務めていた時期がある。高も朴もネオウィズ時代からの同僚であり、一緒にチョンヌンを立ち上げ、ネイバーへとやって来た。ちなみに稲垣もネイバージャパンに来る前はネオウィズの日本法人に在籍していた。

朴は慎とともに来日しており、日本での経験も豊富だ。一方の高はちょうどこの時、長女が生まれるタイミングと重なり、韓国に残ることになった。

その後、かつての仲間たちが日本で苦戦を続けていることは聞いており、この年の1月に朴に電話して「僕が日本でできることはあるか」と聞いていた。高は「海外に行きたかったし、昔の仲間たちとまた一緒に仕事がしたかった」と振り返る。

すると、震災が起きた直後に慎から電話で告げられた。

「これからメッセンジャーの開発に集中する。日本に来てPM（プロジェクト・マネジャー）をやってもらえないか」

福島での原発事故で妻には心配されたが「その時はもう見えない力で動かされていた」と言う。

高は韓国ではすでに名の知れた存在だった。小学1年生の頃から独学でプログラミングを学び、兵役を終えた1999年に自作した電子掲示板用ソフトの「ゼロボード」のソースコードを公開した。誰でも開発に加わることができるようになり、韓国では多くの若者に使われるようになった。

ソースコードの公開（オープンソース）はアプリ全盛の現在ではごく自然に浸透しているが、この前年に米国で議論が盛り上がったばかり。高はあるユーザーからの助言で公開に踏み切ったというが、これが高永受の名を韓国中に知らしめた。

「みどりトーク」の開発に着手した時、高は34歳で朴は36歳。いずれもエンジニアとして脂の乗っている時期だ。慎が苦楽をともにし、信頼する二人が、稲垣たち20代の多いチームを統括することになった。

高が来日して最初に覚えた言葉が二つある。一つは「緑」。開発するメッセンジャーのコードネームが「みどりトーク」だったからだ。もう一つは「早く」。こちらは、すでに流暢な日本語を身につけていた慎が日本語で話す時に、頻繁に使っていたからだ。

「とにかく早く！」

慎はキックオフ会議でも何度もこの言葉を使った。会議用資料の作成に使う時間がもったいないので、パワーポイントなどの資料は不要とした。参照したいことはその場でウィキペディアなどで調べて議論する。

検索を捨てた検索屋

高をリーダーとする開発チームが立ち上がる前、慎が稲垣ら3人の女性にみどりトークの開発を命じたのは、この前年である2010年12月のことだった。ただ、この段階ではまだ市場調査の域を出ない。稲垣も「私たちに与えられたテーマは『新しいソーシャルアプリ』という程度で、どのようなプロダクトにするかは全く決まっていなかった」と言う。

その作業は「まるで社会学の調査みたいでした」と言う。

例えば、「フェイスブックでつながっている小学生時代の友達とは、どの程度の頻度でリアルで会うのか」を年代別で調べる。投稿の内容が「本当に仲が良いから書いているのか、仲が良いことを示す目的で書いているのか」。投稿写真から何が読み解けるのか。

知りたかったのは、SNS上に存在する人間関係と、実際に使われるサービスの関連性だった。分かりやすい例で言えば、匿名の書き込みが多いツイッターはリアルでの人間関係は薄く、実名が基本のフェイスブックはリアルで会う機会も多くなる。ただし、友達の数が増えるにつれて書き込む内容が、本当に親しい人を対象としたものではなくなっていく。

こんな調査がその後のLINEの下敷きになるのだが、この段階で、ネイバージャパンの中では大きく3つのプロジェクトが並走していた。一つがみどりトーク。あとはゲームとカメラ関連だった。

メッセンジャーの調査チームがたった3人の小所帯だったのには理由がある。実は3つの新規プロジェクトの中でみどりトークの位置付けは一番後回しだった。それが、震災で変わった。「簡単に親しい人とつながれるアプリ」のニーズを感じ取った慎たち幹部陣が、優先順位を変えたのだ。ほかのプロジェクトは一旦凍結。戦略担当の舛田は「（みどりトークを）1秒でも早く実現するため、各プロジェクトにいたメンバーを引っこ抜いてきた」と言う。それが高であり朴であった。福岡に避難していた社員たちから即戦力を集めて結成したのが、みどりトークの開発チームだった。

慎や舛田はここで、重要な決断を下す。

これから作るみどりトークは「親しい人とつながれるアプリ」というより「親しい人とだけつながれるアプリ」にしようと考えたのだ。稲垣たちが調べた「SNSと人間関係」の中で、最もつながりが濃い領域を狙い撃ちにしようとしたわけだ。

これがLINEとなる。

東日本大震災という国難を経験した日本人の「心の琴線」に触れるインターネット・サービスとは、本当に親しい人との距離を埋めてくれるSNSだと考えたのだ。探し続けた「心の琴線」の在りかが、ようやく見えたのだった。

この判断はLINEというアプリの性質を考えた時に、極めて重要な決断だっただけでなく、「検索のネイバー」が下した判断であることを考えれば極めてユニークで勇気のいる判断だったと言える。

「親しい人とだけ」ということは、インターネットで検索しても出てこない人間関係をつなぐことと言い換えられる。

それは「いつでも、どこでも、誰とでもつながれる」というインターネットの根本的な思想に背を向けることになる。さらに重要なのは、それを検索のネイバーが仕掛けたという事実だ。LINEの人間関係は今もウェブ検索では出てこない。検索の外に存在するものなのだ。あえてそこで勝負する。つまり、検索の会社が検索を捨てたのだ。

舛田も慎も、いつかグーグルを打ち負かしてやろうとネイバージャパンにやって来た男たちだ。何度戦いを挑んでも、グーグルが誇る「群衆の叡智」を結集させるテクノロジーに跳ね返された。その彼らが180度考え方を変えて、検索を捨てたのだ。舛田はこう証言する。

「僕たちはそれまで、グーグルと同じ土俵で戦おうと、オープンなインターネットの中で戦おうとしてきました。ところがLINEはクローズドな空間です。検索できない場所なんです。僕たちはある意味、グーグルに恋い焦がれてリスペクトし、そしてチャレンジする相手だと考え続けてきたけど、そうではない戦略を選んだのです」

検索屋が検索を捨てた。打倒グーグルの夢を捨てた――。その「背信行為」に、社内の不満をひしひしと感じていたという。当然だろう。だが、もう迷いはなかった。いや、迷っている余裕がなかったと言う方が正確かもしれない。慎もこう証言する。

「もうこれが最後の砦だと、(舛田とは)互いに言わなくても分かっていました。これが失敗すればもう、終わりだと」

そこから舛田が「これを不夜城と言わずになんと言う」と表現する開発が始まった。慎がサービス投入日と決めたのが2011年6月23日。広告枠の関係もあったが、目安とした数字から逆算して定めたリリース日だった。

当時は似たようなメッセンジャーアプリがすでに海外で広がり始めていた。米国のワッツアップと韓国のカカオトークが代表例だ。海外勢はいずれ日本にもなだれ込んでくるはずだ。

機先を制するには「とにかく早く」に徹するしかない。慎は「誰が最初に100万人のユーザーを取るかで勝負が決まると思いました。夏ごろには取らないと負けると考えた」と言う。そのためには6月後半にはリリースする必要があったというわけだが、この時点で残された開発期間は2カ月足らず。まさに「やるかやられるか」の緊張感が漂うなか、休日返上でシフトを組んでの開発が始まった。

リリース4日前には、アップルからｉＯＳのアプリ認定を不合格にされる事件が起きた。ここからは文字通り、不眠不休の作業である。

そして迎えた6月23日。なんとかアップル向けのバグを修正し、リリースしてみると新規登録のリクエストにマンパワーが追いつかない。当時は新規登録者に認証番号を携帯メールのＳＭＳで送っていたが、この作業は外注先だけでは追いつかず、稲垣や朴、高ら主要メンバーも大崎のオフィスにこもってひたすら認証番号を送り続けた。

オフィスを出たのは終電間際のこと。華々しい打ち上げパーティーが開かれることはなく、夕食も宅配ピザで済ませた。真夜中の電車に飛び乗る頃には疲れ果てていたが、一同の表情にはなんとも言えない充足感が漂っていた。

スタンプ誕生秘話

こうして誕生したＬＩＮＥは、予想を上回るスピードで成長していった。誕生から2週間後の7月7日。社内に置かれた七夕の笹に、稲垣は緑の短冊を結んだ。そこにはこんな願い事が書き込まれていた。

「ラインのユーザー数が早く100万人を突破しますように」

それは慎が「勝敗ライン」と見た数字だが、この時点でライバルと目した海外勢の上陸はなく、LINEのユーザー数は年末には1000万に到達していた。これは現在指標としているMAU（月間アクティブユーザー数）とは集計方法が違うため単純に比較できない。ただ、稲垣は翌年の七夕には「1億人」、その翌年には「3億人」と書き込んだのだが、いずれも七夕から半年以内に達成している。

この爆発的な成長の起爆剤となったのがLINEの代名詞とも言えるスタンプだ。LINEはリリースを急ぐため、当初はごくごくシンプルなメッセンジャーの機能のみを備えていたが、当初からユーザーの感情を代弁してくれる「デコメ絵文字」を投入する予定で、実際にサービス開始から4カ月後の2011年10月にスタンプの機能を追加している。

社内では4人のイラストレーターの作品が最終選考に残ったが、選ばれたのが韓国人イラストレーター、姜秉穆（カン・ビョンモク）だった。姜はmog.iという通称で知られている。

無表情なクマの「ブラウン」にツンデレうさぎの「コニー」。感情表現が豊かな丸顔の

「ムーン」。そして、どこか愛嬌のあるイケメンキャラの「ジェームズ」——。今もLINEでおなじみのスタンプは、mogi.iの手で生み出されたものだ。

mogi.iは韓国のデジタルコミック「ウェブトゥーン」に投稿していたが、ヒット作に恵まれなかった。その頃、占い師に相談すると「日本に行きなさい」と言われ、来日したという。たまたまネイバージャパンのデザイナーに知り合いがいた縁でスタンプに応募していた。

そのイラストを見た慎は「当初のmogi.iさんの絵はどこか皮肉な感じであまり気持ちの良くないものでした。私はメインの作家としては考えていなかった」と言う。だが、次に上がってきたイラストを見た時に「これは大ヒットする」と直感したという。

その絵が今、手元にある。ちょっとしたニュアンスが特徴のイラストなので文章では表現しづらいが、あえてひと言で言えば我々がよく知るムーンやブラウンそのものである。mogi.i本人はLINEに採用されるために「一番優しい絵を出した」と言うが、これがLINEの顔となる。

絵文字は日本人がガラケーで育んできたデジタル・コミュニケーションの文化と言えるだろう。NTTドコモがiモードで採り入れた絵文字は、ニューヨーク近代美術館

（ＭｏＭＡ）にも所蔵されている。スタンプはこれを進化させたものと言っていいだろう。舛田は、これこそがＬＩＮＥの特徴そのものだと説明する。

そもそも、「デコメ絵文字」が「スタンプ」になったのは偶然の産物だった。ｍｏｇ・ｉが思いのほか大きなイラストのデータを送ってきたのだが、それをデザインチームがピクセル単位で検証したところ、実に日本らしいコミュニケーション・ツールになるのではないかという結論に達したのだという。

「それは何かと言えば、イエスかノーかが明確な欧米系の言語に対して日本人はある種のあいまいさを持っており、それをスタンプが表現しているんじゃないかということです。でも、それって知らない人同士では成り立たない。知っている者同士（で使うＬＩＮＥ）だからできること。この結論に至った時、スタンプは偶然の産物から確信に変わりました」

グーグルが君臨するオープンなインターネットの世界にはない「親しい者同士のコミュニケーション」だからこそ生まれたアイデアだというわけだ。これもまた、日本人の「心の琴線」に触れるサービスだと言えるだろう。

ライブドアとの溝

LINEは日本撤退の瀬戸際にまで追い込まれていたネイバージャパンが、ようやく放った特大ホームランとなった。ただ、LINEの物語はここで終わらない。舛田は「みどりトーク」として開発を始めたアプリの名前を「LINE」に変えた意味をこう説明する。

「LINEを単なるメッセンジャーで終わらせるつもりはなかった。LINEという名前に込めた意味も、人と人をつなぐだけでなく、色々なサービスやコンテンツを線（LINE）でつなげていくプラットフォーム構想にありました」

これはLINEを立ち上げた当初から計画していた構想だったと言う。メッセンジャー機能で人を集め、そこから総合的なインターネット・サービスへと広げていく。知っている者だけがつながっていた閉ざされた場であるLINEが、決済やマンガ、ニュース、音楽と生活のありとあらゆるシーンで使われるようになると利用の頻度が上がり、人が集まる場という性質も持ち始める。そうやって第9章で触れた「ネットワーク外部性」が働き始め、ユーザーをつかんで放さない、また、ライバルが容易に立ち入れないプラットフォームとしての力を身に付ける。

現在ではスーパーアプリと呼ばれる存在へと駆け上がるための、メッセンジャーは第1段階でしかないのである。

LINEはネイバーの精鋭部隊が作り上げたメッセンジャーだが、ここからプラットフォーマーへの道を上るには、圧倒的に人的リソースが足りなくなる。

ただ、LINEには隠し玉があった。舛田や慎が描いたプラットフォーム構想に適任な集団。それがライブドアだ。

ライブドアはかつてヤフーの背中を追い、数あるインターネット・サービスの中でもとりわけ総合力が問われるポータルサイトで勝負してきた。まさに様々なサービスに「線」を延ばす上で、これ以上ないエンジニア集団を抱えているのだ。

だが、ライブドアとネイバーには大きな溝があった。その原因は他でもない、舛田が買収の際に提案した「5つの約束」だ。

ライブドアのブランド、雇用、経営体制、経営ポリシーの4つを守る。そしてライブドアの成長を支援し続ける――。

この約束は出澤たちライブドアの「残党」たちの予想に反して、ここまで忠実に守られていた。

ライブドアのオフィスはネイバーやNHNがある大崎から少し離れた西新宿にあった。JR山手線でわずか16分の距離が、両社を大きく隔てていた。

「LDさん」

NHNやネイバーでは、ライブドアはこう呼ばれていた。独立性を守るという約束は、ライブドアをどこかお客さん的な立場にしてしまい、かえって一体感を失っていたのだ。

いつまでも、それでいいのか——。

答えは分かりきっている。でも、言い出しっぺの舛田にはそれが言えない。「答えはもう頭の中にあるのに、言い出せずにいました」。まさに自縄自縛だった。

急激に成長していくLINEの姿を見て疑念を持っていたのは、出澤たちも同じだ。エンジニアを束ねる池邉智洋は出澤に助言していた。

「舛田さんの無茶な約束を反故にするなら今ですよ」

「だよなぁ……」

そもそもライブドアから引き連れてきたエンジニアたちには、LINEという新しいフィールドで腕を試してみたいとうずうずしている連中がいっぱいいる。舛田たちが律義に約束を守って動けないというなら、こちらから歩み寄るしかないだろうと思えたのだ。

「残党」が示した矜持

ＬＩＮＥが生まれた２０１１年も年の瀬が迫った頃のことだ。

その日は忘年会も兼ねて、全社員を集めて経営陣が翌年に向けてのビジョンを説明する全体集会の事前打ち合わせが行われていた。そこで進行役が説明した。

「各社の持ち時間は15分になります」

各社とはＮＨＮジャパン傘下のネイバー、ハンゲーム、ライブドアの3社のことだ。ネイバーが生み出したＬＩＮＥをどう成長させるかが全社を挙げての課題である時に、各社がバラバラのビジョンを語ることに意味があるのか。

そう考えていた出澤が切り出した。

「そういうの、もういいんじゃないですか」

その場に居合わせた全員が、出澤が言葉を継ぐのを待った。

「みんなもう、分かっていますよね。これだけ大きなチャンスがあって乗らない理由はないでしょ。みんなでＬＩＮＥに乗って盛り上げていかないと。これからはＬＩＮＥ ｏｒ Ｎｏｔでしょう」

つまり、５つの約束を自ら放棄するという意味だ。

「え、いいの？」

５つの約束の言い出しっぺである舛田は、思わず前のめりになった。

「それでいいんじゃないですか」

ＬＩＮＥ ｏｒ Ｎｏｔ——。ＬＩＮＥか否か。

出澤は実際に全社集会でこう宣言した。自らが引き連れてきたライブドアの残党たちに進むべき道を知らしめるためだ。それは不正会計事件を経て世間からのバッシングの中で再建してきたライブドアを事実上、捨てることを意味する。そこに躊躇は要らない。

「徐々にやっていたら世の中は待ってくれない。急ハンドルを切ることを恐れてはいけない」

出澤は当時の思いをこう振り返る。

「もう堀江さんも忘れちゃったと思うんですけどね。２０００年くらいにオン・ザ・エッヂのコーポレートミッションみたいなのがこっそりとあったんですよ。『世界中の人たちが僕たちが作ったサービスを知らず知らずのうちに使ってくれるといいよね』という趣旨のことです。私が『インターネットっていいな』と思ったのはそういう部分なんですよね。僕たちはインターネットの可能性を無邪気に信じられた世代なので」

つまり、姿や形、ブランドをかたくなに守るより、実際に世の中の人たちが使ってくれるサービスを目指そうということだ。実際にオン・ザ・エッヂもポータルサイトへと姿を変えるためにその名を自ら捨て、買収したライブドアという会社に社名もブランドも変更している。出澤がネイバーの面々やライブドアから連れてきた仲間たちに示したのは、荒波を乗り越えてきたライブドアの矜持だったのだろう。

こうして自ら壁を壊したライブドアの残党たちは、一斉にLINEへと飛び乗っていった。翌2012年4月にリリースした「LINE占い」を皮切りに、堰を切ったように「ファミリーサービス」を投入していった。いつの間にか、現場からは「LDさん」というよそよそしい言葉は消えていた。

「もうひとりの創業者」の襲来

ライブドアの参戦で勢いに乗ったＬＩＮＥが国民的アプリと言える地位を築く過程で、ライバルの存在があったことは、見逃してはならない。

実は強大なライバルの足音は、ＬＩＮＥの誕生以前から迫っていた。そのライバルとは、ＬＩＮＥの源流であるハンゲームジャパンをかつて渋谷に設立した盟友コンビだった。韓国ハンゲームの創始者である金範洙（キム・ボムス）は、大学とサムスンＳＤＳでの同期である李海珍（イ・ヘジン）が創業したネイバーと合併した後、李とともにＮＨＮのトップに君臨していたが、２００６年にＮＨＮを去って独立していた。

独立した金が起こしたのがカカオという会社だ。２０１０年３月にメッセンジャーアプリの「カカオトーク」を開始し、あっという間に韓国内で支配的な地位を築いてしまった。このカカオトークこそが東日本大震災の時に、ネイバージャパンのオフィスで韓国人出張者たちが使っていたメッセンジャーだ。李も「ネイバートーク」で巻き返しを図ったがカカオトークの前に敗れ去っていた。

その金が、幼なじみの千良鉉（チョン・ヤンヒョン）を再び誘った。

「カカオジャパンをやってもらえないか」

これはＬＩＮＥが生まれる以前のことだ。李とたもとを分かった金は、ハンゲームで成功した日韓同時展開を、盟友の千との二人三脚で再現しようとしたのだ。ハンゲームジャパンがブロードバンド普及の追い風を受けたように、当時は日韓でスマートフォンが広がり始めていた。

ただ、日韓で戦略を分けたハンゲーム時代と違い、金はカカオトークに絶対的な自信を持っていたようだ。千は当時のカカオトークに覚えていた違和感を、金にはストレートにぶつけたという。

「日本人は文字にならない気持ちの伝え方を大切にする。韓国と同じやり方じゃダメだ」

千は来日した金が宿泊するウェスティンホテルの部屋で熱弁した。だが、金は首を縦に振らない。この時、千が例に挙げたのが、ガラケー時代に日本で独自の進化を遂げた絵文字だった。微妙なニュアンスや心情を絵に託して相手に伝える日本のユーザー心理が、金には伝わらない。

「なんで分からないいんだよ」

まさに千がＬＩＮＥを生んだ慎に伝えていた「日本人の心の琴線」。それを理解できないうちは、韓国人に受け入れられたカカオトークでも、日本で成功することは難しいと言いたかったのだ。二人の話し合いは平行線に終わった。

「それでも、あいつは親友なんで」

千もまたＮＨＮジャパンを退任して、英語教育のココネを創業していたが、ココネを通じてカカオの日本進出を支援すると約束したのだった。手数料などは取らず、日本のマーケティング会社などを紹介したが、ＬＩＮＥ誕生直後の２０１１年７月にカカオジャパンを設立してからもカカオトークは伸び悩んでいた。

年が明けて２０１２年——。そんなカカオに接近してきたのが日本のインターネットの巨人、ヤフーだった。

ヤフーはこの年、実質的な創業者である井上雅博が退任し、宮坂学が社長に就任していた。副社長に昇格したのが電脳隊からやって来た川邊健太郎。そして「爆速経営」を掲げる宮坂体制で最大の経営課題だった「スマホシフト」を託されたのが、川邊とは電脳隊時代からの仲である村上臣だった。村上は一度はヤフーを飛び出していたが、宮坂と川邊に呼び戻されチーフ・モバイル・オフィサー（CMO）に就任したことは第4章で述べた通りだ。

「僕がヤフーに戻ってすぐに考えたのが、LINEへの対抗軸を作ることでした」

スマホシフトを進める上で、なぜLINEが脅威だったのか。村上はその理由を「スマホの起点」と説明する。

パソコンでもスマホでもヤフーの戦略の根底にあるのが、いかに人を集めるかという考えだ。パソコンの時代はブラウザを立ち上げてすぐに見てもらえるようにするため、ヤフーはホームページの掲載サイトからニュースを配信するメディアへと進化していった。

スマホでは「最初に（あるいは頻繁に）見てもらえるアプリ」の地位を築くことが重要となる。その点、メッセンジャーは受信があるたびにアプリを起動するため頻繁に使われやすい。それが「起点」になるのだ。要するにスマホをいじる時に最初に開かれ、頻繁に見られるアプリになり得るのがメッセンジャーなのである。パソコン時代に手にした起点という特権的地位を、スマホでLINEに譲り渡しかねないというわけだ。

「起点力は競争力の源泉なんです。その力の意味を一番知っているのが、パソコンで起点を取っていたヤフーなんです」

まだ1990年代の学生時代にラーメン屋で出会った米国人のツテでシリコンバレーに渡り、モバイル・インターネット時代の到来を確信した村上にとって、モバイル時代に生まれたゲームチェンジャーとも言えるLINEが秘める破壊力が、ありありと見て取れたのだ。

LINEにスマホの起点を取られないために手を組んだのがカカオだった。

「日本でLINEがのさばっているから一緒に倒しませんか」

金にこう告げたのが2012年の6月ごろ。実際にカカオジャパンに50%出資してプロジェクトが動き始めたのが10月だ。爆速を掲げるだけのことがあるスピード感だと言えるが、この間のLINEの成長力はさらに上を行っていた。

ヤフー・カカオ連合の結成を知らされた舛田は、全社員あてにメッセージを送った。クマのブラウンの後ろに炎が燃え上がるスタンプとともにこんな言葉が記されていた。

「戦争です。戦争開始します」

その後に開かれた経営会議。舛田は「桜が咲く頃には決着を付けます」と断言した。インターネットの巨人、ヤフーに真っ向勝負を挑んだのだ。

結果から言えばLINEは、「もうひとりの創業者」である金と巨人ヤフーとの連合を打ち破った。当時のＬＩＮＥの弱点だったという無料通話の品質改善を皮切りに、先述したようにライブドアの力を得てプラットフォーム化を推し進めてヤフー・カカオ連合の追走を振り切ったのだ。

舛田は「我々が先を行くんだという覚悟が固まりました。あれがなかったら（その後のＬＩＮＥの成長も）違っていたと思います。競合が出てくることで我々も一段ステージを上がることができました」と振り返る。

「もっと遠くへ」

こうして日本で国民的アプリの地位を確立したＬＩＮＥ。韓国からやって来た千良鉉（チョン・ヤンヒョン）が渋谷に家賃7万5000円のマンションを借りたところから始まる物語は、すでに10年を超えていた。ここまでに綴ってきた通り、多くの人物が登場した（それでも本書に登場するのは一部の方々であることを明記したい）。それぞれの志を成し遂げるために駆け抜けてきた。

ある者は去り、ある者はとどまった。

共通するのは、その誰もが少なくとも一度は敗北を経験しているということだ。出澤はライブドア独立の夢が潰え、舛田はグーグルに負け続けた。今では「LINEの父」と言われる慎もまた、自らの後見人である李にだけは弱音を吐いていた。

ただ、それでも諦めることなく前に進んだことで生まれたのがLINEだった。LINEのユーザーは東南アジアや台湾にも広がり、今では2億人に迫る。

彼らの物語はまだ続いている。

LINEが描いたプラットフォーム構想は未完のままだ。次のステップに移るために選んだのが、かつて宣戦布告したヤフーとの経営統合だった。ヤフーにとっても悲願のSNS進出を成就させる選択と言えるだろう。

筆者は本章に登場する多くの人物にこの統合劇の狙いや思いを聞いたが、ここでは舛田に代弁してもらい、この章を終えたい。

「時代がLINEを作ったのでしょう。でも、もっと遠くに行くために、もっと早く行くために、もっと違う景色を見るために仲間が必要だったんです。確かに今では僕たちには守るものがある。だけどそんなことより、もっと実現したい世界があるんです」

敗者たちが創ったLINEは、何を実現するのか——。その解はこれから示していく。

第 11 章

メルカリ創業者の長い旅

メルカリに行き着くまでには、山田進太郎の長い旅路があった

1996年　早大のサークルで「人をまとめる才能」に気づく

3人の創業者。左から石塚亮、山田進太郎、富島寛

2000年　楽天のインターンで「フリマオークション」の開発を担当
就職はせず、フリーのプログラマーに

必ずここに帰ってくる!!

2004年　米国移住のためサンフランシスコに渡る

2005年　帰国して「ウノウ」で世界進出を目指す
「まちつく!」がヒット

世界には資源（モノ）が足りない。
俺には何ができる?

2012年　ウノウを去り、世界一周の旅に出る

2013年　コウゾウ（後にメルカリ）を発足

野茂英雄になる!!

2014年　米国サンフランシスコに進出

「才能ってなんだ」

早稲田大学のキャンパスから高田馬場駅までは、徒歩で20分ほどの道のりだ。この間をバスや地下鉄に乗らずに歩いて通うことが、早大生の間ではずいぶんと昔から「馬場歩き」と称されてきた。主に早稲田通りを歩くことになるが、その道沿いには学生たちを待ち構えるように居酒屋やバー、映画館、喫茶店、激安店などが軒を連ねている。日も沈む時刻になると、仲間たちと連れ立って歩く学生たちが吸い込まれるように夜の店に消えていく。この辺りではいつもの光景だ。

時は1990年代末――。

この日もまた、若者たちが大学近くの居酒屋にたむろしていた。そのうちの一人が、隣に座る早大の卒業生、尾上友男にしきりに問いかけていた。

「才能っていったいなんなのでしょうか」

いかにも学生の青臭い議論といったところだろうか。ただ、尾上に問いをぶつけてくるサークルの後輩、山田進太郎の表情はいつになく真剣そのものだった。尾上は早稲田大学の情報発信サークル「早稲田リンクス」の創設者で、この時、現役学生の山田は3代目幹事長だった。すでにテレビ局に就職していた尾上はこの日、久々に母校のサークルに顔を出していた。山田が何かを仲間たちに問いかけるのは珍しいことではなかったが、この日は妙に「才能」という言葉にこだわり、じっと考え込んでいた。

尾上に聞いているのか、周りに座るサークル仲間たちに聞いているのか、それとも自問自答しているのか——。

飲み会が終わると再び馬場歩きである。一行が高田馬場駅に着いた時のことだ、再び山田が尾上に同じことを聞いてきた。

「才能ってなんなのですかね……」

飲み会の席で話題が変わってからも、尾上は後輩の問いかけが頭に残っていた。

「そうだな……。才能って違和感じゃないかな」

尾上がこう答えると、山田はハッと表情を変えて珍しく大声を上げた。

「違和感ですか……。俺はもう、違和感ありまくりですよ！」

周囲からは妙な若者たちに映ったかもしれない。あるいは、早大生たちがたむろすることの界隈では見慣れた日常なのかもしれない。

誰もが見逃しそうなちょっとした違和感に気づけるか。そして行動に移せるか――。その能力こそが才能なのだと、尾上は言いたかったのだという。それが正解かどうかはともかく、山田はその言葉が腹落ちしたようだ。

若かりし頃のなんでもないやりとりなのかもしれない。ただ、尾上はこの日の出来事が、なぜかずっと頭に残っているのだという。

「あの時の進太郎を見て、この人はずっと何かを探しているんだなと思いました」

自分は何をなすべきか。何ができるのか。そして、どうやって生きていくべきなのか――。

多くの学生が直面するであろう問いに、後にシリアル・アントレプレナー（連続起業家）として名を馳せ、メルカリを起業することになる山田進太郎もまた、真正面から向き合っていた。2010年代に入って日本のスタートアップ・シーンに彗星のように登場したメルカリはいかにして生まれたのか。そこに至るまでには、長きにわたる山田の内省の旅が存在していた。

山田進太郎の原点

原点にあったのは、コンプレックスと言っていい感情だった。

「中学、高校、大学と僕の周りにはできる人たちばかりがいた。その中で自分の価値をどう出していくのか。どう『生存』していけばいいのか。そんなことばかりを考えていました。僕には、これが得意だと言えるものがなく、ずっと悶々としていました。どうすればこの世に生まれた価値を出せるのか。それを探し続けていました」

地元・愛知県の進学校、東海中学、高校では49人いるクラスの中で、成績は常に下から数番目を推移していた。部活はマイナーなハンドボール部を選んだのに補欠だった。

ハンドボール部で1学年下の後輩だった長縄雄輝によると、当時の山田は体格はガリガリで練習についていくのがやっと。

「山田さんの代にはすごいエースが一人いましたが、その人はおろか他の先輩と比べても山田さんは全く目立たない存在でした。当時の部活は体育会系気質で上級生や指導者からの理不尽なシゴキは当たり前です。山田さんは僕たち下級生に対してそういうこともしない代わりに、何を話したか、ほとんど記憶に残っていない。こう言うと怒られるかもしれませんが、とにかく地味な人でした」

成績は最下層を移ろっていたとはいえ、それでも進学校だけあって山田は早稲田大学教育学部に進んだ。早大で最初に入ったサークルが国際交流のアイセックだった。ここでまた軽い挫折を経験する。「みんなプレゼンとか英語がすごく上手で一体、自分はここでどうやっていくのだと……」。大学進学で東京に来たのに、またしても周囲との「格差」に落ち込むことになる。ただ、ここで足を止めることはなかった。

自分にできることはなんなのか――。

「僕はすごく記憶力が良いわけでもないし、社交的でもない。このままサラリーマンになっても人と違うことはできないないと思いました」

本が好きだったこともあって高校時代から作家に憧れていた山田は、一冊の本を手に取る。村上春樹の『若い読者のための短編小説案内』だった。どうせやるならトップの小説家になりたいと考えて、この本を選んだのだが、今思えばこれは選択ミスだったのではないだろうか。

その内容に圧倒されて「僕はこういうふうにはモノを見ることができない。こりゃ到底、無理だと思った」という。比べる対象が村上春樹である。誰だってそう思うに違いないだろうが、歩むべき道を探し求める山田青年は大真面目に「俺は小説家には向いていない」と考えた。

もう一つ浮かんだアイデアが起業だった。これも大学1年の時だ。山田が門をたたいたのが、社会起業家の卵たちが集まることで知られるNPO法人のETIC.だった。当時のETIC.はすでに名を成した起業家たちを訪ね、話を聞く会合を主催していた。山田もこれに参加したのだが、登場した経営者がソフトバンク創業者の孫正義だった。孫は山田の20歳上にあたる。

「話の内容は正直、全く覚えていないですが、孫さんはものすごくエネルギッシュで人を巻き込むリーダーシップがすごいと思いました。当然、知識も。あと20年でどうやったらここまで到達できるんだろうと思ったことだけは覚えています。そのイメージが全く湧かない」

これもまた、比較する対象が悪かったのではないだろうかと思われるが、山田はこの時、起業家の道を一度諦めたのだという。

ニーチェとの出会い

サラリーマンもダメ、小説家もダメ、起業家もダメ……。

生き急ぐように進むべき道を探しあぐねる山田が出会ったのが、早稲田リンクスという発足したばかりのサークルだった。1996年に設立された大学の公認団体で「早稲田の交差点」を掲げ、当時はまだ一部の学生が使う程度だったインターネットによる大学の情報発信を行っていた。

このサークルの発起人が冒頭の尾上友男だ。ただ、早稲田リンクスの活動が始まったのが1996年10月で、尾上は半年後に卒業する。代わって初代幹事長に就いたのが創設メンバーの一人で、尾上より1学年下の稲井創一だった。稲井のもとに、大学1年生にしてすでに数々の夢が破れた山田進太郎がやって来た。

「山田君の第一印象? いや、正直、覚えていない。20人くらいが入ってきたけど、彼を認識するのに時間がかかったくらいだから。一緒に旅行に行ったり僕の家に遊びに来たりもしたけど、いつもニコニコしていた印象くらいかなぁ」

やはり、ここでも目立たない学生だったようだ。早稲田リンクスはサイトに人を集めるために各学部の休講情報のようなお役立ち情報の発信から、「探せ学内美人！」といった軟派系のコンテンツもあれば、「政治改革を問う」のような硬派な論壇を立ち上げたりと、多種多様な話題を発信していくようになった。

サークル内では自然とメディア志望者が多くなったが、一方でインターネットそのものの技術論や利用法に関心を持つ「インターネット組」が存在した。稲井は後に日本経済新聞の記者となり、尾上もTBSへと就職していったマスコミ組。かたや山田はインターネット組だ。

後述するが、フリーランスのプログラマーとしても活動していた山田は先輩の目から見ても、とにかく技術に強かったという。山田は教育学部卒だが、稲井は「つい最近まで理工学部の出身だと思っていた」と言う。

このサークルで、山田は3代目の幹事長に就任した。自分が手を挙げたわけではなく周囲から「進太郎がやればいいじゃん」と推されたのだが、これが山田にとって人生で初と言っていいリーダー体験だった。「僕は生徒会の役員さえやったことがなかったし、そういうタイプだと思わなかった」と言う。だが、ここでチームをまとめる面白さを知ることになった。

ちょうどこの時期、山田に大きな影響を与えた一冊の本があった。ドイツの哲学者、フリードリヒ・ニーチェの代表作である『ツァラトゥストラかく語りき』である。

ニーチェが説く超人思想。安易に権力や宗教になびくのではなく、世の永劫回帰を受け入れられる存在である超人。ニーチェは作中でツァラトゥストラにこう語らせている。

「わたしは諸君に超人を教える。人間は、克服されねばならない何かだ」（佐々木中訳）

まさに人類を超越した存在。若き山田がそんな超人に憧れたのかと言えば、真逆だった。山田はニーチェの説く超人は自分が目指すべきものではないと考えたのだ。ここに山田は自分なりのリーダーシップの原点を見つけたのだった。

「僕は凡人。それを受け入れた上で嫉妬とかを捨てて、他人の良いところは良いと受け入れようと。だから原点はコンプレックスと言えばコンプレックスなんですけど、『それをバネにして』というのとはちょっと違います。要は、自分は自分でしかないということです」

その考えを最初に実行に移したのが早稲田リンクスだった。サークルながら会社のようにメンバー一人ずつと個別に面談して、各々が何をやりたいか、何をやるべきかを明確にしていく。そうしてインターネットを通じて「早稲田大学のデジタル化」を進めていった。当時の山田の姿に感銘を受けたのが、早大放送研究会に所属し、後に「ＬＩＮＥの軍師」となる舛田淳であることは、すでに述べた通りだ。

自分には何ができるのかという問いと向き合い続けてきた山田は、この生まれたばかりのサークルに居場所を見つけ、「仲間の才能を生かす才能」に気づき始めた。どこにでもいる地味で目立たない青年が、ちょっとした「違和感」から目をそらすことなく解を探し続けてきたことで、徐々に才能の片鱗（へんりん）を見せ始めたのだ。

ただ、インターネットの面白さに気づいた山田はまだ起業の意思は固まっておらず、就職先として意中の会社があった。それが堀江貴文が創業したオン・ザ・エッヂだった。１９９９年に大学４年生となり就職活動の時期を迎えると、山田は早速、オン・ザ・エッヂに応募したが、当時は提携パートナーであるサイバーエージェントとの共同採用方式だった。オン・ザ・エッヂが誇る「ギーク」集団に憧れた山田だったが、学部が文系だったためか内定を得たのはサイバーエージェントだった。

当時の両社の役割分担は「技術のオン・ザ・エッヂ」に対して「営業のサイバーエージェント」だ。山田が志したのは、「技術のオン・ザ・エッヂ」だった。もしこの時、オン・

ザ・エッヂから内定を得ていたら、その後の歩みはかなり異なったものになっただろう。メルカリは生まれず、山田はＬＩＮＥのエンジニアとして活躍していたのかもしれない。悩んだ山田は、ある人物に相談を持ちかけた。早稲田リンクスの創業メンバーの一人である伊藤将雄だ。

「伊藤さん、どこか面白い会社ないですか？」

「それなら楽天がいいよ。三木谷さんはとにかく頭の回転が速いし、こっちが何を言ってもその先の答えが返ってくるから」

「へぇ、楽天ですか」

こうして山田は楽天の試験に合格し、卒業を待たずにインターン生として働き始めることになった。この時に山田が配属された新規事業担当チームで開発に携わったのが、三木谷浩史が「インターネットの一坪ショップ」と呼んだ楽天フリーマーケットオークションであることは、第9章で触れた。

山田を楽天に、そしてフリマに導いた伊藤は、山田が大学2年になる1997年には早大を卒業して日経ＢＰに就職し、その後に楽天に転じている。早稲田リンクスでは山田と同じインターネットの「オタク組」に分類される男だが、インターネット業界ではすでにちょっとした有名人だった。伊藤が早稲田リンクスの活動の傍らで作った「みんなの就職活動日記」、通称「みん就」が瞬く間に就職活動生にとっての必須アイテムとなったからだ。

ちなみに伊藤は楽天に入社したものの、自ら開発した「みん就」を事業化するために2002年には楽天を退社した。だがその後、楽天が「みん就」を買収したため再び楽天に戻っている。ちょうど楽天の「みん就」買収の話を聞いた時、山田と再会した尾上は、山田がしきりに「伊藤さんの生き方、鮮やかですよねぇ」と繰り返していたことをよく覚えているという。

インターネットの世界で山田より先を走ってきた伊藤の目に、後輩の姿はどう映っていたのか。

「カリスマ経営者っぽいオーラは当時から全くなかった。ただ、彼は人と人の利害を調整するのが抜群にうまいんです。早稲田リンクスも、僕らの頃はインターネットのサイトを運営するだけでしたが、メディアもやればイベントもやり、他のサークルともつながる企画屋集団となって大きくなりました。人を巻き込んでいく資質があったのだと思います」

あまたの才能を呼び寄せるメルカリは、日本のスタートアップ界で「人材のブラックホール」と呼ばれることがある。彼らに輝く場を提供するメルカリ流経営の原点にあるのが、山田が早稲田リンクスというサークルで学んだ「凡人哲学」だったのだろう。

サンフランシスコの誓い

ただ、起業家・山田進太郎の誕生には、まだ時間を要した。山田は伊藤の紹介で内定を得た楽天への就職を撤回してしまったのだ。この後、ウノウという個人事務所を設立してフリーランスのプログラマーとして歩み始めることにしたのには、もう一つ理由があった。

渋谷を舞台にした「ビットバレー」の盛り上がりに強い影響を受けたのだという。ビットバレーの総本山とも言えるネットエイジに出入りするようになった山田は、そこで数々の起業家と出会う。ミクシィの笠原健治、グリーの田中良和、ビズシークの小澤隆生……。

第6章に登場する西野伸一郎は、アマゾン上陸に尽力した後に雑誌のオンライン書店、富士山マガジンサービスを起業したが、山田はその設計にも携わることになった。さらにビットバレーの仕掛け人の一人である松山大河からは、当時から現在に至るまで先輩起業家として、投資家として支援を受け続けている。

大学を卒業する直前の2000年2月には、あの伝説となった六本木「ヴェルファーレ」の夜にも足を運び、現場でその熱狂ぶりを目の当たりにしている。

「自分より少し上の世代が盛り上がっているのを見て、僕も自分でやりたくなったんです。楽天でやっていたことも、自分でできるだろうと。まあ、若気の至りかもしれませんが」

ネットエイジ人脈の中でも特に刺激を受けたというのが、グリー創業者の田中良和だった。田中は山田より1学年上にあたり、山田と入れ違うようにして楽天に入社している。田中が個人で開発したSNSサイトの「GREE」には、山田は友人ということで2番目のユーザーとして参加していたという。そのGREEが急激にユーザー数を増やしたため、田中は楽天から独立してグリーを創業した。

「先を越されたと思いました。僕はその時、まだ学生気分が抜けていなかったな、と」

実は2004年のこの当時、山田は米国サンフランシスコにいた。本気で移住しようと考えていたのだという。

「インターネットのベンチャーはやっぱりシリコンバレーから次々と生まれてくる。それを見てみたかった。やっぱり行かないと分からないじゃないですか。僕は当時まだ20代の前半。世界にはもっと面白いものがあるんじゃないかと思って」

サンフランシスコは太平洋岸にある半島の先端に位置する。ちょうどこぶしを握った腕のような形をしており、握りこぶしにあたるのがサンフランシスコなら、手首から下の前腕がシリコンバレーと呼ばれる一帯だ。小高い丘が多く、夏場に霧が発生しやすいサンフランシスコの中心部を除けば、ベイエリアと呼ばれるその辺りは一年を通じてどこまでも突き抜けるような濃い青の空が続く日が多い。

19世紀半ばのゴールドラッシュの時期には、金を掘り当てて一獲千金を狙おうと多くの坑夫が集まった。現代もかつてのゴールドラッシュを彷彿させるような人を引きつける磁力が、この街には存在する。もっとも、現代の磁力の源は天然資源ではなくテクノロジーだ。

テクノロジーの力で世界を変えてやろうという才能が世界から集まり、その才覚を試すかのように、次々と新しい会社が立ち上げられていく。かつてのヤフーやグーグル、あるいはさらに少し遡ってアップルがそうだったように、始まりはいつも小さなガレージや大学の研究室の中だ。この街では毎日のように起業家たちの伝説が生まれていく。勝者もいれば、その何倍もの敗者も存在する。それでも当たり前のようにリターンマッチに挑む空気感が漂うどこか楽観的なところも、この地域の魅力の一つなのかもしれない。

インターネットを志す若者の多くが憧れる街だ。この頃の山田もまた、そんな大勢の若者の一人だった。抽選で取得できるグリーンカード（永住権）も運良く手にして意気揚々とサンフランシスコへと渡った。

だが、山田が起業の聖地で興味をそそられたのは、意外にも飲食店だった。

「あの頃はインターネット以外にも色々と関心が移ったんです。隣の芝が青く見えたと言うか……」

現地で知り合った50代の女性と日本食レストランを開こうという話になり、テナントの候補も目星をつけていよいよ店がオープンの準備に取りかかる直前になって「やっぱり違う」と考えを変えた。

ダメ押しとなったのは、その女性のひと言だった。

「最初はあなたもお店に立ってね」

オーナーといえども少なくとも店が軌道に乗るまではホールに立って接客するのは、当然のことだろう。それが嫌だったわけではない。その時、山田はこんなふうに考えたという。

「お店で接客できる相手は一日に100人か200人くらいだろうか」

一方、自分で開設して運営を続けている映画生活のサイトには、すでに100万人のユーザーが付いている。

お店で出会う100人か、インターネット回線の向こうにいる100万人か——。

どちらが良いかではない。どっちが好きか、どっちをやりたいか、である。

こんなことを考えているうちに「やっぱり自分の天職はインターネットだと気づいた」のだと言う。

「もう、これを一生やっていこう。その時にようやく腹が据わりました」

レストラン経営のパートナーになるはずだった女性には素直に打ち明け、わびた。彼女にお店を託した山田は東京に戻ることにした。起業の聖地に未練がないと言えば嘘になる。だが、インターネットで起業するなら、自分のホームグラウンドである東京で会社を立ち上げる方が現実的だろうと考えたのだ。

同時にこうも誓った。

「必ずここに戻ってくる」

世界に通用するインターネット・サービスを日本で作り、それを必ず米国に持ってくると心に決めたのだ。2005年、米国から戻った山田は個人経営だったウノウを株式会社化した。

世界一周旅行

ゲームの会社としてウノウを再開した山田は仲間を集め、苦心の末にヒット作を生み出した。2009年にリリースした「まちつく!」だ。このゲームが生まれるまではウノウでも苦悩の時間を過ごすことになるのだが、本稿では割愛する。

ゲーム会社としての評価が高まると、2010年に米国のゲーム大手、ジンガが買収を持ちかけてきた。ここで山田はサンフランシスコでの誓いを思い出すことになる。世界に通用するインターネット・サービスを日本で創る。そのためにはジンガからの買収は願ってもないオファーと言えた。すでに世界展開を進めているジンガでなら、ウノウで作ったゲームがいち早く世界のユーザーの手に届くチャンスが広がるからだ。ジンガの方もそのつもりで買収をオファーしている。ただし、そうなると経営権は手放し、ウノウはジンガの東京支店という位置付けになってしまう。

独立を取るか、世界への切符を取るか――。

山田が選んだのは後者だった。この選択が正しかったのかどうかは今も判断に迷うところだろう。ウノウがジンガジャパンと名を変えた後、米国本社の経営方針と合わず、山田は結局、1年半ほどでジンガを去ることになった。当時は日本でカードバトルと呼ばれるジャンルのゲームが流行り始めていたが、本社の方針でジンガジャパンは乗り遅れていた。こういったゲームの方向性を巡るすれ違いが続くようになり、山田が開発に着手したゲームも本社の指示で開発中止に追い込まれた。

ウノウから連れ立ってジンガ傘下に入った60人ほどの社員を置き去りにすることが唯一の心残りだったというが、山田はジンガを去る決断を下した。これが2012年1月のことだ。

「『世界で使われるインターネット・サービスを創る』を達成できないままなのは残念ですが、目標はすぐに達成できてはつまらないもの。今後もこの目標は個人的に追いかけていきたいと思います」

山田は自身が運営するブログ「SUADD BLOG」にこんな言葉を書き残して、いったんインターネットの世界から姿を消した。

ジンガを去った山田は骨休めとばかりに世界一周の旅に出た。途中で一時帰国したが、真冬のニューヨークを皮切りに、半年ほどをかけて5大陸の23カ国を旅して回った。米国から南米に渡り、ペルーから南下して各国を回っていく。モロッコから欧州に入るとスペインから東へと進路を取り、トルコとUAEを経て、次は南アフリカからアフリカ大陸を北に抜けていく。最後はインドからタイ、カンボジアへと渡っていった。

山田は世界を巡る旅に出る前から、「日本に帰ったらもう一度会社を作ろう」と決めていた。何をやるかのアイデアはなかったと言う。

「一つだけ決めていたことがあります。それは、世界で通用するサービスを作ろうということです」

サンフランシスコで誓った世界進出の夢は、ジンガでは満たされていなかった。今度こそ自分の手で世界に打って出る。そう心に決めながら世界中を巡り、今までに見たことのない景色に心を躍らせていた。

骨休めとはいっても、どうしても「次に何をやるべきか」を考えてしまう。そんな山田の起業家魂を大きく揺さぶったのが、世界一周の序盤でボリビアの観光地、ウユニ塩湖を訪れた時のことだった。日本の冬から春先にかけては現地では雨季にあたる。この間、塩湖の表面にはうっすらと澄んだ水が張る。天気次第だが、運が良ければ湖面全体が空の色を映し出す「天空の鏡」と呼ばれる絶景を堪能できることで有名だ。

山田がこの地を訪れた日は、まさにそんな絶景が広がっていた。濃い青の中に雲が浮く空が、水平線で湖面の「鏡」と交わり、どこまでが空でどこからが水面なのかが分からなくなる。素足を水に浸して周りを見渡すと、360度のすべてが天空のような異世界に身を置いていることに気づく。

山田自身が23カ国の中で一番の絶景だったと回想するこの地を後にすると、そのまま陸路、南のチリへと向かった。現地で雇ったガイドが運転するクルマに身を揺られるのだが、助手席にはずっと5歳くらいの男の子が座っている。親の仕事を手伝っているのか、親が長い間留守にするため一緒に行動しているのか。山田はふと思った。

(この子は学校に通っているんだろうか……)

ボリビアだけではなかった。インドでもアフリカでもカンボジアでも、新興国に行けば必ずと言っていいほど、小さな子供が学校に通えずに仕事をする姿を目にした。筆者の取材にはこう答えている。

「日本に生まれた自分は運が良かったんだと思い知りました。この子たちが大きくなった時に、(自分のように)パスポートを持って海外旅行するなんて夢のまた夢なのかもしれない」

それを夢ではなくすために、自分には何ができるのか——。半年をかけて世界を旅する時間は山田にとって、再び自分が果たすべき使命と向き合う貴重な時間だったと言えるだろう。

2012年10月、日本に戻ってきた山田は前掲のブログにこんなことを書き込んだ。

「自分がこうやって世界一周をできているというのは日本という豊かな国にたまたま生まれ育ったからだということも痛感しました。世界には生まれてからどれだけ能力とやる気があっても外国に行くことも叶わないひとがたくさんいます」

「だから、自分としてはこの素晴らしい地球や人類に対して何か少しでも役に立ちたいと強く思いました。もちろんそれができるか分からないけれども、恵まれている自分はそのように努力していきたいと思いました」

こんな思いとともに帰国した山田の目に、インターネット業界の景色が旅に出る前と比べて変わって見えた。わずか1年の間にスマートフォンが急速に普及していたのだ。

「自分には何ができるか」

思索を巡らせるなかで、真っ先に浮かんだのが教育だった。どんな環境の子供にでも、インターネットがあれば優れた教育の機会を与えることができないか。アイデアが浮かんでは消えるが、最終的に「これ」という形が浮かんでこない。

もう一つのアイデアが「モノ」だった。

新興国で痛感したのが「世界には資源（モノ）が足りていない」という現実だった。誰もが今すぐに米国や日本のようなモノであふれた生活を享受することはできないだろう。でも、すでに誰かの手にある余分なモノを、それが本当に必要な人の手に渡る仕組みを作ることができれば、人類は今より少しだけでも良い暮らしを送れるようになるのではないか——。

こう考えた時に浮かんできたのが、12年前に楽天でのインターンで経験した「フリーマーケット」というビジネスだった。楽天創業者の三木谷浩史が12年前に「インターネットの一坪ショップ」と呼んだように、フリマは何も新しいアイデアではない。ただ、当時のフリマはオークションの要素が強く、もっと手軽に売り買いしたいというニーズに応えているようには見えなかった。それになんと言っても、スマホという新しいデバイスにちゃんと対応しているとも言えない。簡単に身の回りの売りたいモノの写真が撮れるスマホがあれば、もっと気楽にモノを売り買いできるんじゃないか。

世界一周で目の当たりにしたモノの配分の格差、スマホが実現したモバイル・インターネット、そして12年前に楽天で見たフリマの原型——。このすべてを結びつけた時に生まれたのが、メルカリだった。

2012年も冬の気配が立ちこめ始めた頃、山田は再び動き始めた。

3人の創業者

富島寛にとって、早大の3年先輩にあたる山田進太郎は憧れの人物だったという。大学時代に接点があったわけではない。富島は早大第一文学部（当時）で西洋史学を専攻していたが、「目には目を、歯には歯を」で有名な古代バビロニアのハンムラビ法典を英語から日本語に訳すという授業でやる気をなくし、4年生を3回も繰り返すことになった。

そんな時にたまたま図書館で手に取った藤田晋の最初の著書『ジャパニーズ・ドリー

ム』を読んで人生が変わり始めた。この本は藤田が2000年に上場するのに合わせて刊行したものだ。第1章で描いたようなインターネットバブル崩壊で味わった会社乗っ取りの危機に直面する以前の著作で、いかにも前途洋々たる20代の起業家が名乗りを上げる過程を綴っている。

「それまでは青年実業家とかはイケ好かない存在だと思っていましたが、この本を読んでベンチャーの世界に興味を持つようになりました」

すっかり藤田に影響された富島は社員が5人ほどのベンチャー企業に入り、そこで知り合った仲間たちと動画検索サービスの会社を立ち上げた。これが2007年のことだ。この時、使用するプログラミング言語が同じだったのが山田のウノウだった。ウノウは当時、「ウノウラボブログ」というブログを公開しており、これがエンジニアたちの間で名が通っていた。富島も「困った時に検索するとウノウのエンジニアが解決方法を書いていてくれたりするのでよく読んでいました」と振り返る。

一方的にベンチマークしていたウノウがジンガに買収されることを聞いて「衝撃を受けた」と言う。

「僕たちにとってシリコンバレー（の会社）なんて雲の上の存在だった。それがウノウの売却で一気につながった感じがして『こんなことってあるんだ。すげーな』と思いました」

当初は「山田進太郎ではなくウノウという会社を追っていた」が、この頃から山田が憧れの対象に変わっていったのだという。山田とはパーティーで知り合ったのを機に、飲み会やバーベキューなどで顔を合わせるようになっていた。

その山田が世界一周の旅から日本に戻って顔を出していたある忘年会で、富島と山田は再会した。

「そろそろ新しい会社をやろうと思ってるんだよね」

山田がこうつぶやくと、富島は「俺、興味があるんですけど、ちょっと話しませんか」と返した。富島はこの頃、動画検索の会社から独立してフリーランスのプログラマーとして働いていた。「僕は彼に憧れていたし、自分一人ででかいことができる自信もなかった。こういう人と一緒にやりたいなと思っていたところでした」

日をあらためてカフェで再会すると、山田は「フリマをやりたいと思っている」と告げた。実はインターネットでのレンタル事業かアパレル通販を立ち上げようかと考えていた富島は、山田が世界一周旅行からの帰国後に温めていたフリマアプリの構想を聞くと「絶対にそっちの方がいいじゃん」と思ったという。

「俺も一緒にやりたいです」

富島は早速、フリマアプリの企画案を書くことになった。これがメルカリの原型となる。

こうして二人は新会社の設立へと動き始めた。

（またアメリカに戻るとするかな……）

石塚亮が3年ほど続いた東京暮らしに終止符を打とうとしていたのは、ちょうど山田と富島が新会社の「コウゾウ」の設立準備を進めていた2013年1月末のことだった。

石塚はもともと生活のベースがシリコンバレーにある。米国への帰国に向けて日本で付き合いのあった人たちに連絡を入れていたが、そのうちの一人が山田だった。山田がフェイスブック・メッセンジャーで食事に誘った。

「明日どうですか」

再会した山田に石塚が「アメリカに戻ってまた新しく会社をやろうかと思っているんだよね」と言うと、山田はここぞとばかりにコウゾウの計画を打ち明けた。

「実は俺も新しくC to Cの会社をやろうと思っている」

C to Cとは消費者同士がモノをやりとりするフリマのことだ。山田は最初から石塚を口説くつもりだった。石塚が立ち上げたロックユーアジアを中国のテンセントに売却するというニュースを耳にしていたからだ。

石塚は山田より2歳年下だが、山田にはない経験の持ち主だった。中学生の頃から親の仕事の関係で米国に渡り、ジョンズ・ホプキンス大学の学生寮で同部屋だった中国系米国人のシェン・ジアらとともにシリコンバレーでロックユーというスタートアップを立ち上げた。

このロックユーはソフトバンクとの合弁形式で2009年に日本に進出した。それがロックユーアジアで、石塚はCOO（最高執行責任者）として東京に移り住むことになった。ただ、3年後の2012年末にロックユーアジアをテンセントに売却することになり、石塚は東京を離れて再びシリコンバレーに戻ろうと思っていたのだ。

山田との出会いは2008年に遡る。まだウノウ時代の山田が共通の知人を通じて石塚に面会を求めてきた。シリコンバレーの北側に位置するサンマテオにあったロックユー本社に近いカフェで初めて会った山田が、シリコンバレーの現地事情をガツガツと聞いてきたことを、石塚はよく覚えている。

「シリコンバレーならではの苦労ってなにかありますか？」

「こっちのベンチャーキャピタルからはどんなことを要求されるんですか?」

この頃から山田は「いつかはシリコンバレーで」という願望を持っていた。20代の頃に本気で移住しようとサンフランシスコに渡り、日本食レストランの経営に踏み出す一歩手前で翻意して帰国して以来、インターネットの本場であるシリコンバレーでいつか勝負するというのは、山田の悲願となっていた。それを先に実現していた石塚は、山田にとってはまぶしい存在と言えた。

ちなみに、石塚はその後に山田がウノウをジンガに売却しようとしているという噂を聞きつけると「それならロックユーに売らないか」と持ちかけた。すでにジンガとの間で独占交渉に入っており実現はしなかったが、経営者としての山田の能力やウノウの実力を認めていたからこその提案だった。しかし、その後はジンガとロックユーでライバル関係となったため、会う機会もなくなっていた。

山田にとってもメルカリで米国進出の悲願を果たすなら、石塚以上に頼りになる存在はいない。山田はストレートに告げた。

「もしリョウがまた起業しようと思っているんだったら、僕と一緒にやらないか」

そしてサンフランシスコで誓った米国進出の夢を語った。

「まずは日本で始めるけど、ゆくゆくはアメリカに進出したいと思っている。その時はリョウにUSのCEOをやってもらいたい」

唐突な申し出に戸惑ったが、石塚は山田の誘いを受けることにした。

「正直、その時はメルカリのアイデアが良いのか悪いのかは分からなかった。でも、そもそも僕にとって重要なのは何をするかではなく、誰とやるかです。彼とやるなら面白いのは間違いない。経営スタイルとかでぶつかることもないだろうなと思いました」

山田進太郎と富島寛に石塚亮を加えた3人が、メルカリの共同創業者である。2013年2月にメルカリ（当初はコウゾウ）が発足した。

思えばウノウは個人事務所からスタートしてサンフランシスコへの移住計画を断念した後、徐々に所帯を大きくしてきた。それに対して今回のメルカリは最初から自分にない才能を求めた。

「最終的に世界中で使ってもらうものを作るには何をしないといけないか。より大きなことをやるにはどうすればいいのか。そのためには、自分にはないものを持っている人たちの能力を生かさないといけない」

たった2人の仲間とのスタートだが、これは今に続く山田流経営の哲学である。

自分には何ができるか、何をなすべきか――。その答えを探し続けていた青年がついに一つの解にたどり着いたのだ。ただし、時に非情にならなければならないことを、山田はこの後に思い知ることになる。

いきなり迎えたピンチ

メルカリのアプリ作成を任されたのが富島だった。

「ゆっくりやる選択肢なんてなかった。半年後の保証なんてないから。とにかく早く、です」

前述の通り、インターネット上でのフリマという発想は新しいものではない。ただ、スマホに特化しためぼしいサービスとなると、当面のライバルと言えるのは女性向けファッションにほぼ絞ったフリルくらいだった。

そんな状況も長く続くとは限らない。富島が恐れていたのは大手の参入だった。最も怖いのはどこか。やはりこの国のインターネットの巨人であるヤフーだった。

「マラソンに例えればフリルは僕たちより5キロくらい先を走っている。そこは今から猛追すればなんとかなるだろう。でも、もしヤフーが入ってくればどうなるか。ずっと震えていました。恐怖でしたね」

3人がメルカリを創設したのは、六本木にある窓もないシェアオフィスの一角だ。3人で作っていたのでは到底間に合わない。ツイッターでエンジニアを募集したところ、8人から応募があった。

とはいえ、そのほとんどが副業での参加となる。六本木のシェアオフィスに姿を見せるのは夕方になってから。富島は限られた時間で彼らに指示を出し、終電間際に電車に飛び乗る。JR東中野駅に着くと自宅のマンションに帰る前にファミレスでパソコンを広げて仕事を続ける。そんな毎日の繰り返しだった。

ただ、恐れていたヤフーは結局、やって来なかった。メルカリは無事にリリースの日を迎えたのだ。

その前日の7月1日、テスト版を公開した日の夕方、山田たちは目を疑った。

「あれ……、たったのこれだけ?」

その日のダウンロード数はたったの60件ほど。スマホのアプリが雨後のたけのこのように生まれていた当時、誤差と言っていいほどの数字だ。

翌日の正式リリースに備えて士気が高まるエンジニアたちに隠れるように、3人の創業者だけで集まると、その中の誰かが吐き出すようにつぶやいた。

「やばいな……、どうしよっか」

正式リリースの後もダウンロード数は1日100件前後で推移した。3人が指標として重視した1週間の継続率は1ケタ台。毎日夕方に集計される数字からは、メルカリが生まれた早々に風前の灯と言っていい状況に置かれていることがうかがえた。

（人が集まらないアプリだと思われたらもう終わり。こんなはずじゃない。もっといけるはずなのになぜ……）

富島は集計数値を見つめては、何度もこう自問自答したという。だが、数字は残酷だ。ダウンロード数や1週間継続率だけではない。取引件数や購入金額、流通総額……。そのどれを取ってもこの後、メルカリを待ち受けているであろう結末を、無言のうちに知らしめてくる。

人が集まらないサービスには人が定着せず、いずれ消えていく——。インターネットの世界で戦ってきた3人は、そうやって人知れず消えていったサービスをこれまでにどれほど見てきただろうか。メルカリもまた、そんなインターネットという大海の藻屑と消えるお決まりのレールの上を歩き始めてしまっている。

どうすれば、敗北へと向かって動き始めた歯車を逆回転させられるか——。いきなり追い詰められた3人は起死回生を期して奇策に打って出た。

富島がアプリ制作の担当なら、成長戦略を練るグロース担当が石塚だった。六本木のシェアオフィスでは他のスタートアップ関係者の耳目がある。オフィスから少し離れた東京ミッドタウンのカフェに山田と富島を呼び出した石塚は、こう切り出した。

「このままやってもラチがあかない。ちまちまと広告を出しても、もう意味がないよ。それに、もしそれでうまくいったとしてもあまりに時間がかかる。ここは一気にユーザーを集めにかかろう」

石塚は残る資金の半分ほどにあたる500~600万円を広告につぎ込もうと主張した。当時の広告費が1日1~2万円だったから戦力を一点集中させて事態を打開しようという作戦だ。失敗すればメルカリはそのまま消えゆく運命となるだろう。ただ、このまま手をこまねいてその時を待つより、いきなり勝負を仕掛けるべきだと言う。

しかも石塚が提案したのはただの広告ではなかった。新規登録したユーザーにポイントを還元する「ブースト広告」だった。その後にアップルはアプリの検索順位やランキングをゆがめるとして排除しているが、当時はまだギリギリで認められた手段だった。

山田はじっと耳を傾けている。こういう時は途中で余計なことは言わずにまずは相手が言いたいことをすべて吐き出させるのが山田のやり方だ。これもまた、あの早稲田リンクス時代から培ってきた山田の「仲間の才能を生かす才能」の一端なのかもしれない。

すると、富島が石塚以上に熱く語り始めた。

「このままじゃ、ダメですよ。ここはバクチでもいいからやってみましょうよ」

それを聞いて、山田はようやく頷いた。

「あの時は、賭けだと思いました」

この賭けは当たった。8月になるとダウンロード数が伸び始め、最重要視していた1週間継続率も5％前後から10％、20％と目に見えて改善していった。数字はそのまま伸び続け、12月には100万ダウンロードを突破した。

「そのあたりからユーザーの質がガラッと変わりました。確かにメルカリを使ってもらえている感覚です。ようやく、これでやっていけると思いましたね」

こうして石塚はメルカリがいきなり迎えたピンチを救った。

メルカリの野望

その年も終わりに近づくと、メルカリにまた新しい仲間がやって来た。ミクシィ元CFOの小泉文明だ。山田とはウノウ時代からの知り合いだ。もともとは小泉が大和証券SMBCからミクシィに転じた際、SNS「mixi」のプラットフォーム化戦略に合わせて買収先を探し、ウノウの山田にも接触したのが始まりだった。それから10年以上の付き合いとなり、小泉は2012年にミクシィを退社していた。ちょうど山田が世界中を旅して回っていた頃のことだ。

翌2013年にメルカリがブースト広告戦略でピンチを脱すると、今度は山田が小泉に接触した。その日は仲間内でカニ料理を食べに行く会合があり、山田も小泉も出席することになっていたのだが、山田は小泉をすこし早めにお店近くのスターバックスに誘った。

「小泉さん、次何やるの?」

「そろそろ働こうかと思って準備してるんですよ」

小泉はミクシィを後にすると、自分で起業することも考えていた。ヘルスケア関連のスタートアップを検討していたという。ただし、脈拍などのライフログを採るためにはウエアラブル機器も作る必要があり、カネがかかる。ミクシィを退社してから1年近くもフリーになっていたのは、このためだった。この構想を山田に打ち明けた。

「どうせやるならミクシィより大きいサービスにしたいんですよ」

「ふうん、なるほど……。じゃ、それってうちでできるんじゃない。ミクシィを超えるって。それ、うちでやらない?」

こうしてメルカリにやってきた小泉だが、ちょうど同じ時期にLINEが「LINEモール」としてフリマに参入してきた。最大の脅威だったヤフーもeコマース事業の立て直しに動き始め、ついにこの年の11月に女性用ファッションに特化した「クロシェ」を始めていた。

「この勝負はすぐにつくなと思いました。フリマは勝者総取りのビジネスモデル。数カ月で勝負をつけないといけない」

富島が恐れていた巨人の足音が、もうすぐそこまで迫っていたのだ。やるならここでスパートをかけて一気に突き放すしかない。

小泉は２０１３年末に入社するとすぐに資金調達に奔走した。それと同時並行で大々的にテレビＣＭを打つ準備を始めた。こう書くと当たり前のように思えるが、当時のメルカリにとっては、これがちょっとした離れ業だった。

この頃はまだユーザーがメルカリで取引しても手数料が無料で収入はゼロ。テレビＣＭを流すには巨額の資金が必要で、そのための資金調達だった。小泉は12億円を集めようと駆けずり回った。その一方で資金が集まる前提で博報堂との間でＣＭ制作を進めていた。資金を確実に得てからＣＭ制作に取りかかるのが筋だろうが、あえて「空手形」を切ったのだ。

このわずかな時間差が重要なのだ。

メルカリの試算では、テレビＣＭを流すならダウンロード数が２００万に達する頃が最も効果が高い。小泉がメルカリに入った２０１３年12月の時点ですでに１００万ほどに達しており、資金を調達してから広告枠を押さえるのでは、最も効果が出るタイミングを逃してしまう。

テレビ局側でもフリマの広告は初めてとなるため検証には時間がかかる。そもそも生まれたばかりのまだ海の物とも山の物とも分からない会社の新ビジネスには慎重になるだろう。ヘタをすれば局側の審査を通らず、広告そのものが拒否される可能性も十分にある。

結局、このフライング作戦は的中した。翌2014年5月半ばの絶好のタイミングでCMが流れたことで、メルカリのダウンロード数は一気に増えていった。

ちょうど資金集めとテレビCMの準備に着手していた頃、3人の創業者に小泉を加えたメルカリの経営陣が、会社のビジョンを考えようと都内の高級ホテル、ザ・リッツ・カールトンの高層階に集まった。

「10年後のメルカリの姿とは?」

山田が問うと、小泉が眼下に広がる夜景を指さしながらこう話した。

「例えば、ほら、ここから見える光が全部メルカリのユーザーになってつながっている。そんな世界を目指しましょうよ」

メルカリの野望の火は、音を立てて燃えさかり始めていた。

アメリカ進出

話は少し前に遡る。ちょうど山田がスターバックスで小泉を口説いていた前後のこと。

まだブースト広告の効果で最初のピンチを乗り切ったばかりの頃だ。山田と石塚は2人で米国に視察に向かっていた。

「ちょっと早過ぎないですか？　まだ日本でも立ち上がったばかりなのに」

ある社員からはこう指摘されたが、まっとうな意見と言うべきだろう。それでも山田と石塚が渡米を急いだのは、メルカリを立ち上げた時点からすぐに世界進出するというのが二人の共通見解だったからだ。

山田は移住の未練を断ち切ってサンフランシスコを後にした日から、「いつかここに戻ってくる」と誓っていた。世界に打って出るためにはインターネットの最激戦区である米国での戦いは、いつかは避けては通れない道となる。それなら初めから米国に殴り込もうというのが山田の考えだった。

「アメリカは世界の縮図。ここで成功すれば世界で戦える。いきなりボスを倒すようなもの。リスクはあるけど、やらないリスクも高い」

まずは日本市場を完全に押さえてアジアの近隣諸国に進出し、十分な知名度と資金力を得てから米国で勝負をかけるのでは、遅過ぎるというのだ。実際、時間をかけている間に米国で同じようなサービスが生まれる可能性は高いだろう。その時になって何をやっても、もはや手遅れとなる。

山田はこうも付け加える。

「それに、日本だけでやるということを、そもそも目標としていませんから。むしろ日本を落としてでもアメリカで勝負をかけるというつもりでした」

パートナーの石塚も、米国で勝負をかけるために山田がメルカリへとスカウトした男だ。経費を節約するためエアビーアンドビーでサンフランシスコとニューヨークを回った山田と石塚。現地のIT業界関係者やジャーナリスト、ブロガーなどの反応は概ね良好だった。

「スマートフォンでフリーマーケットか。確かにこんなのがあったらいいよね」

「イーベイともちょっと違うから、私だったら使うな」

ただ、石塚の胸に刺さったのは、どこまでがリップサービスか測りかねる称賛ではなかった。あるインターネット関係者にLINEの話をしたところ、その存在を全く知らなかった。

「LINE? 何それ?」

気になって他の人たちにも同じことを聞くと、ほとんどの人が知らないと言う。知っていても名前だけで、実際に使ったことがあるという人は皆無だった。LINEが日本で生まれたのは、この時から2年前の2011年のことだ。第10章で述べた通り、日本では爆発的に広まり、海外でも東南アジアや中東でユーザーを広めていった。

だが、米国ではインターネット業界の中でさえほとんど知られていないということは、衝撃だった。米国ではLINEに先立つ2010年に生まれたワッツアップがシェアを握っていた。実はLINEもすぐに米国に進出したのだが、すでに付け入る隙はなかった。わずかな時間差が巨大市場である米国での勝敗を分けていたのだ。

「今すぐに出て行かないと、LINEと同じ目に遭う」

山田と石塚は米国視察から帰国するなり、留守番役だったもう一人の創業者である富島を交えて話し合った。米国では将来のライバルとなり得るサービスもじわりと育ち始めている。サンフランシスコのローカル情報交換サイトで、日本で言う「出会い系」のような使われ方をしていたクレイグスリストでモノの売買をするユーザーが存在し、ファッション分野ではポッシュマークというフリマアプリも育ち始めている。

「やるなら今しかない」

それが、3人が出した結論だった。翌年4月。小泉を筆頭に資金調達とテレビ広告を巡るギリギリの調整が続いていたさなかに、石塚はサンフランシスコに渡った。米国法人のメルカリUSのCEOに就き、本格的に米国進出の準備に取りかかったのだ。

ゆくゆくは米国に進出したいと思っている。その時はリョウにUSのCEOをやってもらいたい――。

その約束が早くも果たされたのだった。

「一発屋」で終わるのか

インターネット産業が生まれてから20年余り。これまで日本で生まれたスタートアップが米国で誰もが知る存在にまで上り詰めた成功事例は、残念ながらまだない。メルカリはパイオニアになれるのか。山田はある人物の姿に己を重ね合わせることがある。

日本人メジャーリーガーのパイオニアである野茂英雄だ。トルネード投法から放たれる剛速球と球界史上屈指と言われるフォークボールをひっさげてメジャーの扉をこじ開けたが、ドジャースと契約した当初は日米のメディアから懐疑の目を向けられた。

山田は後にメルカリを東証マザーズに上場させた際に公開した「創業者からの手紙」を、こんな文章で書き出している。

「私は、野茂英雄さんの大ファンです。野茂さんがメジャー挑戦を発表された時、日本中でバッシングが巻き起こったのをよく覚えています」

日本のスタートアップは米国では通用しない――。そんな常識を覆そうというメルカリは石塚に続き、2015年からはもう一人の創業者である富島もサンフランシスコに派遣することにした。山田は日米を行き来していたが、日本が軌道に乗り始めるとサンフランシスコにも住居を確保して次第に米国に滞在する時間が長くなってきた。そして2015年7月、山田は社内に宣言した。

「これからはほぼ全員で米国に集中する」

この後は東京本社のエンジニアもほとんど米国にかかりっきりとなった。

事件が起きたのはそれから1年後の2016年7月のことだった。すでに米国に参入してから2年近くが過ぎようとしていたが、ある日突然、米国内での1日あたりのダウンロード数がそれまでの10倍以上に跳ね上がったのだ。あっという間にアップルのアプリランキングで米国3位に浮上した。累計のダウンロード数で言えば、わずか数日で1000万から2000万に倍増したのだ。

「これでいけるんじゃないか！」

社員には毎日夕方5時頃になるとスラックにその日の主要指標が送られてくる。サンフランシスコのオフィスは突然のブレイクに沸いたが、そこには大きな不安があった。なぜ突然、ダウンロードされるようになったのか。

その理由については皆目、見当がつかなかったのだ。

1カ月ほどもすると化けの皮がはがれるように、少しずつ実態が分かってきた。メルカリのアプリをダウンロードしたユーザーたちがその後も継続して使っている形跡があまりなかったのだ。時間がたつにつれて最も重視する指標であるユーザーの1週間継続率が横ばいとなり、ほどなくして下降曲線を描くようになった。

この突然のダウンロード増加事件は、今では社内で「招待爆発」と呼ばれている。当時はあるユーザーが他の人をメルカリに招待するとポイントが還元される仕組みがあった。なんらかのきっかけで招待が一時的に膨らんだのか、誰かが大量にアカウントを作ってポイントを稼ぐ「招待詐欺」と呼ばれる行為が大規模に起きたのかもしれない。この部分の真相は今も藪の中だが、招待が招待を呼んでダウンロード数が一時的に急増したことは確かだった。

お祭り騒ぎのようにメルカリが米国内でダウンロードされたものの、ユーザーは定着せず、メルカリは米国で再び停滞期に入った。それは数字が残酷なまでに示していた。メルカリが3カ月単位で公表している米国の流通総額は、招待爆発が起きた2016年7～9月期の5200万ドルをピークに、1年もたたないうちに半分近くにまで落ち込んでいったのだ。

もちろん手をこまねいていたわけではない。

この当時のメルカリには決定的な問題があった。米国に本腰を据え始めているのに、日米でプログラムのソースコードが同じだったのだ。この状態だと米国のニーズに合わせてデザインや機能を変えると、日本側からクレームが来る。逆もまた真なり、だ。日本はすでにフリマアプリが定着し、メルカリがその先頭を走っている。かたや米国では悪戦苦闘中。それなのに、米国と日本で「一つのメルカリ」を巡って綱引き合戦をやっているような状況になっていた。要するに、どっち付かずなのだ。

石塚はこのソースコード問題について「日本の事情を優先してしまった。もっとUSの主張をぶつけるべきだった」と振り返る。メルカリの屋台骨を支えるのは、あくまで日本市場だ。いくら米国トップを任されたからといって日本のチームに「わがまま」を押しつけて、日本での勢いを止めてしまっては元も子もない。石塚にとってはジレンマだった。

この問題を指摘したのが、サンフランシスコに駐在していた富島だった。

「この際、日米でソースコードを分けよう」

それでうまく行く保証はないが、同じことの繰り返しではいつまでたっても打開策が見えない。結局、日米でソースコードを分けることにした。

メルカリUS版の設計の自由度は高まるが、それが劇薬となって事態が一変するわけではない。気づけば山田と石塚が米国視察に飛んでから3年が過ぎていた。

勢い込んで進出してきた米国で、「一発屋」で終わりそうな雰囲気が漂い始めていた2017年3月、山田はついに非情な決断を下した。石塚と二人だけになるタイミングを見計らって、こう切り出したのだ。

「今のままだとうまくいく保証がない。だから、俺がUSのCEOをやろうと思う」

非情の決断

実質的な更迭である。ただ、この言葉が意味することはそれだけではない。

「ゆくゆくはアメリカに進出したいと思っている。その時はリョウにUSのCEOをやってもらいたい」

山田はメルカリを創業する時、こう言って石塚を口説いた。実際に米国事業を任せたがわずか3年でその約束を翻すことになる。

言うまでもなく石塚はメルカリ発足以来の功労者である。生まれて間もないメルカリを奇策のブースト広告で消滅のピンチから救った。米国では苦戦が続いたとはいえ、ほぼ一人で乗り込んで進出の足場を築いた功績は大きい。そもそも大企業ではなく人もカネも限られるスタートアップである。誰がやっても巨大市場の米国で苦戦することは目に見えていたと言えるだろう。

山田はこう付け足した。

「俺がUSのCEOをやって、それでダメなら俺も諦めがつく。でも、もしそこまでやらずにダメだったら……。このままじゃ諦めがつかない」

こう言われた時に何を思ったか――。非常に聞きづらいことだが、筆者はストレートに石塚に聞いた。石塚は言葉を選びながら、だが、率直に答えてくれた。

「屈辱でした。辞めたくない。でも、一歩退いて考えてみれば確かに結果は出ていない。代えられても仕方がない。そう頭では納得しているけど、感情では納得できない。そんな気持ちでした」

実際、山田にも「進太郎がそう言うのは分かる。でも、俺もここまでやってきて途中で降りるなんてやりたくない。最後までやり遂げたい思いがある」と返していた。

経済記者を長年やっていると、よく「社長は孤独だ」ということを、経営者たちから聞くことがある。会社の運命を左右するような決断は誰にも相談できない。そして、そういう決断を下す時は、ほぼ例外なく情より理を取らなければならない。

この時の山田もそうだったのだろう。何も取りえがないと思い悩んだ青年が「仲間の才能を生かす才能」に気づいて、起業家としてインターネットの世界で戦ってきた。その山田が、盟友であり功労者である石塚に「更迭」を告げた時、何を思ったのか――。これもまた聞きにくいことだが、聞かないわけにはいかない。

「石塚さんのプライドを踏みにじることになりました」

こう聞くと、山田もまた慎重に言葉を選びながらこう答えた。

「僕のエゴもあります。僕だって悔しい思いがあるんです。でも、会社として成功させることが一番重要なんです。そうでないと関わった者たち全員が屈辱を味わうことになる。こうなったらもう、僕の責務としてなにがなんでも成功させるしかない」

自ら米国事業のトップに立つ人事は、社内にこの不退転の決意を知らしめる意味も大きい。米国での戦いに勝ち抜くにはそれが避けられないと、山田は考えたのだ。

二人の決断を聞かされた富島は、「実は、僕はずっと進太郎さんがやるべきだと思っていました」と言う。どちらが米国のCEOにふさわしいかという意味ではない。会社として本気で米国事業に取り組む姿を示すためだという。

「だから、これで（会社の）覚悟が決まったと思いました」

そうは言っても石塚はともにメルカリを立ち上げた仲間だ。サンフランシスコ北部にあるオフィスを出ていつものように石塚が運転するクルマで自宅に送ってもらった時のことだ。ハンドルを握る石塚が車線に目を向けながらポツリとつぶやいた。

「悔しいけど、しょうがないか……」

富島には返す言葉がない。沈黙が車内を支配した。

不正出品問題

米国で分厚い壁に立ちすくむメルカリ。創業者たちが葛藤の中で解を見いだそうとしていたその時、着実に地盤を固めていたはずの日本で異変が起きた。

「【悲報】ヤフオクやメルカリで現金の出品が続出、5万円が59500円に。深刻化する貧困ビジネス、理由はクレカの現金化」

米国事業の体制変更を社員に告げた直後の2017年4月22日、こんな文面がツイッターに投稿された。実際にこの頃、メルカリでは1万円札が「最安・迅速・丁寧」と手書きされた紙とともにそのまま売りに出されていた。

5万円の現金が、6万円近くで売りに出るとはどういうことか。そのからくりはクレジットカードの仕組みにあった。

クレジットカードにはお金を借りるための「キャッシング枠」と買い物用の「ショッピ

ング枠」がある。キャッシング枠がなくなった人でも、フリマで使えるショッピング枠があれば、メルカリを通して実質的にお金を借りられることになる。金額の上乗せ分はいわば利子だ。

それを法定上限金利ギリギリに設定したところに、出品者の意図が透けて見える。実質的なヤミ金融として、メルカリが使われていたのだ。実際、後に出資法違反容疑で逮捕者が出た。

メルカリにとっては痛恨のタイミングだった。

実はこの前月に満を持して違反取引を検知するAIを導入していたのだ。だが、この頃は記念硬貨の取引なども行われていたため、現金の出品を禁じておらず、AIの監視の目をすり抜けていた。

メルカリは顧客サポート担当を中心にすぐに緊急会議を招集し、現金の売買を禁止した。すると今度は現金がチャージされたSuica（スイカ）のカードが出回った。後はいたちごっこだ。5枚の1万円札を折り紙にした「オブジェ」まで登場した。

「後手に回ってしまったことがすべて。あらゆるケースを考えないといけないのに、それができなかった」

メルカリのサービス全般を統括するCPO（チーフ・プロダクト・オフィサー）だった濱田優貴はこう振り返る。当時はほとんどサンフランシスコに張り付いていた山田も「正直、自覚が薄かった。自分たちがそんなに報道されるような価値がある存在だとは思わなかった。楽天みたいにプラットフォーマーとして見られていると、あの時に初めて気づきました」と振り返り、その認識の甘さを「痛恨の念」と表現した。

この手の不正出品に関するいたちごっこは今も続いている。盗品が売り買いされたこともあれば、処方薬が売買されたこともあった。

メルカリはすでに日本で広く根付きフリマアプリという新しい概念をもたらした。当然、そこには社会的な責任も生じてくる。

「正直に言えばいつまでもスタートアップの感覚で、自分たちが社会的公器のような存在だと自覚していなかった」

山田は率直に、こう振り返る。思えば米国事業に気を取られすぎたのかもしれない。日本ではプラットフォーマーとしての責任を負う一方で、米国ではまだちっぽけな存在でしかない。自らが米国トップを兼務する決断を下したが、米国で右腕となってくれる人物は不可欠だと再認識させられた。そして、実は山田にはすでに意中の人物がいたのだ。

フェイスブックから来た男

日本で現金の不正出品問題がいまだ炎上していた2017年5月。サンフランシスコ発ロンドン行きの機内。離陸後の食事が終わり、明かりが消えてしばらくたった時のことだ。

「ジョン、ちょっといいかな」

聞き覚えのある声にジョン・ラーゲリンが目を開けると薄明かりの中、目の前に山田進太郎が立っていた。

ラーゲリンは驚いたが、用件はすぐに察しがついた。以前から、熱心に山田から誘われていたのだ。ただラーゲリンは当時、米フェイスブックのバイスプレジデントの要職にあった。しかも、マーク・ザッカーバーグの腹心で固められた通称「Mチーム」の一員だ。米国ではほとんど無名だった日本のスタートアップであるメルカリに移る理由はない。

席を立って機内を見渡したところ、話せそうな空席はない。2人はそのまま話し続けた。

「どんな条件だったらうちに来てくれる?」

山田は詰め寄るようにラーゲリンに語りかける。ラーゲリンの心を動かしたのは、このひと言だった。

「俺はやっぱり、ジョンとやりたいんだ」

山田の「仲間の才能を生かす才能」は、こういうシーンでこそ発揮される。ここはもう理屈や条件ではなく、感性に訴えたのだ。

一方のラーゲリンの信念が「迷った時は頭ではなくおなかに聞け」だ。この時だけでなくすでに何度も誘われていたが、意を決したのはこの機内での会話だったという。ラーゲリンはフェイスブック最高幹部の職を捨て、米国で不振にあえぐメルカリに移籍することを決めた。最後は「シンを信用しているから」と山田に告げたが、ラーゲリンには特別な思いがあった。

「日本の会社が米国で成功できることを証明する」

ヤフー井上雅博の教え

繰り返しになるが、インターネットの世界で日本のスタートアップが米国に進出して成功した例は皆無だ。今や売上高が1兆円を超えた楽天でさえ、存在感は極めて薄い。メルカリもご多分に漏れず進出3年近くで成功どころか流通総額が減少する憂き目を見ていた。

だがラーゲリンには、これまでの人との出会いや経験に裏打ちされた確信があった。

山田より1歳年上のラーゲリンはスウェーデンの首都ストックホルムの出身だが、英語はもちろん、流暢な日本語も話す。日本との出合いは小学校からの幼なじみであるアレックス・ノルストロムがきっかけだった。ノルストロムはその後、音楽配信のスポティファイの役員となっている。

彼の母親が日本通でいつも日本のゲームやお菓子を家に置いていた。するとラーゲリン少年は遠い異国に興味を持つことになり、高校で日本語を学び、ストックホルム商科大学を経て東大の大学院に進んだ。

修士論文のテーマは「インターネット企業による海外進出」。明暗を分けた米ヤフーと米AOLの日本進出を題材にした。日本ではヤフー・ジャパンがインターネットの代名詞のような存在となる一方で、AOLは進出後にNTTドコモの支援を受けたが消えてしまった。

ラーゲリンにとって最も関心があったのは、なぜヤフーは日本で成功したのか、だった。

その秘訣を探ろうと、ヤフー・ジャパンの実質的な創業者である井上雅博に面談を申し込み、直接薫陶を受けたことがあった。井上が説いたのが、現地に合わせるローカライズの重要性だった。

プロ野球速報、天気予報、株価速報……。当時のヤフー・ジャパンは日本独自のサービスを繰り出し、すぐにユーザーの支持を得ていった。単なる「インターネットの玄関口」からニュースを配信するメディアへと変貌を遂げたことも大きい。

「ヤフー・インクのことはリスペクトはするけど、日本向けに徹底的に作り直さないといけない」

井上は北欧から来た若きラーゲリンにこう説いた。ヤフー・インクとは本家の米ヤフーのことだ。母国の成功モデルをそのまま持ち込むなということだ。この教えが後にメルカリで生かされることになる。

ラーゲリンは修士課程を終えると、そのまま日本にとどまりNTTドコモに入社した。学生時代にたまたまｉモードの生みの親となった榎啓一の話を聞く機会があったためだ。最初の配属は、新宿・歌舞伎町のドコモショップ。トラブルは日常茶飯事だったが、ここで日本の企業社会の現場を学ぶ。次に配属されたのが、iモードの海外展開を担当する部署だった。

榎とともにiモードを作った夏野剛の部下となり、海外を飛び回った。ラーゲリンは「僕はiモードのビジネスモデルを信じていた」と話すが、海外進出は志半ばに終わる。

皮肉なことにiモードが海外展開に失敗した転換点に、ラーゲリンは次の職場で立ち会っていた。ドコモから米グーグルに転じたラーゲリンは、来日したCEOのエリック・シュミットとともにドコモに提携を持ちかけたのだ。

交渉の場にいたのは当時のドコモ社長の中村維夫と、かつての上司の夏野だった。シュミットは夏野の目を見て「We respect you（あなたを尊敬している）」と語ったが、中村らドコモ上層部の動きは鈍く、提携は幻となる。iモードは世界標準になりそこねた。第3章でも紹介したそのシーンに、ラーゲリンはグーグル側の人間として立ち会っていたのだ。

山田と出会ったのはこの頃に開かれた起業家らが集うパーティーでのことだ。後に一緒に働くことになろうとは夢にも思っていなかった。

2014年にフェイスブックのバイスプレジデントに転じると、200人のチームを率い、ザッカーバーグからMチームの一員に指名される。「転職なんて考えたこともなかった」というラーゲリンを、山田はマークし続けていた。

実は、かつての上司である夏野もフェイスブックからメルカリへの移籍を後押ししていた。ラーゲリンが相談すると、夏野はこう言ったという。

「ジョン、日本を見捨てるなよ」

あの大西洋上での強引なスカウトから1カ月後の2017年6月、ラーゲリンはチーフ・ビジネス・オフィサー（CBO）としてメルカリに迎え入れられた。ただ、それから3カ月足らずで山田に代わって米国のCEOとなる。

この昇格人事を山田に提案したのは、実はこの年の3月に米国事業の不振の責任を取る形でその座を追われていた石塚だった。石塚も以前から熱心にラーゲリンをスカウトしていた一人だった。

「ジョンがみんなの信頼を集めているのが分かったから」

胸中は複雑だっただろう。だが、山田とともに創ったメルカリを、米国で成功させるためにあえて最善と思える人事を提案したという。

「売るアプリ」への転換

こうしてメルカリの米国事業を託されたラーゲリンがまず取り組んだのは、ブランド戦略の抜本的な見直しだった。山田からはそのためなら「場合によってはメルカリの名前を変えてもらってもかまわない」と、いきなり不退転の覚悟を伝えられていた。

ラーゲリンがブランド戦略の練り直しのために引き抜いたのが、グーグル時代に同僚だったスコット・レビタンだった。

マーケッターとして30カ国以上を渡り歩いたレビタンはその少し前、ラーゲリンがメルカリという名も知れぬ会社に移籍したと聞き、試しにアプリをダウンロードしてみたという。

そこで、アイスホッケーNHLで「スタンレー・カップ」の優勝チームのメンバーに贈られる指輪が売られていることを発見して驚く。アマゾンとはひと味違った新しいeコマースだと感じたが、実際に入社してメルカリのブランドイメージを米国人社員に聞くと、意見はバラバラだった。

「まずはブランドのアイデンティティーの確立が必要だ」

こう考えたと言うがヒントは突然、現れた。タクシーの車中で20代のエンジニアがレビタンにつぶやいた。

「『売るアプリ』というのはどうかな?」

インターネットでモノを「買う」サービスはアマゾンを筆頭に米国中であふれているが、手軽に売れることを打ち出したサービスは聞いたことがない。レビタンはこのアイデアをラーゲリンにぶつけた。

「さすがだなと思いました。その領域はまだ誰も定義していない。メルカリが『売るアプリ』を最初に定義して、ど真ん中に立つ」

ラーゲリンの頭にあったのが、学生時代に井上から聞いたローカライズの哲学だった。

「結局、国によって違って見えても本当に必要なことは似ている。でも、言葉やカルチャーが違う。重要なのはストーリーをつくる力なんです」

メルカリの場合、フリマの「売る」機能に焦点を当てる。それが米国でのローカライズの解答だと考えたのだ。モノを買いたい人への訴求力が落ちるのではないかという懸念はあったが、「大切なのは踏み切る勇気」だと割り切った。そう自分に言い聞かせ、かじを切ったのだ。

2018年3月、米国版メルカリは「The Selling App（売るアプリ）」をキャッチフレーズに、ラジオとユーチューブでキャンペーンを始めた。消費者に「売るのは簡単」とアピールするため物流大手UPSと提携して梱包の代行サービスも始めた。すると一連の施策の効果で低迷していた流通総額が増加に転じた。2019年1〜3月期は1年前と比べ7割増え、3カ月単位で初めて1億ドルを超えた。そして目標として掲げてきた月間1億ドルも、それから1年余りでついに達成した。

こうして再建の途に就いたものの、メルカリの米国事業にはいまだ懐疑の目が注がれている。20代で米国移住を諦めた時、サンフランシスコで誓った夢を、山田はどう捉えているのだろうか。

「野球で言えばまだ野茂さんがアメリカに行く前の状況だと思うんです。日本人がメジャーリーグで活躍するなんて無理だと思われたように、日本のインターネットの会社が海外で通用するわけがないじゃないかと。でも、僕はそんなことはないと思っています」

米国進出は日本のインターネット産業の悲願と言っていい。移住を誓ったはずのサンフランシスコから帰国して、もう10年以上の月日が流れたが、山田はまだその悲願を成し得ていない。

未来は常に不確かである。例えば誰が、新型コロナウイルスが蔓延する世界を予想し得ただろうか。

上場企業のかじを取る山田の立場も、あの頃とは異なる。この先、米国から一時撤収する可能性がゼロかと言われれば、ノーとは言えないだろう。そのこと自体は経営者として、山田も否定はしない。だが、こうも言う。

「諦めはしないですよ。絶対に」

教室では地味で目立たなかった少年が、自らに与えられた才能を探し求めるかのように仲間たちとともに創り上げたメルカリは今、日本のスタートアップの悲願に挑んでいる。

第 12 章

ネバー・ギブアップ——敗れざる者たち

宇野康秀は波乱万丈の起業家人生を歩んできた

1989年 リクルートの仲間たちと「インテリジェンス」を創業

1990年代半ば インターネットの可能性に気付く

大切なのはカネじゃない。
志を共有できるかどうかだ

1998年
- 新入社員の藤田晋の起業を後押し
- 余命3カ月を宣告された父の願いで大阪有線放送社を継ぐ
- 電柱の違法使用を改める「正常化宣言」。社員の反発を押し切る

自宅に血の付いたワラ人形が送りつけられる。
手紙には「死んでください」。送り主はある営業所の社員だった

2000年
- 正常化完了と同時にインターネットの光ファイバー回線進出に動き始める
- 孫正義と意気投合するも提携は破談に

2002年 三木谷浩史と組み、「ショウタイム」で動画ビジネスに参入

2005年 無料の動画配信「GyaO」を開始

2006年
- 「事件」後にライブドアの株を個人で買い取る
- 「ヒルズ族の兄貴」と呼ばれるように

2008年 リーマン・ショック。インテリジェンスへの支援がアダとなり、
銀行団に追い詰められる日々が始まる
↳ GyaOやショウタイムなど育ててきた事業をことごとく売却

もう一度原点からやり直す。
絶対に成功してやる

2010年
- 追われるように社長を退任
- 「売れ残り」のU-NEXTを買い取り再出発

2017年 USENを買収。一度は失った会社を取り戻す

熊谷正寿はパチンコ店の「釘師」からのし上がった

1980年　17歳で高校を中退。父が経営するパチンコ店で出玉を調整する釘師として働き始める

35歳までに自分の会社を設立し、上場させる

1984年　21歳の時に人生の目標を手帳に書き始める

1991年　ボイスメディアを創業。NTTが提供する「ダイヤルQ2」の接続機器を自作する

1995年　インターキューに社名変更。インターネットの接続事業に乗り出す

1999年　株式を店頭公開。21歳の夢を1カ月遅れで実現させる

2001年　グローバルメディアオンラインに社名変更（後にGMOインターネット）

2005年
- 東証1部に
- オリエント信販を買収

2006年　「グレーゾーン金利」分の返還を事業者に求める「シティズ判決」を、最高裁が下す
↳経営危機に！

一家で練炭自殺する夢を見てキリスト教に入信する

このままだとあなた、年を越せないよ

2007年　米系証券会社から500億円で買収を持ちかけられる

2008年　あおぞら銀行の支援やヤフーとの提携、現物出資などで危機を乗り切る

2014年　連結売上高が1000億円を突破

本書ではここまで、日本を中心にインターネット産業を彩る物語を追ってきた。第1章では、その「第1世代」と呼ばれるサイバーエージェント創業者の藤田晋が世間の脚光を浴びる裏で直面した苦悩に迫った。

藤田に何度も合併話を持ちかけてゆさぶりをかけたGMOインターネット創業者の熊谷正寿。そして図らずもそのきっかけを作り、水面下で事態収拾に動いていた宇野康秀。

同じ1963年に生まれた二人の男たちもまた、それぞれにインターネットに光明を見いだして起業家として坂道を駆け上がり、その途上でどん底に突き落とされ、そして這い上がってきた。

釘師からのし上がった男

時は1981年に遡る。

ある日の夜、ふすまの向こうから父親の声が聞こえてきた。

「長野のパチンコ店の店長が突然、辞めたいって言ってるんだ」

父は母に仕事の話をしているようだ。その声を聞いた時に、熊谷正寿は突然、ふすまを開け放って両親にこう告げた。

「その店、俺が行って立て直すよ」

熊谷はこの時、18歳だった。

高校は前年に2年生で中退してしまい、昼は喫茶店でアルバイト、夜はディスコでDJという生活を送っていた。中学時代は猛勉強して希望通りに國學院高校にトップの成績で進学したものの、高校では全く勉強する気になれない。2年生になる頃には成績が約600人いる同級生の中で500番台に定着し、学校を辞めてしまった。

中学の頃には休みになると全国をヒッチハイクで回るような少年だった熊谷。父親の目には、いよいよ根無し草のような暮らしを始めたように見えたのだろう。息子の突然の申し出を受け入れた。

熊谷家は名家と言っていいだろう。父方の祖父、熊谷巌は大正の「平民宰相」、原敬の側近と言われた人物だ。祖母の家柄は幕末の剣客として知られる伊庭八郎の流れをくむ。そんな家柄にあって、父の熊谷新は事業家として成功を収めていた。終戦で満州から引き揚げると、新宿・伊勢丹の裏手で始めたお汁粉屋から徐々に財を成していった。このお汁粉屋では引き揚げ時に軍から入手したという人工甘味料のサッカリンを使っていた。当時、伊勢丹に入っていた進駐軍の兵士の間でも評判になったようだ。

この小さなお汁粉屋を原点に、神楽坂に拠点を置いた新は映画館や飲食店、ディスコ、貸しビル業、そしてパチンコ店と事業を広げていった。ちなみに映画館は「佳作座」という。昭和の映画好きの間では名の通った映画館だったという。

パチンコのチェーン展開の一環で、長野県上田市に敷地面積1200坪の大型店を開いたが、その辺りは十数店の競合がひしめく激戦区だった。店の売り上げは伸び悩み、店長が辞めたいと言い出したのだ。

マネージャーの肩書きで派遣されてきた少年を、30人ほどの従業員たちは当然のことながら疑うような視線で迎えた。社長の息子とはいえ高校生のアルバイトと同じ年代である。誰もマネージャーの指示に耳を貸そうとはしない。そこで熊谷は掃除などの雑用から始めた。

客もまばらな店をじっと眺めていると、あることに気づいた。お客が座るのは玉の出が良い台ばかり。当然と言えば当然なのだが、これでは店が儲からない。当時は出玉をごく簡単なコンピューターで管理していたが、熊谷は自ら調整する役目を買って出た。いわゆる「釘師」である。ハンマーなどを使ってミリ単位で出玉を調整していくのだ。熊谷は事業家の原点とも言えるこの時の釘師道具を、今も執務室の引き出しにしまっている。

その甲斐あって1年ほどするとこの店は繁盛店となった。父のお眼鏡にかない東京に呼び戻されるが、入居したのは江戸川橋にある社員寮。これがとんでもないボロアパートだった。建物全体が少しだけ傾いており、電子レンジとドライヤーを一緒に使うと停電になる。その都度部品交換が必要な古いヒューーズ式で、配電盤が屋上にあるため夜は入れず、暗闇の中をろうそくで過ごすことが度々だったという。

父の方針で給料は激安だった。熊谷は20歳で結婚して妻子がいたが、妻はウエートレスのアルバイトで家計を支えていた。

（これってなにか違うんじゃないか……）

それでもゆくゆくは自分が稼業を継ぐのなら、これも二代目に課された社会修業だと割り切れるかもしれない。しかし、すでに熊谷にはそんな希望もなかった。

「お前も毛利家の三本の矢の話は知っているだろう」

父が突然、有名な「三本の矢」の故事を持ち出したのは、父が経営する熊谷興業に入社したばかりの頃だった。

「お前は兄さんを支えていくんだ」

つまり、どんなに頑張っても社長は兄ということだ。異母兄弟の兄は大学に進んでいる。と言うより、そもそも異母兄弟がいることさえも、知らされていなかった。ずっと自分が長男でいずれは父の稼業を継ぐものだと思っていた熊谷にとっては衝撃的過ぎる事実だった。

熊谷は自ら大学への進路を絶ったとはいえ、10代から下積み生活である。口には出さなかったが、理不尽な運命に言いがたい思いを抱いていた。

「僕はコンプレックスの塊」

熊谷にとってこの時期は人生が暗闇の中に思えた。朝から晩までがむしゃらに働いていたある時、早めに帰宅しようとしたら、父に呼び止められて、叱りつけられた。

「そこの銀行を見てこい。一流大学を出た奴らがまだ働いているぞ。頭の悪いお前は、あいつらより働かないでどうする？」

言われるがままに銀行をのぞいてみると、確かにシャッターが降りた一階より上のフロアにはまだ明かりがともっていた。それにしてもひどい言い草だが、仕事の鬼で事業家として敬意を持っていた父から言われると、妙に納得してしまう自分もいた。

この頃の熊谷は、学校を辞めてしまった後悔とコンプレックス、そして大学で青春を謳歌している周囲に感じる言いようのない焦りが、ごちゃ混ぜになったような感情の中にいた。

「僕は今もコンプレックスの塊なんですが、当時はもう、ただただ、コンプレックスでした。でも、それが原動力。だから必死に学ぼうとしたんです」

そう言う熊谷には、この頃の忘れられないシーンがある。父とともに長野の温泉に行った時のことだ。父の背中を流していると、父がこんなことを聞いてきた。

「動物と人間の違いが分かるか？」

ヤブから棒の質問に戸惑っていると、父はこう続けた。

「人間は書物を通じて人の一生を数時間で疑似体験できる。だから本を読め。生涯、勉強し続けろ」

コンプレックスの塊だったという熊谷は失った何かを取り戻すかのように、むさぼるように本を読み始めた。後に自らの人生を変えた本として挙げるのが、多くの経営者が愛読するデール・カーネギーの『道は開ける』だが、経営者の伝記や指南書の類い、歴史書、雑誌とありとあらゆる種類の本を手に取るようになった。

この頃に始めたのが、手帳に書き込む習慣だった。もともとメモ魔だったという熊谷が手帳に書き留めていったのはスケジュールや発言録といったものだけではない。

夢を分類する「夢・人生ピラミッド」、そのスケジュールを15年単位で記した「未来年表」、いつ何をするべきかをリストアップしたTo Doリスト、戒めや名言のメモ、思考のチェックリスト……。

自分なりに体系化した手帳の活用術をまとめた著書『一冊の手帳で夢は必ずかなう』はベストセラーとなった。その中の「15年の未来年表」に、21歳の熊谷はこう書き込んだ。

「35歳までに会社を作って上場させる」

将来が見通せない父の会社から独立し、自ら起業しようと考えたのだ。

会社設立のためにはまとまった資金が必要だが、給料は日々の生活で消えていく。そこで熊谷はなけなしの貯金を株式投資で増やそうと考えた。

毎朝、日本経済新聞の株価欄をチェックし、注目する銘柄の値付けをチェックする。最初は鉛筆で方眼紙を塗りつぶしてチャートを手書きしていたが、ある時、自宅近くの書店で『パソコンを使って株で儲ける本』という本を見つけ、パソコンで株価チャートを自作した。子供の頃から機械好きだった熊谷はこれを機に仕事にパソコンを多用するようになり、「起業するならパソコン」と考えるようになる。

これを実現させたのが27歳だった1991年5月のことだ。NTTが提供する「ダイヤルQ2」に使う機器を自作してボイスメディアという会社を作ったが、熊谷は数年でこの事業には見切りを付けた。ダイヤルQ2自体がアダルト利用や高額請求が原因で社会問題化してきたからだ。

熊谷はこの後に化粧品ビジネスを始めたが、何かが違う。そんな時に出会ったのが、生まれたばかりのインターネットだった。1994年のことだ。日経流通新聞（現日経MJ）の紙面で、インターネットについて書かれた小さな記事を発見すると、すぐに秋葉原に足を運び、その年にインターネットイニシアティブ（IIJ）が商用利用を始めたばかりのデモ画面を見た。その瞬間に直感したと言う。

「あ、これだ！」

父への反発

宇野康秀の記憶に残る最初の家は大阪の歓楽街、道頓堀に立つ雀荘の2階だった。部屋の窓から見えるのは、通りを挟んで真向かいにあるキャバレー。酔客を見送るドレス姿の女たちを毎夜、部屋から眺めていた。

宇野の父も一代で身を起こした実業家だった。と言っても、自宅で父の姿を見ることはほとんどない。仕事で全国を飛び回っており、帰宅しても父と顔を合わせるのを避けていたこともあり、会話することもほとんどなかった。

宇野が生まれる2年前に父・元忠が起こした会社が、大阪有線放送社だった。「有線」と言えば昭和生まれの読者なら覚えている方も多いと思う。喫茶店やバー、スナックなどでかかる音楽を提供する会社だ。

その名の通り大阪で生まれた大阪有線は、宇野が小学生になる頃にはすでに破竹の勢いで全国に進出し、地方に存在していた数々の小さな同業他社を駆逐していった。そしてこれもその名の通り有線、つまりケーブルを、契約してくれたお店に通していくのだ。

大阪有線の突撃営業は業界では有名だった。営業マンが契約を取り付けるや、早ければその日の夜のうちに工事部隊がやってきて電柱をよじ登る。テキパキとケーブルを敷設したかと思えば、何事もなかったかのように立ち去っていく。あまりに手慣れた早業に、夜の繁華街では誰も気に留めることもない。ゲリラ戦法とも言えるスピード感で、大阪有線は全国の飲み屋街を席巻していったのだ。

ただし、その方法には大きな問題があった。

ケーブルを敷く際には街中に立っている電柱を伝っていくのだが、電柱の持ち主であるNTTと電力会社には届け出ることがほとんどなかった。これは違法行為である。有線ケーブルの敷設には電柱の使用料のほかに、その下の道路の占有料を支払う義務があるからだ。1951年に公布された、いわゆる有線ラジオ放送法に基づくものだ。

だが、元忠の理屈は違った。元忠の言い分では「お客さんが第一」。お客が望むなら、すぐにでもケーブルを敷くのが鉄則だ。そのためにはいちいちNTTや電話会社のお役所仕事に付き合っていられない、という理屈だ。そのため元忠には2度の逮捕歴があり、他の幹部も続々と逮捕されていた。大阪有線も会社として2度にわたって業務停止命令を受けている。

それでも元忠はこう言い張った。

「間違えてるんはワシやのうて法律の方や。あんなもんは悪法や」

正確に言えば、電柱の所有者に金を払えというのはまだ理解できるが、その下の道路占有者に支払うというのはおかしいだろうというのが元忠の主張だった。

「例えば、アパートを借りた人に家賃に追加して地代を払えって言うか？　どう考えてもおかしいやろ」

こんな調子で全国の夜の街に進出した元忠は、さながら野武士集団の長か山賊のカシラと言ったところか。全国の営業所に細かい指示をFAXで飛ばし、自らも営業所や顧客先を歩いて回る。

そんな父に、幼い頃の宇野は複雑な感情を持っていた。

「まあ、反抗心ですね」

元忠は中国から渡ってきた華僑の出身である。宇野家の周囲には同朋の自営業者が多く、宇野少年もいつの頃からか自分も将来は商人になるものだと考えていた。ただ一つ、ジレンマがあった。父や周囲の自営業の大人たちを見ていて違和感があったのだ。

「俺が人生を賭けてやりたいことは、ただの金儲けなのか」

そんな疑問を抱えていた高校生の頃のことだ。読書家だった父親の膨大な蔵書の中から松下幸之助の著書を手に取った。そこに書かれていたのが、有名な水道哲学だった。

「産業人の使命は貧乏の克服である。そのためには物資の生産に次ぐ生産をもって富を増大しなければならない。水道の水は価（あたい）あるものであるが、通行人がこれを飲んでもとがめられない。それは量が多く価格があまりに安いからである」

幸之助が説く経営者の果たすべき使命とは、社会を豊かにすることに他ならない。丁稚奉公の身から松下電器産業（現パナソニック）を一代で築いた名経営者の言葉が、宇野には妙に腑に落ちた。

（そうか！　経営者は単なる金儲けの人じゃないんだ。こんな考え方の人がいたんだ）

それから著名な経営者が残した本をむさぼるように読み始める。やはり自分が進むべき道は起業しかない。やるなら父とは違う会社をイチから起こそう――。

将来の目標が固まった時にたまたま見たのが、深夜バラエティーの「11PM」だった。お色気番組として記憶している読者も多いと思うが、この日の特集は東京で学生ベンチャーが増えているというマジメな内容だった。

それを、宇野少年は血が沸き立つような思いでまじまじと見入っていた。もともと大学に行くのは起業の準備だと思っていたが、行くなら東京の大学だ。宇野が進んだのは明治学院大学だが、東京の大学ならどこでも良かった。父は反対していたが最後は「まあ、ええわ。さっき麻雀で勝ったから入学金くらいは出したるわ」と言ってポケットから取り出した札束を宇野に渡した。

インテリジェンス創業

こうして東京に出てきた宇野はプロデュース研究会というサークルに入る。いわゆるイベント企画サークルの走りのような団体だが、ここで後の起業につながる仲間を見つけることになった。宇野は2年生になると研究会の代表になったが、そこで出会った前田徹也は後に共同創業メンバーとなる。

さらに研究会には、あの11PMで見たような学生ベンチャーを立ち上げている先輩がいた。その先輩に誘われてイベントプランナーとして「パズルリンク」という学生ベンチャーで働き始めた宇野が、ある日、「手が回らないから人を雇ってください」と言うと「自分で雇え」と言われた。この時に面接に来たのが慶應義塾大学で1学年下の鎌田和彦だった。

「面接の時は風邪をひいていたそうで『こいつ大丈夫かな』と思いましたが、いざ働き始めると何を聞いても理路整然と話す。頭が切れるだけじゃなく志が高い奴だなと。その時から将来は仕事のパートナーにしたいと思いました」

ちなみに明治学院大プロデュース研究会は他大学の研究会と大学横断組織を作り、最終的には2万人規模となった。宇野はこの横断組織の副代表となったのだが、代表を務めたのが「立教大の学園祭を復活させた男」として当時から有名だった峰岸真澄だ。留年した宇野より1年早くリクルートに入り、2012年に社長に就任した。

サークルを通じて知り合った宇野と前田、鎌田の3人は示し合わせたかのようにリクルートに就職した。宇野と鎌田は不動産を手掛けるリクルートコスモスだ。当時、リクルートグループは営業で手柄を挙げた社員の席でくす玉を割り、垂れ幕を下げる習慣があった。新入社員の席には目標が記されたが、宇野はそこにこう書き込んだ。

「3年で辞める」

起業を志しながらリクルートコスモスに進んだのには理由があった。松下幸之助や本田宗一郎といった高校時代に自伝をむさぼるように読んだ昭和のカリスマ経営者のようには、自分はなれないと考えていたからだ。

「チームで会社を作るために、仲間を探そうと思っていました」

その期限を3年と定めたのだ。

宇野と鎌田より1年早くリクルートに入社していた前田は、花形の営業ではなく総務部に配属されていた。希望していた営業部門でぶっちぎりの成績を残していた同期が島田亨だった。大学の単位をほぼ2年生までに取り終えて3年生からはアルバイトとしてリクルートで働いていた男だ。

「人の2倍働いて、なおかつ密度を2倍に濃くする。そのために人の4倍働こう」

こんな誓いを立てた島田は入社した途端に企画立案から見積書の作成、プレゼン、アポ取りまでのすべてを自分でこなす完成された営業マンとして、新入社員の頃から名を上げていた。

ただし、島田本人によると、どこか同期を冷めた目で見ていたという。営業成績にあぐらをかいて見下していたというわけではない。少年の頃に突然、父親が蒸発してから母とともに借金取りに追われるようになり、居場所を探すように原宿に通っていた頃から、心のどこかで人間不信に陥っていた部分があったのだと言う。

島田もまた起業を前提にリクルートの門をたたいていた。「一人では無理だと思い、起業仲間を探そうとしていました」という。宇野と全く同じ考えの持ち主だったのだ。

同期会の企画メンバーも兼ねていた島田はある日、5人のメンバーと久々に打ち合わせをするかと呼びかけた。ところが、スケジュールが合わず5人の中で集まったのは島田と前田だけだった。そのまま飲みに行くと、島田は前田に将来の目標を打ち明けた。

「俺は起業の仲間を探すためにリクルートに入ったんだ」

「え、そうなの。それなら俺の大学の同級生で同じような奴がコスモスにいるよ。すげー面白い奴だから。今度、紹介するよ」

その数日後、リクルートコスモスの地下にある社員用レストラン「シーガルハウス」に、前田の紹介で現れたのが宇野だった。大きな目に端正な顔立ちの宇野だが、物腰は柔らかい。初対面ながら島田は「ただ者じゃないなと直感しました」と言う。

その宇野が「それならもう一人、面白い奴がいますよ」と言ってその場で呼び出したのが、鎌田和彦だった。鎌田は先述の通り、学生ベンチャーのパズルリンクで宇野が採用した慶大生で、宇野より1学年下だったが、宇野が留年したためリクルートコスモスでは同期入社となっていた。

こうして一堂に会した4人の若者。1989年3月のことだ。激動だったこの年——。1月には昭和天皇が崩御し、平成の世が始まっていた。海外でもソ連のアフガニスタン撤退、中国での天安門事件、そしてベルリンの壁崩壊と歴史の大転換を告げる出来事が相次いでいた。

そんな時代の転換点にあって4人は同じ日にそろって辞表を提出し、インテリジェンスを創業した。社長には宇野が就いた。オフィスは北青山2丁目。リクルート時代の顧客だった美容院の隣に間借りした。当初は不動産ビジネスも検討したが、リクルート出身の4人の強みが生かせるのは、やはり人材分野だろうという意見に落ち着いたのだ。

宇野が晴れの門出を起業家の先輩である父に報告すると、父はなぜか猛反対した。理由は分からない。ちなみに宇野は父の大阪有線を継ぐつもりはみじんもなく、父もそれを期待していないことは明らかだった。「社長なんか一番働く奴がやったらええんや」が元忠の口癖で、子供たちに継がせるつもりはないとも言っていた。

「お前ごときに社長なんか務まるわけがない」

元忠は一方的に切り捨ててくる。最後には捨てゼリフのようにこう断言した。

「ワシとかワシの周りの人間を全員敵に回してでもやるっちゅうんやったら、やったらええ」

「分かりました。そうします」

後味の悪い報告になったが、宇野は普段から敬語で父に話すほど疎遠だっただけに、いまさら何が変わるわけでもない。親子はそのまま音信不通になってしまった。

母からの電話

こうして船出したインテリジェンスは「人材採用の総合代理店」を掲げ、4人の出身母体であるリクルートを、いつかは超えてやろうと語り合った。

ただ、現実的にはリクルートとまともに戦えるわけがない。4人が取ったのは、リクルートがいないフィールドで戦う戦法だった。大手の隙間を狙う戦い方はベンチャーの打ち手としては定石だ。

リクルートがいないのはどこだ――。

それは採用プロセスの情報だと気づいた。当時のリクルートは求人広告を手掛けていたが、採用活動が進み始めた段階になると担い手は各企業に移っていた。

当時はバブルの絶頂期である。採用の最前線は圧倒的に学生が有利な売り手市場だ。「どの会社がいつ、どんな動きをしているのか、それに対して学生側はどう動いているのか」。そんな情報はリクルートもつかんでいない。

「だいたいさ。日本の新卒採用ってすごい閉鎖的だよね。就職協定があるけど、どの会社も平気でフライングして学生を囲い込もうとしている。学生にとっては正しい就職機会が失われていると思わない？」

こう言う宇野のアイデアを形にしたのが、「スチューデンツ・リポート」だった。全国の学生とルートを作り、毎日のように電話とFAXで情報を集める。

どの会社がいつ採用セミナーを開くのか、OB会は、食事会は……。こんな生の情報をA4用紙10枚ほどにまとめて企業に売る。当初、企業側の反応は決して良いものではなかった。

「君たち総会屋？」

「うちを脅すつもりなのか」

学生からの情報を集めると、どの会社もあからさまに就職協定を破っている実態が赤裸々になるからで、その事実を明かさない代わりにレポートを買い取れと脅していると思われたのだ。単に採用プロセスの情報を売りにしているのだと分かると、次第に売り上げが立つようになってきた。

バブル崩壊後も人材派遣業に進出して業績を立て直し、いよいよ目標としていた株式上場の準備が始まっていた、まさにその時だった。宇野の携帯が鳴ったのは1998年6月のある日の昼だった。携帯の表示窓を見ると母・依月とある。母が昼間から電話してくることはめったになかった。

(何かあったか)

宇野が電話に出ると、母が今にも泣き出しそうな声を絞り出した。

「お父ちゃんが会いたがってる。早よ帰ってきたって」

「なんでまた急に……」

「あのな。お父ちゃん、もう長くないらしいねん……。余命3カ月やて……」

この電話を境に、宇野の人生が大きく変わっていく。待ち受けていたのは、前途洋々のはずの青年実業家が思いもしなかった試練だった。

インターネット鉄道経営論

暗く長い人生のトンネルを歩いていた熊谷正寿の前に突然現れたインターネットという新しいテクノロジー。「ここから抜け出したい」と思い続けてきた熊谷の目には、よほどまぶしく映ったのだろう。人生の方針を書き記してきた手帳に、実にシンプルな一文を加えた。

「とにかくインターネットを研究する」

この時、父の勧めをきっかけに自力で勉強を重ねてきたことが、インターネットと重なってきた。インターネットで自分ができることは何か、何をなすべきか――。主立った財界人の著書や経済書を読みあさっていた熊谷の頭にひらめいたのは、こんな考えだった。

「インターネットでやるべきは鉄道系財閥が築いたビジネスモデルだ」

どういうことか。

財閥系、つまり国鉄（JR）を除く民間の鉄道会社の成り立ちを研究していると、ある共通項が存在することに気づいた。

線路を敷くと都心に近い駅の周辺から百貨店を作り、住宅やその暮らしを支えるスーパーを作る。郊外に行くと遊園地など土日に余暇を過ごせる場所を作る。そうやって人の流れを確保するのだ。単に電車を動かすことだけが鉄道経営ではない。

古くは阪急電鉄の小林一三が大阪・梅田に百貨店を建てる一方で、郊外には戸建て住宅が連なる田園都市を作り、宝塚歌劇団といった娯楽施設を作った。東京近郊でも東急電鉄の実質的な創業者といえる五島慶太が実践した私鉄の経営モデルだ。五島のライバルである西武グループ創始者の堤康次郎もまた然り。

熊谷の目に、インターネットはまさに現代の鉄道と映った。インターネット回線の上にはこれから様々なサービスが生まれていくだろう。ただ、鉄道会社にとって最も根源的な価値は何か――。それは線路である。

では、インターネットにとっての線路にあたるものとは？

熊谷が導き出した解がインターネットのインフラそのものを押さえるため「プロバイダーに参入する」だった。まさに熊谷が秋葉原で見たインターネットイニシアティブ（ＩＩＪ）のようなビジネスだ。これからインターネットがどんな進化を遂げても、この根幹の部分だけはなくならない。

ただし、先行しているＩＩＪと同じことをやっても意味はない。ここでまたしても手帳の登場だ。熊谷は株式投資の勉強のために読んだ本からこんな一節を引用していた。

「人の行く裏に道あり花の山」

つまり、人と同じ道を歩むな、人と同じことをやるなという意味だ。ＩＩＪなど先行組とはひと味違う、自分だからできるプロバイダーの形とはどんなものか——。そのヒントも手帳の中にあった。あるベンチャー経営者から聞いた言葉だ。

「発明は組み合わせ。消しゴム付き鉛筆を思い出そう」

これは有名な逸話だ。トンボ鉛筆のホームページによると、デッサン中に消しゴムがすぐになくなるのを嫌った米国のハイマン・リップマンという画家が、探す手間を省くために鉛筆と消しゴムをくっつけたという。この例に限らず、すでに存在するものを足し合わせるだけで画期的な発明になることは人類が度々目撃してきたことだ。

では、熊谷の手の中にすでにあるモノとは何か——。それは撤退したはずのダイヤルＱ２である。ダイヤルＱ２はＮＴＴによる代金回収のシステムだ。これとプロバイダーを組み合わせることで、会員登録なしですぐに使えて料金は後払いのシステムを確立した。

さらに熊谷はこのシステムを一気に全国に広げるためにフランチャイズ方式を採用した。

フランチャイズは米国でケンタッキーフライドチキンが創り出した経営システムであることは経営学の授業ではおなじみだが、熊谷は独力で学んでいる。

熊谷が創業した会社は1995年11月、インターキューに社名を変え、1年余りで全国に50カ所以上のフランチャイズ拠点を持つに至った。1999年8月には独立系のインターネット企業の先陣を切って株式店頭公開を果たした。

熊谷は7月生まれなのでこの時点で36歳になっていた。21歳で手帳に記した「35歳で上場」の夢にわずか1カ月遅れてしまったが、長野のパチンコ店を立て直して東京に戻ってきた青年が本当に15年で上場企業の社長になるなど、誰が予想できただろうか。

父はよく熊谷に「商いは飽きない」と語り、辛抱強く続ける大切さを説いたが、熊谷にとってインターネットは今に至るまで「飽きない商い」なのだと言う。こうしてコンプレックスにさいなまれていた青年は一躍、インターネットの世界で名を上げていく。

父の遺言

母からの電話を受けた宇野康秀は新幹線に飛び乗り、大阪へと向かった。中之島にある住友病院の病室に足を踏み入れると、父のほかに何人かがいた。

「康秀と二人にしてくれ」と人払いすると、自らの病状について話し始めた。末期ガンだった。もう、長くないことは母からも聞いていたが、よく考えれば父と二人で話し込むのはいつ以来だろうか。

父・元忠は思いもかけないことを口にした。

「お前に会社を継いでもらいたいんや」

「えっ！」

全く予想もしない申し出に戸惑いながらも、少し考えてハッキリと答えた。

「申し訳ありませんが、僕は僕で自分の会社があります。できません」

こんな時でも父には敬語になってしまう。

「なんで断るんや。よう分からんわ」

「兄さんもいるじゃないですか」

兄の康彦はリクルートに就職したが、すでに大阪有線に転じていた。

「あいつじゃ、あかんのや」

その理由は言わない。父が以前から兄にきつくあたっていることを知っていた宇野も、それ以上は聞かない。

「なんやったら月に1回、ハンコをつきに帰ってくるだけでもええんや」

こんな押し問答が続いたが、宇野は最後まで首を横に振り続けて病室を後にした。その日はそのまま実家に戻って一泊することにした。事の成り行きを母に告げると、すでに宇野に跡継ぎを頼もうという意思を元忠から聞いていた母は号泣しながら、久々に実家に帰ってきた息子を責め立てた。

「あんたはなんでお父ちゃんが命より大事にしてきた会社を見捨てるんや！」

裸一貫でのし上がってきた父をどんな時でも支えてきた母からそう言われると、二の句が継げない。黙って母の言葉を聞くしかなかった。

翌日、帰りの新幹線の中で宇野は一人考え込んでいた。

（いきなり大阪有線を継げって言われても……、インテリジェンスを辞められるわけがないだろ）

実はインテリジェンスを創業する時にも仲間たちには聞かれていた。

「宇野ちゃん、実家の仕事は継がなくていいの？」

これには即答だった。

「いや、それはないって。というか、そんなことにはならないから大丈夫」

そもそも家業を継ぐ気など毛頭ないし、普段から「一番仕事をやってる奴が社長をやったらええんや」と言っている父にもそんなつもりはないだろう。そう思っていた。

それなのに、なんでいきなり——。

ふと、3年ほど前の正月のことが脳裏に浮かぶ。父が60歳を迎えた後の正月だった。珍しく二人になった時に元忠がぼそっとつぶやいた。

「ワシはあと何年やれるんかなぁ」

弱気に見える、こんな父は見たことがない。

「まあ、あと10年くらいはできるんじゃないですか」

「さよか……」

そのまま無言——。

こんなこともあった。

インテリジェンスが大阪支社を設立した時のことだ。開所式の日に、どこから聞きつけたのか突然、元忠がやって来た。身なりに全く無頓着だった父はこの日もヨレヨレのスーツ姿だ。それが宇野元忠だと気づくのは、息子だけだ。

「お父さん、どうしたんですか」

特に何を語るわけでもなく、新オフィスの発足に意気が上がる息子の会社の様子を眺めると、妙に満足げな表情で姿を消した。

こんなこともあった。

これは宇野が大阪有線の財務部長から聞いた話だった。ある時、日経産業新聞の1面に宇野の顔写真入りでデカデカと記事が出た。

「能力を点数化、給与に換算　インテリジェンス、年功序列排す」

大阪有線で実力主義を徹底してきた元忠は、息子の会社の取り組みがいたくお気に召したようだ。大阪有線の会議でその記事の話題を持ち出したのだという。

「どや。うちの息子もがんばっとるんやで!」

これほど接点の少ない親子も珍しいだろうと思っていた。むしろ、父と関わることを避けてきた。それなのに、なぜか思い出す——。

新幹線が東へと走るなか、宇野の自問自答は続く。

(俺以外にオヤジの会社を継げる奴がいるのか)

（いやいや、俺には仲間がいるし）

そして、こんなことがあった。

それは住友銀行に勤める親戚が宇野に耳打ちしたことだった。

「これはホンマにヤバいで」

聞けば大阪有線はカラオケ事業に進出するため800億円の借金を背負ったという。問題はそれが社長、つまり元忠の個人保証になっていたのだ。それはつまり、もし誰かが大阪有線を継げば800億円もの借金が漏れなく付いてくるということだ。そんなものを誰が背負えるだろうか。それに、そもそも大阪有線は日本全国の電柱を違法で使っている。いつ業務停止命令を食らうか分からないし、社長ともなれば逮捕されることも十分にありえる。実際、父は2度も警察のやっかいになっている。

そう考えると、また振り出しに戻る。

（俺以外にオヤジの会社を継げる奴がいるのか）

東京で待つ仲間の顔が浮かぶ……。

宇野は仲間たちに正直に打ち明けることにした。東京に戻るともう深夜だったが、オフィスには創業メンバーたちが残っていた。島田、鎌田、前田。それに宇野が起業して早々にリクルートから引っ張ってきた武林聡。5人で会議室に集まると、宇野は事の顚末をありのままに伝えた。

正直、罵倒されるだろうと思っていた。重い空気が流れる。誰もが言葉を選んでいるようだ。

すると、鎌田が口を開いた。

「お父さんの遺言なんでしょう」

誰かが言葉をつないだ。鎌田かもしれないし前田かもしれない。あるいは島田か。

「大丈夫だよ。俺たちが大丈夫にするからさ」

誰の言葉か覚えていないのは、涙が出てきて止まらなかったからだ。宇野は仲間たちとたもとを分かち、父の会社を継ぐ決意を固めた。

宇野は個人としてインテリジェンスの筆頭株主だ。上場の審査が進むなか、動きが取りづらい。結局、株を持ったまま代表権を返上して社長から取締役会長となることで落ち着いた。

こうして宇野は仲間たちと別れ、大阪へと向かった。

二代目の「正常化宣言」

1998年7月に大阪有線の代表取締役社長に就任した宇野が最初に手を付けたのが、この会社にとっての積年の課題であり父が残した負の遺産の解消だ。電柱の違法使用問題である。ただし、宇野はすぐには実行に移さなかった。

「間違えてるんはワシやのうて法律の方や」は父の信念だ。死の病に伏した父の目が黒いうちはその信念を曲げさせたくなかったのだ。

「ええか。10年間はじっとしておいてくれ。10年後にはお前の好きにやったらええから」

つまり、10年間は電柱の問題には触れるなということだ。父のプライドがにじみ出るような言葉が、親子の最後の会話となった。

「分かりました」

息子は父の最期に、嘘をついた。10年も待てるわけがない。その年の11月に父が亡くなり社葬が終わると、宇野は社内に宣言した。電柱の違法利用問題にカタを付ける「正常化宣言」だった。それは文字通り茨の道だった。

「100年後に来てもらえますか」

管轄官庁である郵政省の課長に正常化計画を告げると、こんな言葉を浴びせられた。「省内では会いにくいので」と言われたからホテルの一室を用意して会ったのに、これでは取り付く島もない。

そんな言い方をするならわざわざ会わなければいいのにと思うが、郵政省にとってみれば大阪有線には積年の恨みがある。何度注意しても耳を貸すそぶりを持たないからだ。「今更何を言っているんだ」と言いたくなるのもごもっともである。

ただ、そんなことで立ち止まっていては道が開けるはずもない。

やるべきことは決まっている。全国に720万本ある電柱のすべてを調べ尽くすことだ。大阪有線がケーブルを敷いていようがいまいが、すべての電柱を確認し、写真を撮り、無断使用が確認できれば電柱の持ち主に対して過去の分も含めて使用料を払い、新たに利用契約を結ぶ。

気の遠くなるような作業である。

いったいいくらかかるかさえも分からない。しかもその先に待っているのは電柱の使用料の支払いだ。大阪有線が得るものは何もない。

いいじゃないか、このままで――。

社員たちがこう考えるのも無理はないだろう。だが、宇野は一歩も退くつもりはなかった。

実際に汗を流すのは宇野ではなく現場の社員である。全国の営業所に電柱調査のエリアが割り振られた。日々の仕事と並行して片っ端から電柱に登り、写真を撮って本社に送る。まだデジカメが普及していない当時、紙焼きのフィルムカメラを使うため、印刷代だけで2億円が飛んでいった。

そんな不毛に思える作業に、社員たちは黙々と付き合ってくれている……、と思っていた。ある時、社外の人間が宇野に耳打ちした。

「2ちゃんねるを見たんだけど、宇野さん大丈夫？」

匿名掲示板の「2ちゃんねる」に宇野批判のスレッドが立っているという。そのページを見ると、普段は耳に入ってこない生々しい批判があふれていた。

「二代目の道楽に付き合ってられるか」

「社長辞めてくれ」

「死ね」

書き込んでいる内容を見ると、明らかに社員たちだ。そこにあったのは偽りのない、むき出しの憎しみだった。

この日を境に宇野はこの手の掲示板には目を向けないようにしたが、面と向かって異を唱えてくる社員も出てきた。深夜に仕事をしていると技術陣が思い詰めたような表情で社長室に入ってきて宇野を取り囲んだ。何人いたのかは覚えていない。代表格である古参幹部が宇野の前に進み出た。

「こんなこと、もうやめてください。社員がかわいそうですよ。こんなこと、いくらやっても無駄です。社員を苦しめるだけです」

宇野は黙って耳を傾けた。

「こんなことをいくらやっても、役所とか電力会社なんかにバカにされるだけですよ。もう、正常化宣言なんか取り下げてください」

必死の訴えだということがひしひしと伝わってくる。それが、なぜかうれしかった。

「ありがとう。でもさ……。そこまでつらい思いをしてやってくれていることだろ。だったらなおさらだ。俺は絶対にやり遂げる」

新社長の気概を前に、その場は収まったが、こんなきれい事だけではなかった。

ある日、宇野の自宅に小包が届いた。封を開いた妻が悲鳴を上げた。見ると血の付いたわら人形が入っていた。そこには手紙も同封されていた。

「これ以上、私たちを苦しめないでください。死んでください」

もう、何も言えない——。送り主はある支店の女性社員だということが分かったが警察には届け出なかった。

結局、正常化にはざっと350億円の費用が必要なことが分かった。努力を重ね、社員を苦しめ、自らも精神的に追い詰められた果てに絶望的な数字をあぶり出す——。

まるでアルベール・カミュが『シーシュポスの神話』で描いた不条理をそのまま体現するかのような行為だ。神々の怒りを買ったシーシュポスが大きな岩を山の頂上まで運ぶという罰を受ける。やっと山頂まで来たと思った途端に岩はゴロゴロと転がり落ちてまたやり直し。そうなることが最初から分かっていながら、また同じことを繰り返す……。

こんなことを何度やってもどうせ……。社員たちがそう思うのも理解できる。だが、もう後には退けない。

そしてついに、その日がやって来た。2000年3月31日。宇野が正常化着手を宣言してから1年半の月日が過ぎていた。

その日、大阪有線の会議室には大きな日本地図が掲げられていた。全国に11ある電気通信管理局が大阪有線の届け出を受理する度に連絡が入り、まるで選挙のように地図に赤いバラのリボンを刺していく。

「北海道、受理されました」

「東海、正常化完了です」

正常化管理室の社員の声が響くたびに会議室は拍手に包まれる。地図に次々とバラが刺されるが、夕方6時の締め切り時間が過ぎても四国からは連絡がない。すでに日が暮れ、時刻は夜8時ごろになろうとしていた。ひときわ大きな声が会議室に響いた。

「四国！　受理されました！」

その瞬間、大歓声が会議室を包み込んだ。社員たちの前に立った宇野は深々と頭を下げると、全国でその瞬間を待ちわびた社員たちに正常化完了を告げようとマイクの前に座った。社内有線で社員に語りかけるためだ。

不覚にも嗚咽がこみ上げ言葉にならない。男泣きする二代目を、社員たちはじっと見つめていた。

ナパで見つけた「もうひとつの線路」

独特な「インターネット鉄道経営論」をもとにプロバイダー事業に乗り出した熊谷正寿は、早くも次なる事業のタネを探し始めていた。やるなら鉄道の線路にあたるインフラだ。次の「線路」はどこにあるか。それは意外なところに転がっていた。

プロバイダー事業が軌道に乗っていた1997年のある日、熊谷はシリコンバレーの視察に訪れた。同行していたのが技術担当役員となっていたリチャード・リンゼイ。元米軍の情報将校で退役してから日本に渡り、熊谷とはたまたまバーで知り合っていた。この頃、リンゼイは外資系のプロバイダーでダイレクターの職に就いていたため、熊谷とは同業者ということになる。二人は意気投合し、六本木界隈で飲むようになり、熊谷の誘いでインターキューに転じることになった。

当時のインターキューは無名のベンチャーで、プロバイダーに参入したばかり。優秀なエンジニアが集まらないという悩みを抱えていた。リンゼイがチームを引き連れて移籍してくれたおかげで熊谷が考案したダイヤルQ2とフランチャイズ方式を組み合わせたネットワークの構築が進んでいた。

ワイン好きの熊谷には、シリコンバレーの近郊に行ってみたい場所があった。世界的なワインの名産地であるナパバレーだ。

ナパバレーはシリコンバレーを北上し、サンフランシスコ市内を抜けてゴールデンゲートブリッジを渡った先にある。ナパ川という小さな川を挟んで延びる2本の国道に沿って大小のワイナリーが存在する。最も有名なのは欧州の名門ロスチャイルド家が関わったオーパス・ワンだろう。日本の古墳を思わせる独特の造りのワイナリーには世界中からファンが押し寄せる。

ナパでワインを堪能した帰りのことだ。リンゼイがぜひ見せたいものがあると言って近くの施設に熊谷を案内した。そこは体育館のような建物で、中に入るとテーブルの上にパソコンとともにハコのようなものが置かれていた。周りが木の枠で覆われているが、熊谷が異様な雰囲気を感じたのは、鉄条網でぐるりと取り囲まれていたからだ。

「リチャード、これって何?」

「サーバーだよ」

その施設はごく初期のデータセンターだった。

「へぇ、これがデータセンターか」

ぐるぐると巻かれた鉄条網は、その奥に鎮座する無機質なハコにとんでもない価値があることを無言で教えてくれる。あらゆるデータが集まるハコ。インターネットを鉄道に例えれば、これもまた鉄道の線路ということになるだろうか。つまり「絶対になくならないもの」である。いや、なくならないどころか、データ通信量が増えれば増えるほど価値を増していくだろう。

帰国した熊谷は早速、国内のレンタルサーバー市場の分析を始めた。競合はあるにはあるが、月額利用料が安くても10万円以上。しかも専門知識が必要で素人には手が出しにくい。さらにドメインの登録料や維持費用も高額ときている。

熊谷はこの地味な市場に価格破壊を仕掛けた。インターネット回線とレンタルサーバーをセットにした上、専門知識が必要だったサーバーの設定はウェブ上でクリックするだけという「まるごとサーバー」の価格を月額4万5800円からに設定し、さらに加入者にはドメイン登録は無料とした。これが瞬く間にヒットしてプロバイダーに次ぐ経営の柱に成長した。

「メール・メディアでナンバーワン」

熊谷のインターネット鉄道論経営は鉄道の線路から周辺の事業へと拡大していく。ちょうど私鉄の先駆者たちが鉄道から宅地開発や百貨店、レジャー施設へと手を伸ばしていったように。

最初に手掛けたのが「メール・メディア」だった。1990年代末のこの頃、電子メールで広告を配信する手法が広がろうとしており、熊谷はこの分野でナンバーワンを目指したのだった。

出会いは偶然だった。

ある時、熊谷が講演に呼ばれて話し終わると名刺交換の列に並んでいたのが「まぐまぐ」創業者の大川弘一だった。メールマガジンの草分け的存在と言っていいだろう。第7章でも紹介したが、オン・ザ・エッヂを創業しようとしていた堀江貴文と、税理士で後にライブドアのナンバー2となる宮内亮治との出会いも、「まぐまぐ」が運営するスパイダーというメルマガによるものだった。

当然、熊谷もその名は知っている。

「え、大川さん？　あのまぐまぐの？」

名刺を差し出されて驚いたのは熊谷の方だった。ただ、名刺交換の列は大川の後ろにも続いており、話し込む時間がない。

「今度時間くださいよ。京都まで行きますよ」

まぐまぐの本社は京都市・丹波口に近い京都リサーチパークにあった。早速、ここを訪れた熊谷は大川に提携を持ちかけた。まぐまぐのメルマガへの広告配信を切り出して事業化しようという。まぐまぐが抱える登録者数はこの時点ですでに約1400万人。その力を使えば一夜にして巨大な広告配信プラットフォームが出来上がると考えたのだ。

この戦略は的中し、まぐまぐとの合弁方式で設立した「まぐクリック」は史上最速となる設立から364日でナスダック・ジャパンへの上場を果たした。

勢いに乗る熊谷が出会ったのが、若き日の藤田晋だった。藤田は当時、宇野康秀の支援を受けてインテリジェンスから独立し、サイバーエージェントを創業したばかり。盟友の堀江貴文とタッグを組んで次々と事業を広げていた。

その一つがクリック保証型メール広告の「クリックインカム」（後のメルマ！）だった。

急成長するまぐクリックにとって脅威になると受け取った熊谷は、藤田に接近する。

「藤田君のことは高く評価していたから敵に回したくはなかった。競合することを避けて味方にする戦略を取ったのです」

そこに思わぬ話が舞い込んだ。

宇野が去りインテリジェンス社長となっていた鎌田和彦が、熊谷にサイバーエージェント株を買わないかと持ちかけてきたのだ。サイバーエージェントの発行済み株式の約16%分にあたる。熊谷にとっては味方どころか一気に「身内」にできるチャンスだ。

「当時、僕たちは『メール・メディアでナンバーワンになる』と言っていた。サイバーエージェントとうちの力を合わせれば、それが実現できると確信しました」

一方で村上世彰が率いる村上ファンドもサイバーエージェントの株を買い集めていた。村上から株を買い取れば、出資比率を33・4%以上に高めることができる。3分の1以上の株式を握れば、株主総会で拒否権を持つため極めて強い影響力を持つことになり、一般的にグループ会社と見なされるようになる。熊谷はいつでもそのカードを切ることができる状態になりながら、藤田の出方をうかがっていたわけだ。

ただ、藤田に「一緒にやろう」と持ちかけても、藤田は独立独歩にこだわった。

「藤田君、僕は村上さんのところから株を買うこともできるけど、それでもいいか」

熊谷はストレートに藤田に聞いた。藤田の答えは「ノー」だった。資本の論理で言えば本来的には熊谷が藤田に確認を取る必要はない。そもそも村上が誰に株を売るか、熊谷が上場企業であるサイバーエージェントの株をどう取得するかは、藤田に決定権はない。藤田はギリギリのところまで追い詰められ、一度は宇野に会社を託そうとまで考えたことは、第1章で描いた通りだ。

結果的にこのM&A騒動は熊谷が藤田の意思を尊重した形で終結したが、見方を変えれば勃興しつつあるインターネット産業の中で、長野のパチンコ店の釘師からのし上がった熊谷が確固たる存在感を見せ始めていたことの裏返しと言える。

熊谷の栄華はしばらく続く。この後、焦りのなかで引いたカードが、まぎれもないジョーカーだったと気づかされる時までは。

「インターネットの父」からのヒント

電柱問題にカタを付けて「正常化完了」を宣言した翌日、宇野は社名を亡き父が名付けた大阪有線放送社から有線ブロードネットワークスに改称した。すでに次のステップの構想が胸中にあったからだ。「ブロードネットワーク」とはブロードバンドのネットワークを意味する。つまり、全国の歓楽街に音楽を配信していた大阪有線を、インターネット回線のインフラを提供する会社に変身させようとしていたのだ。

そのヒントは意外な人物からもたらされた。話は宇野がまだインテリジェンス社長だった頃に遡る。慶應義塾大学湘南藤沢キャンパス（SFC）の内定者が、自分のゼミの先生が宇野に会いたいと言っているという。この学生のゼミを担当していたのが村井純だった。第2章に登場した「インターネットの父」と呼ばれる人物で、IIJの創業にも深く関わった男だ。

その男がなぜ「日本の人事部」を掲げるインテリジェンスに関心があるのか。宇野は村井に会いに行くことにした。すると、村井はこんな話を打ち明けた。

村井がSFCのキャンパスの外にも個人事務所を建てようとした時のことだ。電話線を敷こうとNTTに電話すると「工事にうかがうのに1週間かかります」と言われたそうだ。それでは遅いと不満に思ったが、NTTは日本の電話網を一手に握っているため、どうしようもない。

ところが同様に大阪有線に音楽配信のケーブルを敷設するよう頼んだら「明日行きます」と即答した。この時は電話と音楽で用途も違うが、これからいよいよネットワーク社会の到来を迎えるにあたり、NTTのお役所仕事では日本全国にインターネットが行き渡るようになるのはいつになることやら……。そんな経験もあって、村井は宇野にこんな構想を打ち明けた。

「お父さんの会社でインターネットをできないものでしょうか」

村井はNTTとの対応の違いを説いた上で「大阪有線くらいのスピードでやらないと日本にインターネットは広がらない」と力説する。

確かに面白いアイデアだと思った。言われてみればその通りだ。ケーブル回線をブロードバンド回線に置き替えれば、インターネットのインフラが出来上がる。これこそが大阪有線が持つ眠れる資産ではないか。

「おっしゃる通りです。非常に面白いですね」

ただ、現実的には自分は動きが取れない。

「非常に面白いと思うのですが、私は大阪有線の経営には携わっていないので……」

それから数年――。

宇野は大阪有線を継いで積年の課題だった電柱の違法利用問題にカタを付けた。あの時の村井の構想を実行に移す準備が整ったのだ。

宇野が目指したのは世界初となる光ファイバーによる超高速回線の実現だった。当時はまだISDNと言ってNTTの電話回線にパソコンを接続してインターネットにつなぐ技術が使われていた。これに対して米国では、やはり電話回線を使うがISDNよりは高速なADSLが広がりつつある段階だった。宇野は一足飛びにブロードバンドの本命と目されていた光ファイバーに挑戦しようと考えたのだ。

もちろん、音楽を流す同軸ケーブルは使えない。だが、宇野の手には晴れて合法となった全国720万本の電柱を伝うネットワーク網がある。音楽用ケーブルと並走させる形で光ファイバー回線を敷設していこうと考えたのだ。

ただし、一つだけハードルがあった。全国720万本の電柱を調べ尽くしたところ判明したのが、350億円の支払い義務だった。その損失を計上しなければならず、債務超過に陥ってしまう計算だった。

増資を引き受けてもらえ、なおかつブロードバンド構想を実現するパートナーとなり得る相手はいないものか。宇野の頭には、ある男が浮かんでいた。

孫正義である。

幻のブロードバンド連合

孫はこの頃、ナスダック・ジャパンを立ち上げ、日本債券信用銀行(後にあおぞら銀行)を買収するなど、相変わらず暴れまくっていた。どちらかと言えばインターネット企業への投資を成長戦略の柱に据えていた時期だが、日本のブロードバンドの立ち遅れに警鐘を鳴らす発言を繰り返していた。

2000年秋、宇野は孫を都内の料亭に招待した。孫とはこれが初対面だ。簡単なあいさつを済ませて席に着くと、宇野は大きな日本地図を取り出した。全国の電柱を伝うネットワーク網を書き出したものだった。

「これが全国に720万本あります。今は音楽の同軸ケーブルを通していますが、これを光ファイバーに替えれば全国をカバーできるインターネット回線を造ることができます」

宇野はさらに詳細な路線マップを用意していたが、それを見せて説明するまでもなく孫は断言した。

「いいね。是非、やろうよ」

ものの5分ほどだったか。二人はまだ先付けにも箸を付けていない。

「やろう、やろう！　じゃ、ごはんにするか」

孫は仲居を呼んで「はじめてください」と言う。光ファイバー網を実現するためには500億円もの資金が必要だと言うと「いいよ。うちが500億円出すからさ」と、あっさりと返してきた。そこからは特にブロードバンド構想に話が及ぶわけでもなく、食事が進んでいった。

「まさにキツネにつままれたような感覚でした」

「この話って前に進むのか」と思っていると食事が済んで店を出る頃になって、孫が突然こう言った。

「今日の話の続きをしたいから、明日朝7時に僕の家に来てもらえない？」

「え、明日の朝ですか？」

「そう」

あっけに取られてその日は終わった。翌朝、宇野は麻布十番の近くにある孫の自宅を訪れた。広大な敷地にはホワイトハウスを思わせる豪邸が建つが、この辺りは高台になっている上、植栽で取り囲まれているため周囲からは見えない構造になっている。

宇野を出迎えると、孫は「実は有線をインターネット回線に使えるんじゃないかというのは、僕も検証したことがあるんだよ」と打ち明けた。この豪邸にも大阪有線の回線が敷かれており、しかも部屋ごとに専用のチューナーが置かれていた。

「それで昨日の話なんだけどね」

孫は会議用の部屋に宇野を招くと、ホワイトボードの前に立った。マーカーを手に取って提携のスキームをイラスト入りで書き込んでいく。

「こんな感じでどう?」

ソフトバンクと、大阪有線あらため有線ブロードネットワークスが光ファイバーの共同出資会社を立ち上げた上で、ソフトバンクは有線ブロードに500億円を出資する。

宇野が納得すると、孫はホワイトボードの下にあるボタンを押した。書き込んだ内容がプリントアウトされる。

「これ契約書ね。じゃ、宇野君はここにサインして」

再びキツネにつまれたような感覚で、宇野はその紙にサインした。

こうして走り出したソフトバンクと有線ブロードによる光ファイバー構想だが、結果的にはすぐに頓挫してしまった。当時、有線ブロードが入居していた山王パークタワーの一角に極秘裏に立ち上げた共同出資会社で、ソフトバンクと有線ブロードの社員同士のソリが合わなかったこともあるが、決定的だったのはソフトバンクの株価急落だった。

この年はちょうどインターネットバブルが崩壊した年と重なる。ソフトバンクだけではなく孫正義の資金源だったヤフーの株価も急落し、500億円と言っていた出資額についてもソフトバンク側から「まずは50億円から」と提案された。

「それでは乗れません。白紙に戻してください」

宇野は孫に提携の白紙撤回を申し出た。孫は「俺は『損しても正義』という名前だから、絶対に(500億円を出資する)最初の約束通りにするから考え直してくれよ」と何度も再考を迫ったが、再び折り合うことはなかった。

結局、宇野は単独での光ファイバー進出にかじを切る。2001年3月に世界初となる光ファイバーによる超高速回線のサービスを始めた。NTTのネット回線と比べ速度は10倍で価格は半分。ただし、明白な弱点があった。まだまだネットワーク関連の技術力やマンパワーに乏しく、当初は利用可能エリアが東京の世田谷区と渋谷区のみ。段階的に広げていく計画を公表していたが、どうしてもインパクトに欠ける。

ちょうどその頃——。

東京・箱崎にあるソフトバンク本社。孫は突然、側近たちに告げた。

「予定はすべてキャンセルしろ。俺はここから出て行く」

社長室を出た孫は、本社近くに借りた雑居ビルにこもり始めた。孫もまた単独でのブロードバンド進出を決断したのだ。ただし、選んだのは速度では光ファイバーに劣るがコストが低いADSL。こちらも弱点があり、NTTの回線を借りる必要があるため作業が遅々として進まない。遅れを取り戻すため、社長室から出て現場の会議室に置く折り畳み式の長机に陣取ったのだ。

議論が行き詰まると竹刀かバットを手に取り、黙々と素振りを始める孫の姿には鬼気迫るものがあったという。第4章で登場した「香港から来た男」、松本真尚が孫に見い出されたのが、まさにこの雑居ビルの一室だった。

2001年7月に入ると孫が号令をかけた。

「今日の夕方5時までに100人集めろ。人間なら誰でもかまわん」

先行を許した有線ブロードバンドを追い上げるために急造部隊を結成したのだ。こうして9月に始めたADSLサービスの「ヤフーBB」は低価格を武器にあっという間に有線のシェアを奪っていった。

勝敗を分けた分岐点として、宇野には忘れられない記憶がある。

まだ宇野が先行していた6月半ばのことだ。宇野のもとには、日本のADSLの草分け的存在として知られる「東京めたりっく通信」の買収が持ち込まれていた。光ファイバーだけでは全国をカバーするまで時間がかかるので、ADSLを組み合わせれば弱点をカバーできると、宇野は考えた。

宇野のもとに最終的な提案が届いたのは金曜の夜遅くだった。

「他の役員とも話すので、週明けの月曜の朝にまた来てください」

月曜に再び有線ブロードを訪れた東京めたりっくの幹部が、驚きの事実を伝えてきた。

「土日の2日間で売却先が決まりました。ソフトバンクです」

土曜になって突然、孫から会いたいと連絡が入り、孫は100億円の資金投入をその場で即決したのだと言う。有線の動きを察知したのだろう。

こうして宇野は孫の後塵を拝する結果となった。

孫のやり方は徹底していた。

赤字覚悟で街頭に通信用モデムを無料でばらまく「パラソル部隊」を結成し、4年連続で巨額赤字を垂れ流しながら日本のブロードバンド市場をガッチリと押さえてしまった。これが孫の通信事業参入となり、孫はこの後、2兆円をかけてボーダフォン日本法人を買収し、携帯電話にも参入する。

そのスピードと徹底ぶりに、宇野は取り残されたのだ。

「あの金曜の夜になぜサインしなかったのかと、何度も悔やみました。空白の土日が悔やまれて仕方がなかったですね」

宇野は今もそう振り返るが、頭の中ではすでに次の事業構想が走り始めていた。映画監督に憧れた学生時代に夢見た映像ビジネスへの進出だ。

大きくなった藤田晋

「光ファイバーをやった時に『高速道路を造ってもそこを走るクルマがなければ意味がない』とよく言われました。つまり、当時のインターネットではコンテンツがないと。それならコンテンツも自分がやってやろうと思ったんですよ」

そもそも高校の時に起業家になるか映画監督を目指すか迷ったことがあるという宇野にとって、動画ビジネスへの進出は光ファイバー以前から描き続けていた夢だった。インフラを巡る攻防では孫に後れを取った。だが、動画では負けられない。

2002年に宇野は楽天の三木谷浩史と組んでペイパービューの「ショウタイム」を始めた。三木谷と宇野の仲を取り持ったのは、三木谷が師事していたカルチュア・コンビニエンス・クラブ（CCC）創業者の増田宗昭だった。韓国への視察旅行をともにするなど意気投合した二人が動画ビジネスに打って出たのだが、そこで痛感したのがコンテンツ不足だった。映画やドラマなどを握るコンテンツの制作者からは、インターネットはまだまだ動画を楽しむ「場」として認知されていないことを思い知ったのだ。

「それならいっそのことタダにしたらどうだ」

宇野がこんなことを思いついたのが2004年の年末のことだ。自宅でテレビを見ている時にふとひらめいたのだという。

「よく考えたら地上波放送は無料で、広告モデルで成り立っている。テレビは広告から始まってWOWOWみたいな有料モデルが後から出てきた。それならインターネットもまずは無料からやればどうだろうか」

早速、正月の休み明けに役員を招集して「インターネットの無料テレビ」のアイデアについて意見を聞いてみた。役員たちが異口同音に言う。

「いや、早過ぎるでしょ」

確かにそうだ。でも遅過ぎるよりはいい――。そんなことを考えていたある日のこと。自宅マンションのエントランスで、藤田晋とばったりと出会った。

「藤田君、ちょっと話を聞いてもらえないか」

宇野は自宅にかつての愛弟子を招き、「インターネットの無料テレビ」の構想をぶつけた。藤田は少し考えると、こう言った。

「面白いですね。まあ、なんでもないけど良いアイデアだと思いますよ」

シンプルだが、だからこそ面白いのではないかというのだ。これを聞いて宇野は「藤田がそう言うのだから俺のアイデアもまんざらじゃないな」と思ったのだという。

あの買収騒動から、すでに3年がたっている。インターネットの世界では確実に自分より経験を積んでいる上、サイバーエージェントの祖業は営業代理だ。藤田がインテリジェンスを飛び出して起業する際に、他ならぬ宇野が「さっきトイレで思いついたんだけどさ」と言って提案したビジネスである。その中でも広告営業は主力中の主力であり、第1章でも触れた通り、堀江貴文とのタッグで参入したクリック保証型広告が藤田にとっての「出世作」となった。

あの日、サイバーエージェントを投げ出したいと自分のもとを頼ってきた藤田に、宇野は「お前の会社なんていらねぇよ」と突き放した。その藤田が、今では乾坤一擲（けんこんいってき）の思いで勝負するビジネスについての相談相手になったというのは、宇野にとっても感慨深いものがあったはずだ。

2005年4月、宇野は「完全無料のパソコンテレビ」と銘打って動画配信の「GyaO」（ギャオ）を始める。社名も「有線ブロードネットワークス」から「USEN」に変えた。光ファイバー通信インフラの会社から動画の会社への変貌を宣言するためだ。

焦燥

その頃、熊谷正寿はこみ上げてくる焦りをぐっと抑え続けていた。

インターキューは2004年2月末に東証2部上場を果たすと、続けざまに東証1部への上場申請（指定変更）に着手した。この間、熊谷は上場審査のため思い切った手を打てないでいたのだ。

「1年間、何もできなかった。もう、両手両足を縛り付けられているような感覚でしたよ」

これには理由があって、もともと熊谷は孫正義から頼まれ、孫が大々的に日本に持ち込んできた「ナスダック・ジャパン」の発起人に名を連ねていた。この縁でインターキューも当初はナスダック市場に上場させたのだが、「いずれは東証に」という思いがあったのだという。

「やっぱり東証1部に行って社会にきちんと認めてもらいたいと思いました。そのチャンスがあったので、そっちを優先させました」

当時はちょうどインターネットバブル崩壊のどん底を脱して、インターネット産業全体が再び活気を取り戻していた時期にあたる。

「僕は焦っていました。すごく、ね。だから（東証1部に上場したら）もう、一気に行くぞと」

長野のパチンコ店の釘師からのし上がり、独特の「インターネット鉄道経営論」にもとづいてインターネットのインフラを押さえてきた熊谷にとって、事業家の本能のようなものなのだろう。では、「縛り」が解けた後は、どこに攻め込むのか。選択肢は2つだった。

「映像系に行こうか、それとも金融系か……。当時は宇野君がGyaOを始めて映像系が華やかに見えました。じゃ、僕は金融系に行こうと」

同い年のライバルである宇野康秀とは同じことはやらない――。そこにあったのは、どん底から這い上がってきた男のプライドか、それとも心の中の根底に流れるというコンプレックスなのか。ライバルの存在を意識しないと言えば嘘になるだろう。

同じ年に生まれた宇野はバブル経済が華やかなりし頃に仲間たちとベンチャーを立ち上げながら、父に請われて家業に飛び込み、地獄を見た。一方の熊谷は釘師から這い上がり、異母兄の存在を知らされて家業と決別した。異なる歩みを経た二人の男たちが一様に魅せられたのが、勃興しつつあるインターネットの世界だった。そして形は違えど、互いにそのインフラで勝負しようとした。宇野が光ファイバーなら、熊谷はプロバイダーとサーバーだ。

宇野は「高速道路を走るクルマは俺がつくる」と、動画ビジネスに打って出た。

それなら俺は何で勝負するか――。熊谷が選んだのが、宇野とは異なる金融というフィールドだった。

たまっていた鬱憤を晴らすかのように、電光石火で動いた。東証1部上場からわずか2

カ月後の2005年8月、熊谷が270億円を投じて買収したのが消費者金融のオリエント信販だった。

「絶対にうまく行くと思っていた」

この選択が、凶と出た。

「弱気にならない。諦めない」

熊谷がオリエント信販を買収して金融事業に進出した直後のことだった。監査法人からの指摘に思わず耳を疑った。

「過払い金の請求に備えて引当金を積むように」

驚いたのは引当金の対象となる期間だった。過去10年分に遡って計上せよという。金額はざっと300億円余り。これを計上しなければ決算は認められないかもしれないというのだ。熊谷の起業家人生が暗転した瞬間だった。

この時点ではあくまでリスク要因だったが、現実のものとなったのが2006年1月のことだ。最高裁が利息制限法の上限金利を超える「グレーゾーン金利」について、実質的に業者側に返還を求める判決を下したのだ。

いわゆる「シティズ判決」である。この判決が信販業界に起こした激震のマグニチュードの大きさは、数字が物語っている。アコム、武富士、アイフル、プロミスの大手4社もまた軒並み引当金を積むことを迫られたのだが、その額は4社合計で実に1兆円。これがきっかけで業績が悪化した武富士は2010年に経営破綻に追い込まれた。

GMOも例外ではない。

10年分の過払い金用引当金のうち、9年分余りはそれによって利益を得ている前オーナーの投資ファンドが持つべきではないかと主張したが、会計基準の変更もあって全額をGMOが持たされることになったのだ。引当金を積んだ結果、買収直前の2006年6月期に49・6%あった自己資本比率が0・5%にまで急降下した。

ここまで順風満帆だったGMOは突然、経営危機に追い込まれたのだ。

「どうにかならないかと一生懸命もがいたけど、どうにもならなかった」

熊谷はジリジリと追い込まれていく。GMOは2006年12月期、2007年12月期と2年続けて最終赤字に転落した。2007年8月には金融事業からの撤退を決めた。

「こんな不条理があっていいのか」

いつもはクールな熊谷が、記者会見で思わず語気を荒げた。だが、もう後の祭りだった。21歳から持ち歩くあの手帳にも、この頃は明るい未来ではなく自らを鼓舞する言葉を書き込んだ。

「弱気にならない。諦めない」

自らに暗示をかけるように、この言葉を毎日書き込んだのだ。

ある日、熊谷は一家で練炭自殺する夢を見た。神に救いを求めるように、この後にプロテスタントの洗礼を受けた。

それまでの熊谷にとって宗教は研究対象だった。例えば、圧倒的に長年続く組織とは何かと考えたところ、それは宗教団体という結論になった。では、宗教にはどんな共通点があるのか。それは「同じ場所に集い、同じものを読み、同じものを身に着け、同じポーズを取る、そして神話がある」の5項目だと考えた。その結果、取り入れた社内のルールは多く、例えば社員や幹部が「スピリットベンチャー宣言」という文章をそろって唱和する習慣を取り入れている。それが社員の結束を生むと信じるからだ。

IT業界の中で「GMOってちょっと宗教ぽい」とは度々言われることだが、組織作りの面で宗教団体にヒントを得ているので、当然と言えば当然かもしれない。

六本木心中

　やや話がそれたが、ピンチに追い込まれた熊谷に甘くささやく者が現れた。

　その日、熊谷は渋谷のセルリアンタワーに入る自社の一室に呼び出された。来客は6人。いずれも米国のさる有力金融機関の幹部たちだった。実名で書かないのは熊谷本人が「実名を明記しないなら何があったか、本当のことを話します」と言うからだ。

　熊谷はその米金融機関に会社再建のコンサルティングを依頼し、契約を結んでいた。ところが、その日のプレゼンはどうも様子が違う。GMOの経営再建がいかに困難かを冒頭から説明するのだった。最後に彼らの本音をぶつけてきた。

「ということで、このままの状態では、もう再建の手立てはないという結論に行き着きました。我々で500億円を用意しました。GMOの売却をお考えいただけないでしょうか」

　彼らの狙いは最初から再建の助言ではなく、GMOの買収だったのだ。その真意が分かった時、熊谷がブチ切れた。対面しているのは米金融機関の6人とはいえ、社内でこんな姿を見せたことは、これまであっただろうか。

「俺はあんたたちに助けてくれと言ってコンサルをお願いしたはずだ。それがなんだ。もう諦めて売れってどういうことなんだ！」

席から立ち上がるとテーブルをつかみ、勢いよくひっくり返した。熊谷は筋トレが趣味で、ベンチプレスでは110キロを上げる。そもそも普段は怒りをあらわにすることが少ない。よほどの迫力だったことは容易に想像ができるだろう。

その場はこれで終わったが、もちろん会社の危機が去ったわけではない。むしろ日々深刻化している。

それは年の瀬も迫った2007年12月の夜のことだった。その米金融機関が年末の忘年会を開いているというカラオケ店に、熊谷は呼び出された。巨大なウーハーやステージを完備し、ライブハウス並みの設備が売りだというそのカラオケ店の扉を開けると、すでに宴もたけなわだ。ステージでは妙に凝った衣装に身を包んだ社員が歌っている。

「熊谷さん、まあ、座ってよ」

そう言って熊谷を隣の席に招いたのは、その米金融機関日本法人の日本人トップだった。ご機嫌な様子だが、熊谷には付き合う気になれない空気だっただろう。出し物のように社員がステージに立っては皆が腹を抱えて笑う。その日本人トップは熊谷に「あなたも大変だねぇ」といった調子で語りかけてくる。

女性の人事部長がアン・ルイスの「六本木心中」をリクエストした。上手なのかどうか、よく分からないモノマネでマイクを握る。

「だけど、こころなんてお天気で変わるのさ」

「『命あげます』なんて、ちょっと場末のシネマしてるね」

妙に耳に障る歌声が響いている時だった。隣に座る日本人トップが熊谷の肩を抱くように手を回し、ぼそっとつぶやいた。

「熊谷さん。僕の経験から言えば7〜8割がた、あなたは年を越せないよ」

その瞬間、アン・ルイスもどきの声も、はやし立てる周囲の歓声も消えた気がした。

こいつらは本気だ——。

もちろん、熊谷と心中するつもりなど、みじんもない。

「500億円でGMOを売れば楽になるよ。ハワイにでも移住したら?」

甘い誘惑がそっと熊谷の心に侵入しようとしてくる。そういう時、どん底だった21歳の時に始めたあの手帳に書いてきた言葉を思い返す。

「弱気にならない。諦めない」

こういう時のために、夢を形にするために始めたはずのあの手帳に、毎日同じ文字を書いて己を鼓舞してきたはずだ。

（弱気になるな。諦めるな……。心が動いてしまう金額がその人間の価値だ。俺の価値はたったの500億なのか？）

自分にそう言い聞かせる。この時の屈辱は、今も忘れない。

現れた援軍

「諦めたら終わり」

その一念で打開策を求める熊谷に救いの手を差し伸べたのが、ある銀行の幹部だった。あの屈辱の夜の記憶も鮮明なままに取引先に暮れのあいさつに回っていた日のことだった。すでにいくつかの銀行からは支援の打ち切りを突きつけられていたが、この日に訪問したあおぞら銀行は違った。

熊谷を迎え入れた専務の石田克敏が、熊谷にこう切り出した。

「もし他行が手を引くようなら、うちに言ってください。全面的にご面倒を見させていただきますから」

あおぞら銀行はこの前年に長期信用銀行から普通銀行に転換し、8年ぶりに再上場を果たしたばかりだった。前身である日本債権信用銀行の時代から続く不動産や鉄道、建設などのオールド・カンパニーから、新興のインターネット産業へと取引先を広げたい思惑があったのだろう。

情ではなく利があっての言葉であることは理解している。それでもやはり身に染みる。石田は熊谷たちをエレベーターホールまで見送った。エレベーターの扉が閉まると、熊谷の隣に立つ安田昌史がこらえ切れなくなって号泣し始めた。金庫番としてずっと熊谷を支えてきた男だ。その肩に手を添える熊谷も涙腺が怪しくなってしまう。

熊谷はこの一件以来、取引先一覧のトップに「あおぞら銀行」と書くようにしている。「あいうえお順」ではない。

年が明けると、続々と援軍が現れた。

意外だったのが、かつて村上ファンドを率いた村上世彰だった。この頃にはライブドアによるフジテレビ買収計画に関わるインサイダー取引の疑いで逮捕され、裁判が始まっていた。渦中の村上は「クマちゃんだったらいいよ」と言って無利子で30億円を貸してくれた。村上と会うのは、あの藤田を苦しめた買収騒動の時以来だった。

なぜ熊谷を助けたのか。筆者が問うと、村上は「だって、昔から世話になったからさ」としか答えなかったので、真意までは分からない。

GMOに買収を持ちかけたのは、かの米金融機関だけではなかった。ヤフーも社内で買収を検討していた。その交渉役として現れたのが、本書で何度も登場する「サトカン」こと佐藤完だった。すでにヤフーの現役からは退いている。

ヤフーとなら様々なシナジー効果が見込めるだろう。だが「はい」とは言えない。旧知の「サトカン」に、熊谷はそう訴えた。結局、ヤフーがGMOの発行済み株式の5%分にあたる14億5000万円を出資することで折り合った。実質的にはGMO救済の色合いが強いが、それでもまだ資金は足りなかった。

熊谷は六本木の持ちビルを売って工面しようとしたが、買い主の不動産ブローカーが転売を試みたため、契約は一転、白紙となった。顧問弁護士に相談すると、提案されたのが「現物出資」だった。ビルそのものを会社への出資に回すのはどうかと言う。

現物出資は、通常はスタートアップが設立時の資金不足を補う手法として使われる。東証1部上場企業が増資のために活用するのは異例中の異例と言っていい。熊谷にとっても

「ウルトラC」のように思えた。それに、実現にはハードルがあった。

万が一、ビルの資産評価に誤りがあった場合は第三者に補塡を求める必要がある。株価の形成に影響を与える可能性があるからだ。当然、多額の返済リスクを背負うことになる。熊谷は名を明かさないが、この契約に応じてくれた人物がいた。

こうして熊谷はギリギリのところで踏みとどまった。風雲児のごとくインターネット産業に現れた男に突然襲いかかった危機は、去った。パチンコ店の出玉を調整する釘師から這い上がった男は、今も「圧倒的ナンバーワンを目指す」と意気軒昂だ。

「お前の会社なんかいつでも潰せる」

その会社の噂を聞いた時、宇野康秀は正直、嫌な予感がした。

米国シリコンバレーで「破壊者」が産声を上げたのは、2005年4月に「完全無料のパソコンテレビ」をうたうGyaOをリリースした1カ月半前のことだった。今では「ペイパル・マフィア」に数えられる元ペイパル社員の3人が創業したユーチューブである。「YouTube」はつまり「あなたのチューブ（ブラウン管）」。今では誰もが知る世界最大の動画共有サイトである。

「すぐに脅威だなと思いました。日本でユーチューブが浸透する前に自分たちで（同じようなことを）やった方がいいんじゃないかとも考えました。ただ、……」

宇野が踏み切れなかったのは、大阪有線時代の苦い記憶がよみがえってきたからだ。

「正直言って、大阪有線の経験がなければやっていたと思います」

当時のユーチューブはユーザーによる投稿という形で無秩序にテレビなどの番組が違法にアップロードされていた。ユーチューブは段階的に対策に力を入れていったが、今もテレビの動画は数多く投稿されている。

有線時代にもラジオ局の番組を勝手に流してもめたことがあった。それに、なんと言っても宇野には、違法で電柱を使っていた問題で苦しみ抜いた経験がある。グレーゾーンと言えるユーチューブのような動画投稿サイトには、ついに踏み切れなかった。

そのユーチューブに目を付けたのがグーグルだった。2006年10月、グーグルがユーチューブを買収した。正式なサービス開始から1年に満たず、現在のような広告収入モデルが確立していない段階で16億5000万ドルを投じたことは世界を驚かせたが、今ではとてつもない「お買い得案件」だったというのが共通見解だ。

実際、グーグルはかなり早い段階でユーチューブの実力を高く評価していた。買収を発表する前日にCEOのエリック・シュミットはたった一人で、サンマテオのピザ店や日本食店が入るビルの2階にあったユーチューブのオフィスを訪れている。3人の創業者たちにこんな約束をしたという。

「ユーチューブには無限大のコンテンツと無限大のユーザーを持つサイトになってほしい。そのために君たちの独立性は守るし、何か不本意なことがあったらいつでも直接私に言ってくれ」

これはその場にいた共同創業者の一人、スティーブ・チェンが日経産業新聞の取材で明らかにしたものだ。まさに三顧の礼でグーグルに迎えられたユーチューブは、検索の巨人の後ろ盾を得て爆発的に成長していく。

グーグルによるユーチューブ買収の一報を聞いた宇野は「あの瞬間に、こりゃダメだと思った」と言う。

そして2008年9月、いよいよ宇野を追い詰める激震が米ニューヨークで起きた。米銀行のリーマン・ブラザーズの経営破綻に起因する世界的な金融不安、いわゆるリーマン・ショックだ。

2009年に入ると宇野の一日は不愉快な電話から始まることが多くなった。早朝6時過ぎ、銀行の担当者から携帯に電話がかかってくる。

「再建計画はどうなってますか。会社がつぶれますよ」

月日が過ぎるにつれて口調がぞんざいになってくる。

「あんたの会社なんかいつでもつぶせるんだぞ」

「リストラはどうしたの? ちょっと、姿勢がなってないんじゃない」

当時、宇野は茶髪に無精ひげ。そのいでたちにまで文句を付けてくる。

「そもそも経営者として態度がなっていないね」

ある日の夕方のことだ。また担当者から電話がかかってきた。

「明日の朝イチで大阪の本店に来てください」

そう言われてもすでにスケジュールが詰まっている。そう告げると小ばかにしたような口調で返ってきた。

「へぇ、会社がつぶれる以上に大変なことなんかあるんですかねぇ」

ここは黙って従うしかない。そこから社外の人たちにはわびの電話を入れてスケジュールを再調整して大阪に行く。こんなことが何度かあったという。

忘れられないのが、初対面の役員に名刺を渡した時のことだ。

「カネも返せないような会社の名刺なんか要らない」

手渡した名刺をひと目見るなり、ぽいっと投げ捨てられた。

落とし穴

なぜこんなことになったのか――。

落とし穴は絶頂期に潜んでいた。それはリーマン・ショックが起きる2年前のことだ。

「学生援護会が売りに出ている。USENで協力してもらえないか」

こう言って宇野に協力を求めてきたのは、インテリジェンス社長の鎌田和彦だった。明治学院大時代にプロデュース研究会の先輩が立ち上げた学生ベンチャー「パズルリンク」で知り合い、一緒にリクルートコスモスに進んでインテリジェンスの創業メンバーとなった男だ。1998年に宇野が父・元忠に請われて大阪有線放送社の社長に転じると、宇野に代わってインテリジェンスの社長に就任していた。

その鎌田が相談を持ちかけてきたのが、アルバイト情報誌の『an』や転職情報誌『DODA（デューダ）』で知られる学生援護会の買収だった。

「日本の人事部になる」という目標を掲げてきたインテリジェンスにとって、願ってもないチャンスに思えるし、ライバル社に学生援護会を奪われたくないということも理解できる。

ただし、その金額は500億円。

「正直、高いなと思いました。でもインテリジェンスには思い入れがある」

宇野は鎌田の依頼を受けることにした。USENがインテリジェンスを子会社化し、学生援護会を手に入れるスキームだ。

この老舗出版社の買収が「地雷」だったと分かったのが、リーマン・ショックが発生してしばらくたった時のことだった。財務担当の役員が神妙な面持ちでガラス張りの宇野の部屋に入ってきた。

「このままだとコベナンツに抵触する恐れがあります」

「え？　どういうこと？」

コベナンツとは、もともとは神学で「神との約束」を意味する言葉だ。一般的には銀行から巨額の借り入れをする際の約束である「財務制限条項」を指す。大金を貸すのだからしばらくは一定の財務制限を付けるということで、もしこの約束をたがえれば即座に融資を回収されるか、銀行の管理下に組み込まれるか。いずれにせよ借りた方は、文句は言えない。

財務担当役員が言うには、コベナンツの中の「純資産維持条項」に抵触する恐れがあるのだという。実は、USENはインテリジェンスを取り込んだ後の2007年11月、三井住友銀行とゴールドマン・サックスを主幹事とする約30行による協調融資で1350億円を調達していた。この借り入れ自体はインテリジェンスや学生援護会とは無関係なのだが、コベナンツ危機の引き金を引いたのは、インテリジェンスの株価低迷だった。

USENが子会社にしてからも上場していたインテリジェンスの株価が低迷し「のれん」分の損失が発生していた。500億円を投じて学生援護会を買収しても、それが全く株式市場で評価されずに資産価値が下落していたのだ。買収時との資産価値の差を「のれん」と言う。USENはリーマン・ショックの直後に発表した2008年8月期の通期決算で539億円の最終赤字となった。これがコベナンツの定める純資産維持条項に抵触するとの指摘を受けたのだった。

　すると、手のひらを返したように銀行の態度が変わった。

　日々追い詰められるようになった宇野に、非情な指示が下る。手塩にかけて育てた事業をあれもこれもと売却するよう求められたのだ。最初に売却候補として指定されたのが乾坤一擲で勝負をしかけた「完全無料のパソコンテレビ」のＧｙａＯだった。

　ＧｙａＯが目を付けられたのは赤字だったからだろう。まだ事業拡大フェーズのため投資を優先させていたのだ。「コストを抑えて黒字にできないわけではなかったけど、縮小させることに意味があるのかと思った」。切り刻むようにＧｙａＯを縮小させるくらいなら、ＧｙａＯそのものを育ててくれる会社に売る方がいいのではないかと、宇野は考えた。

　売却先として選んだのがヤフーだった。

「社長、ちょっといいですか」

　２００９年4月7日、ヤフーへの売却を発表し記者会見へと向かう直前の宇野を、ＧｙａＯのチームのメンバーたちが呼び止めた。「話したいことがある」と言う。どんな罵声を浴びせられるかと思いながら会議室に入った宇野が、頭を下げた。

「本当に申し訳ない。ついさっき発表した通り、みんなにはヤフーに行ってもらうことになった」

そう言って社員たちに頭を下げると、誰かが言った。

「いや、むしろ私たちはＧｙａＯのサービスがクローズされるものと思っていました」

これには心底、驚いたという。社員たちには苦しい姿を見せまいと思っていたが、宇野をはじめとする経営陣が何やら追い詰められていることが、社員たちからはお見通しだったのだ。

宇野の社長室はガラス張りだ。重苦しい表情で打ち合わせをする姿は社員たちから丸見えだったことを考えれば、当然なのかもしれない。

宇野に声をかけたＧｙａＯチームの代表者は、撤退してサービスを終了するのではなくヤフーで事業を続けられる選択をしてくれたことにチーム一同で礼を言いたかったのだと話した。

これには、思わず涙が出た。

「首を吊ろうかと」

ただし、銀行団からの矢のような催促はＧｙａＯ売却では終わらない。むしろそれは「終わりの始まり」だった。

楽天の三木谷浩史とともに立ち上げた「ショウタイム」、映画配給のギャガ・コミュニケーションズ、通信カラオケ、そして宇野が「インターネットの高速道路」と呼んだ光回線事業……。父から引き継いだUSENをやっとの思いで違法状態から立て直し、ここまで築いてきたインターネット事業のほとんどを売却してしまったのだ。危機の引き金となったインテリジェンスも手放さざるを得なかった。

「言い方は良くないですが、まるで自分の子供を売り払ってしまうような気持ちでした」

身を切られるような日々が、宇野の精神をむしばんでいく。40歳を過ぎるまで口にしなかった酒に頼り始めるようになった。毎晩仕事帰りに濃いめのハイボールを浴びるように飲み、突っ伏すようにベッドに入った。やめていたタバコにも再び手を出していた。

そして宇野は、筆者の取材に対して衝撃の告白をした。

「あの時、周りが全員敵に見えたんです。それでもう、首をくろうかなと。本気で思いました。もう、首を吊ってしまおうと……」

3人の仲間とインテリジェンスを創業してから20年。これまでどんな苦しいことがあっても前だけを向いて走り続けてきた。血の付いたわら人形を送りつけられようと、死ねと罵倒されようと――。

周囲から丸見えの社長室の床に敷いた段ボール紙の上で朝を迎えたことが、何度あっただろうか。失敗に失敗を重ねて、それでも這い上がってインターネットの世界で戦い抜いてきた。そうやって積み上げてきたものを、すべてはぎ取られた時、ふと魔が差した。

（このままじゃ、危ない）

すんでのところで死の誘惑を断ち切ったという宇野は、ある男に声をかけた。

「シマちゃん、戻ってきてくれないか」

宇野が頼ったのはインテリジェンス創業メンバーの一人である島田亨だった。島田は宇野が大阪有線を去った直後にインテリジェンスを鎌田に託して退任した。その後、三木谷浩史から請われて東北楽天ゴールデンイーグルスの初代社長に就任し、「球界のお荷物」と言われた楽天球団を切り盛りしていた。

「あの頃は誰が敵で誰が味方か分からなくなっていた。疑心暗鬼だったんです。だから100％信頼できる、絶対に味方でいてくれる人にいてもらいたかった」

ただ、島田は三木谷との約束で、すぐにはイーグルスを離れられない。宇野は三木谷に直接電話して「島田さんをしばらく貸してもらえないでしょうか」とまで聞いたが、当時はようやくイーグルスが地力を付け、優勝を狙えるところまで来ていた。球団黒字化の目標達成にも王手がかかっている大切な時期で、やはり島田は手放せないという。

それでも話を聞くことはできると、島田は夜な夜な宇野の話を聞くようになっていた。

「話していたのは銀行対策ですね。実務もそうですけど、一緒に文句を言ってくれたり」

時に危機を乗り越えるためのアドバイスを送り、時に愚痴の聞き役になる。経営者は孤独である。思えば、25歳で社長になってから、本音で話せる人間がどれだけいただろうか。

ある時、島田が宇野に言った。

「そうだ。こういうことなら井上先生に相談してみたらどう?」

井上先生とは、元弁護士で経営コンサルタントに転身していた井上智治だ。あのサイバーエージェントを巡る買収騒動の際に登場し、複雑に絡み合った思惑の糸を解きほぐして事態を収拾してしまった男である。サイバーエージェントを買い取ってほしいと懇願する藤田に対し、宇野は「お前の会社なんていらねぇよ」と突き放しつつ、井上に「僕の弟分を助けてやってもらえないでしょうか」と依頼していた。

その結果、藤田がほとんど面識がなかった三木谷に救済されたことは、第1章で触れた通りだ。その井上に、今度は宇野が助けを求めた。

日々銀行団と接する宇野には、気がかりなことがあった。主幹事の一つである三井住友銀が、USENを発足したばかりの産業革新機構の傘下に組み込むべく動いている気配を察知していたのだ。

「もう一度やってやる」

革新機構はリーマン・ショック後に成立した法律のもとで誕生したが、景気がどん底に落ち込むなかで肝心の投資案件が見当たらなかった。実際、投資1号案件が決まったのは年度末ギリギリの2010年3月末のことだった。

銀行側は理由を明言しないが、宇野に対して機構入りをしきりに勧めてくる。機構の実績作りに利用されようとしていると考えざるを得ない。もし機構傘下に組み込まれれば、父から継いだUSENは完全に自分の手から離れ、どんな末路をたどるか、想像もできない。

「話は分かった。今はとにかく耐え抜くことです」

藤田を救った時もそうだったが、井上はあまり手の内を語らない。この時は旧知の弁護士を宇野に紹介し、自らも宇野の相談相手となった。

「あの頃から見える景色が少しずつ違ってきました」

結局、USENは機構入りからは免れた。ただ、銀行側が次期社長を指名し、宇野は追い出される形で社長の座から降りることになった。

「完全に銀行に支配されてしまった。敗北感だけが残りました」

こうして2010年11月に12年間、陣頭指揮を取ったUSENから、宇野は去った。当時すでに47歳。もともと45歳で引退しようと考えていたという宇野だが、選んだのがゼロからの再スタート。リベンジの道だった。

USENには、たった一つだけ「売れ残り」があった。GyaOの有料版として立ち上げていた「GyaO NEXT」だ。銀行から売れと命じられて入札にかけたが買い手が現れなかった文字通りの売れ残り事業だった。当時は毎月1億円の赤字を出していたが、ネットフリックスに近いサブスクリプション型の動画配信は「いずれ絶対に広がる」という確信があった。「インターネット時代の高速道路を走るクルマをつくるんだ」と語って社員を鼓舞していた宇野には「その時」がもう、そこまで来ているように思えた。

この売れ残り事業を、宇野はMBO（経営者による買収）の形で買い取り、U-

NEXTに改称して独立させた。USENからは移籍希望者も含め300人の社員を引き連れた。毎月1億円の赤字を垂れ流すスタートアップが300人もの社員を抱えることになる。周囲からは再考を促す声が相次いだが、「誰一人として切れなかった」と言う。

宇野が再出発の地に選んだのが青山キラー通りだった。美容院の空きスペースを借りてインテリジェンスを創業した北青山2丁目のビルにも近いが、宇野がこの場所を選んだのにはもう一つ、理由があった。U-NEXTのオフィスに決めた部屋の正面にあったのは、大学生時代に働いていた学生ベンチャー「パズルリンク」が入居していたマンションだった。

「いつか俺も事業家として生きていく」

そう心に決めて東京に来た時に飛び込んだ学生ベンチャーである。ガラス張りにした社長室からは、その時に通っていた部屋が見下ろせた。

体中の血が沸き立つような野望を持っていたあの時の志を忘れてはいけない――。己にそう言い聞かせる。

「もう一度原点に返ってやり直そう。絶対に成功してやる。そう思っていました」

動画ビジネスの新時代はもうそこまで来ているという宇野の読みは当たった。U-

NEXTは順調に登録者数を伸ばし、2014年に東証マザーズへの上場を果たした。思えば宇野が経営者として上場に導いたのはインテリジェンスとUSENに続いて3社目となる。

そして2017年、宇野はかつての失敗を取り戻した。U-NEXTが実質的に買収する形でUSENと経営統合し、宇野は追い出された会社を再びその手の中に収めたのだ。

「死んだオヤジからすれば銀行に支配されて『このバカヤロウ！』ですよね。天国のオヤジに『取り戻したよ』と言えた時はうれしいというより、ほっとしました」

ただし、それはゴールではない。

「まだまだ新しいことに挑戦しますよ」

生来大きな宇野の目は今、らんらんと光っている。

この国にインターネットが到来して30年近く。数々の若者が栄光を求めて名乗りを上げた。そこには知られざる壮絶なドラマがあった。

ある者は去り、ある者は踏みとどまった。

見果てぬ野望の泉が枯れることはない。今、この瞬間も――。

おわりに

ＩＴ起業家といえば華やかでどこか浮世離れした世界の住人というイメージがあるかもしれない。実は私もそう思っていた。２００2年に記者となって以来、最初の10年近くは電機、鉄鋼、自動車と重厚長大産業の取材を担当してきたこともあり、「ヒルズ族」に代表されるＩＴ起業家に抱く印象は、正直に言えばどこか浮ついていて、ちょっといけ好かないところがあった。サラリーマンとは縁遠い世界にいる成功者たちとして捉えていた。

だが、実際にはみんなどこにでもいる若者たちだった。確かにどこにでもいる若者だが、他者とは違う生き方を選び、リスクを取って行動に移し、試行錯誤を繰り返しながら歩んできた者たちだった。

「成功とは99％の失敗に支えられた1％である」とは、本田宗一郎がサインを求められた時などに好んで書いた言葉だった。我々の目に見える成功の裏には、数え切れないほどの失敗がある。そこから目を背けずに乗り越えた者だけが栄光をつかむことができる。

本書に登場する者たちもそんな生き方を選んできた。成功に至るまでに数々の困難に直面し、それを乗り越えてきた。その物語を余すことなく伝えたいというのが、本書に取り組む動機となった。もし、この本を手に取っていただいた皆さんにその物語から何かを感じてもらい、心のスイッチを少しでも動かすことができたなら、それに勝る喜びはない。

本書は日経電子版と日経産業新聞で同時連載した「ネット興亡記」をベースに、ゼロから書き下ろしたものだ。連載を始めると、何人かの同僚から「なぜ今更そんな手アカが付いた話を」と指摘された。まさにそこが私の狙いだった。「知っているつもり」の出来事の中に、実は数々の知られざるドラマがあったことを掘り起こそうと考えたからだ。

そのような仕事に取り組むにあたって、大いに刺激を受けた作品がふたつある。

一つはＮＨＫのドキュメンタリー『未解決事件』。特に初回の「グリコ・森永事件」は何度も観た。誰もが検証は終わったと思っていた「過去の事件」をＮＨＫが総力を挙げて再取材して新たな事実をあぶり出す。しかも再現ドラマを交えて視聴者をぐいぐいとひき付ける。これには、同業者ながら素晴らしい仕事だなと感動した。

もう一つは元読売新聞の清武英利さんの『しんがり　山一證券最後の12人』だ。山一證券の自主廃業の一報は日本経済新聞の特ダネで、新聞協会賞も受賞している。当然、情報量でも他社をリードしていただろう（私は当時学生だったので詳細は知らない）。日経はその後の検証記事などでも、さすがに特ダネをものにしただけの重厚な報道をしていた。

これも「終わった事件」である。だが、そこに鮮烈なドラマが存在したことを探りあて、見事に再現した清武さんの仕事にはうならされた。

この二つの作品を何度も目にして「自分もこんな仕事がしたい」と思ったことを、実践したのが「ネット興亡記」だった。

ところで、本書のサブタイトルは「敗れざる者たち」とした。日経電子版と日経産業新聞でネット興亡記を連載した際に、ライブドアに焦点を当てた第2部の共通カットとして採用した言葉なのだが、これはたまたまパッとひらめいたワードだった。ライブドア事件の荒波を経て奮闘する人たちの物語を体現するような言葉だと思ったからだ。

「我ながら良いタイトルだな」と思っていたが、どこかで引っかかっていた。聞いたことがあるような……。第2部の連載を終えてからグーグルで検索してみると、沢木耕太郎さんの短編集のタイトルだということが分かった。それは昔読んだ「三人の三塁手」が収録されている本だった。この短編が強烈過ぎて、不覚にも本そのもののタイトルを忘れていたのだ。

「三人の三塁手」は傑作だと思う。巨人軍に入団するも、国民的スターである長嶋茂雄がいたおかげでスポットライトを浴びることなくプロ野球界を去った二人の三塁手の物語を描いているのだが、「敗者」の視点から長嶋茂雄という存在を浮き彫りにしている。当時はあふれるように伝えられていたであろう長嶋茂雄を全く異なる角度から描くという手法だ。記者として駆け出しの頃にこれを読んで、深い感銘を受けたことを記憶している。

本書では沢木さんへの畏敬の念を込めて、「敗れざる者たち」を使わせていただいた。

日経電子版と日経産業新聞での1年半にわたる連載では、様々な方に支えられてきた。私が連載を最初に提案したのは日経産業新聞だった。当時編集長だった宮東治彦さんと担当デスクの小木曽由規さんからは多大な励ましをいただいた。

実は電子版と日経産業新聞では内容が違うのだが、これは電子版のオリジナルコンテンツとして編集しようという小板橋太郎さんの提案がもとになっている。書き手としてはかなりキツい作業だったが小板橋さんに電子版のデスクを担当していただいたことが大きな反響を得られた要因だと思う。小板橋さんから電子版のデスクを引き継がれた山腰克也さんにも毎日遅くまで付き合っていただいた。また、当時の上司にあたる大隅隆さんからは本書を出版するチャンスをいただき多大な励ましをいただいた。

そして本書の編集担当の赤木裕介さん。「ゼロからの書き下ろしにしたい」という私の提案に、辛抱強く付き合っていただいた。執筆が当初想定していたようなペースで進まず、何度も締め切り延長をお願いしたが、その度に笑顔を浮かべつつもメガネの奥の目が鋭くなっていくのを見て、申し訳なく思っていた。

言うまでもなく、この本は取材に応じていただいた方の協力なしには成り立たない。本書に実名で登場しない方も含め、その数は100人を超える。忙しいなかで時間を作り、思い出したくないこともお話しくださった皆さんに、この場を借りて心からお礼を述べたい。

最後に、こんなに分厚い本を手に取り、ここまでお付き合いいただいた読者の皆さんに感謝の気持ちを伝えたい。

ありがとうございました

2020年7月　杉本貴司

第10章

- イム・ウォンギ（吉原育子訳）『LINEを生んだNAVERの企業哲学　韓国最強企業の成功方程式』2013年、実業之日本社
- ケン・オーレッタ（土方奈美訳）『グーグル秘録　完全なる破壊』2010年、文藝春秋
- 慎武宏／河鐘基『ヤバいLINE　日本人が知らない不都合な真実』2015年、光文社
- NewsPicks取材班『韓流経営LINE』2016年、扶桑社

第11章

- 奥平和行『メルカリ　希代のスタートアップ、野心と焦りと挑戦の5年間』2018年、日経BP
- フリードリヒ・W・ニーチェ（佐々木中訳）『ツァラトゥストラかく語りき』2015年、河出書房新社
- suadd（山田進太郎）「suadd blog」http://suadd.com/wp/
- メルカリ「mercan」https://mercan.mercari.com/
- 「令和の開拓者たち」（文藝春秋連載）

第12章

- 熊谷正寿『一冊の手帳で夢は必ずかなう なりたい自分になるシンプルな方法』2004年、かんき出版
- 児玉博『起業家の勇気　USEN宇野康秀とベンチャーの興亡』2020年、文藝春秋
- 和田勉『USEN宇野康秀の挑戦!カリスマはいらない。』2006年、日経BP
- NewsPicks、企業家倶楽部、プレジデント、日本経済新聞、日経産業新聞

参考文献

文中で直接引用したものに加え、取材の事前準備のために参照したものも含めました。

第7章・第8章

- 大鹿靖明『ヒルズ黙示録　検証・ライブドア（朝日文庫）』2008年、朝日新聞出版
- 田中慎一『ライブドア監査人の告白』2006年、ダイヤモンド社
- NewsPicks取材班『韓流経営LINE』2016年、扶桑社
- 平松庚三『ボクがライブドア社長になった理由』2007年、ソフトバンククリエイティブ
- 藤田晋『起業家』2013年、幻冬舎
- 細野祐二『粉飾決算VS会計基準』2017年、日経BP
- 堀江貴文『僕は死なない』2005年、ライブドアパブリッシング
- 堀江貴文『徹底抗戦』2009年、集英社
- 堀江貴文『ホリエモンの宇宙論』2011年、講談社
- 堀江貴文『我が闘争』2015年、幻冬舎
- 堀江貴文『これからを稼ごう　仮想通貨と未来のお金の話』2018年、徳間書店
- 宮内亮治『虚構－堀江と私とライブドア』2007年、講談社
- 村上世彰『生涯投資家』2017年、文藝春秋
- 北海道新聞、十勝毎日新聞、日経MJ（流通新聞）、日経産業新聞、日本経済新聞、朝日新聞

第9章

- 株式会社デジタルガレージ　創業20周年記念プロジェクトチーム編『ファーストペンギンの会社　デジタルガレージの20年とこれから』2014年、ダイヤモンド社
- 木村弘毅『自己破壊経営　ミクシィはこうして進化する』2018年、日経BP
- 佐々木裕一『ソーシャルメディア四半世紀　情報資本主義に飲み込まれる時間とコンテンツ』2018年、日本経済新聞出版
- デビッド・カークパトリック（滑川海彦／高橋信夫訳）『フェイスブック　若き天才の野望　5億人をつなぐソーシャルネットワークはこう生まれた』2011年、日経BP
- 南場智子『不格好経営　チームDeNAの挑戦』2013年、日本経済新聞出版
- ニック・ビルトン（伏見威蕃訳）『ツイッター創業物語　金と権力、友情、そして裏切り』2014年、日本経済新聞出版
- マイク・ホフリンガー（大熊希美訳）『フェイスブック　不屈の未来戦略』2017年、TAC出版
- 森岡康一『グロースの時代　ヤフー、フェイスブック…で実践したビジネスを成長させるマインドとは』2014年、KADOKAWA
- 日経ベンチャー、日経産業新聞、日経MJ（流通新聞）、GOETHE

本書は、2020年8月に日本経済新聞出版から発行した
『ネット興亡記』を文庫化にあたって2分冊としたものです。

nbb
日経ビジネス人文庫

ネット興亡記（こうぼうき）
②敗（やぶ）れざる者（もの）たち

2022年12月1日　第1刷発行

著者
杉本貴司
すぎもと・たかし

発行者
國分正哉

発行
株式会社日経BP
日本経済新聞出版

発売
株式会社日経BPマーケティング
〒105-8308 東京都港区虎ノ門4-3-12

ブックデザイン
新井大輔

本文DTP
マーリンクレイン

印刷・製本
中央精版印刷

Printed in Japan ISBN978-4-296-11614-0